CHARME
MALICIEUX

CHARME MALICIEUX

Anya Bast

Traduit de l'anglais par
Noémie Grenier

ADA
éditions

Éditeur : François Doucet
Traduction : Noémie Grenier
Révision linguistique : Féminin pluriel
Correction d'épreuves : Nancy Coulombe, Carine Paradis
Conception de la couverture : Matthieu Fortin
Photo de la couverture : © Thinkstock
Mise en pages : Sébastien Michaud
ISBN papier 978-2-89733-140-5
ISBN PDF numérique 978-2-89733-141-2
ISBN ePub 978-2-89733-142-9
Première impression : 2013
Dépôt légal : 2013
Bibliothèque et Archives nationales du Québec
Bibliothèque Nationale du Canada

Éditions AdA Inc.
1385, boul. Lionel-Boulet
Varennes, Québec, Canada, J3X 1P7
Téléphone : 450-929-0296
Télécopieur : 450-929-0220
www.ada-inc.com
info@ada-inc.com

Diffusion
Canada :   Éditions AdA Inc.
France :   D.G. Diffusion
                    Z.I. des Bogues
                    31750 Escalquens — France
                    Téléphone : 05.61.00.09.99
Suisse :   Transat — 23.42.77.40
Belgique :   D.G. Diffusion — 05.61.00.09.99

Imprimé au Canada

Participation de la SODEC.   SODEC
Nous reconnaissons l'aide financière du gouvernement du Canada par l'entremise du Fonds du livre du Canada (FLC)
pour nos activités d'édition.
Gouvernement du Québec — Programme de crédit d'impôt pour l'édition de livres — Gestion SODEC.

Ce livre est dédié à mon mari et à ma fille,
qui remplissent chaque jour de notre vie avec de l'amour, des rires
et du soutien. Je chéris même les petits désagréments quotidiens
de la vie familiale. Je serais perdue sans vous.

REMERCIEMENTS

Merci à Lauren Dane et à Jody Wallace de m'avoir offert leurs compétences de réviseures et leurs opinions lorsque j'en avais désespérément besoin. Merci à Brenda Maxfield de toujours faire office de comité de rétroaction et de m'écouter parler de mes récits et de mes personnages à n'en plus finir.

Grands mercis à Axel de Roy, le brillant artiste qui a créé la carte interactive de Piefferburg, accessible sur mon site Web. J'adore ce que tu fais depuis quinze ans, ce qui représente plus ou moins la durée de mon mariage avec ton bon ami.

Et un merci tout spécial à mon mari, non seulement parce que tu me supportes lorsque je suis stressée ou affolée par une date butoir approchant à grands pas, mais aussi pour avoir suggéré le nom ingénieux de *Faelébrités* pour l'émission diffusée par les humains, en continu, sur la Cour Seelie.

UN

‿❦‿

— L'incarnation même du sexe, chuchotaient les hommes et les femmes autour d'elle.

— Mi-homme, mi-incube.

Aislinn ne savait pas si c'était vrai, mais elle pouvait reconnaître un homme unseelie dans une cour seelie. Puisqu'il s'agissait d'un phénomène plutôt rare, elle fit comme tous les autres et le dévisagea tandis qu'il traversait le couloir.

Vêtu de noir de la tête aux pieds, il était chaussé de Doc Martens et portait un jean délavé et un long pardessus, superposé à un pull ras du cou qui définissait sa poitrine musclée. On aurait dit qu'il possédait chaque centimètre du couloir qu'il traversait. Sa démarche dégageait une telle confiance, qu'il donnait l'impression de prendre plus de place que ce qui était physiquement possible. Les nobles de la Cour Seelie se recroquevillaient dans son sillage, malgré leur volonté de se tenir fièrement et solidement. Même les plus puissants d'entre eux ne restaient pas insensibles à sa présence. D'autres se raidissaient pour avoir l'air plus grands que nature, posant un défi à une menace imaginaire qu'ils croyaient avoir rencontrée. Quant aux gardes Impériaux, décorés de rose et d'or, ils semblaient perdre leur aplomb à son passage, comme s'ils sentaient qu'un maraudeur était arrivé parmi eux.

Et qui sait si cet homme n'était pas un maraudeur?

Personne ne savait quoi que ce soit à son sujet, sinon que la magie noire qui coulait dans ses veines unseelie était de nature sexuelle et pourtant meurtrière. La cour bourdonnait depuis l'annonce de son arrivée et de sa rencontre imminente avec la reine Été, souveraine des Tuatha Dé Danann Seelie.

À en croire le bruit qui courait, Gabriel Cionaodh Marcus Mac Braire avait été accueilli au sein de l'étincelante tour de quartz rose de la Cour Seelie, car il venait présenter une demande de résidence permanente à la reine Été, un événement qui recevait la plus grande attention des nobles de la cour. Tel que l'on pouvait s'y attendre, la plupart de ceux s'opposant à cette demande étaient des hommes.

Gabriel, disait-on, avait du sang seelie dans les veines, mais la partie incube unseelie de son être le dominait. Si l'on se fiait à la rumeur, il était comme de l'herbe à chat pour les femmes et, lorsque sa magie spéciale était brandie entre les draps, il avait le pouvoir de les asservir. La victime envoûtée par sa magie devenait alors dépendante de lui. Elle cessait de manger et de dormir, ne vivant que pour ses caresses, et finissait par se négliger complètement et se laisser mourir de désir.

Juste à y penser, Aislinn frémissait d'horreur, pourtant, l'idée ne semblait pas repousser les admiratrices de Gabriel. Peut-être était-ce parce que personne n'avait jamais entendu parler de femmes ayant succombé à ce sort. Si cet homme pouvait utiliser le sexe comme une arme fatale, apparemment il ne l'avait jamais fait.

Toutefois, on avait l'impression qu'une magie sexuelle émanait de lui. Quelque chose d'intangible; subtil, mais séduisant.

En l'observant, si sûr de lui et beau comme un dieu grec, Aislinn devait admettre qu'il avait du charme. Son long pardessus noir se mêlait à sa chevelure foncée qui tombait derrière ses épaules, si bien qu'elle ne savait plus où l'un commençait et où l'autre se terminait. Un ange déchu, beau à croquer, dont chaque mouvement portait la promesse d'une nuit remplie des plaisirs charnels les plus sombres et les plus dangereux? Il va sans dire, cet homme n'avait rien d'ordinaire. Même Aislinn, blasée, la fierté blessée par l'«amour», pouvait reconnaître l'attrait de cet homme mystérieux.

Cet attrait constituait bien sûr la spécialité d'un incube, et, si on se fiait aux ouï-dire de la cour, Gabriel l'était à moitié. Pourtant, malgré sa beauté ténébreuse, son charme fatal et cette magie aussi obscure qu'intrigante, il ne faisait aucun effet à Aislinn. À ses yeux, il était le danger incarné. Peut-être était-ce dû à la rupture publique qu'elle venait de vivre et à l'humiliation qu'elle avait subie, mais elle avait maintenant l'impression que tous les hommes représentaient une menace, *particulièrement les hommes séduisants.*

— Ouah, dit son amie Carina en faisant halte à côté d'elle. Je vois ce dont tout le monde se plaît à parler. Il est vraiment…

Elle laissa son idée en suspens, ses sourcils s'élevant vers la naissance de ses cheveux ébène.

— Il est vraiment quoi ? grogna le mari de Carina, s'approchant d'elle par derrière pour enlacer la taille de sa femme de ses bras.

— Très viril, répondit Carina. La magie de cet homme est si puissante que juste à le regarder passer, une femme se sent un peu grisée, mais c'est illusoire.

Carina se retourna pour enrouler ses bras autour du cou de Drem.

— Mon attirance envers toi est complètement réelle, confia-t-elle.

Sa voix basse, douce comme le miel, convainquit quiconque pouvant l'entendre qu'elle disait la vérité.

— Et *toi*, Aislinn, crois-tu qu'il est viril ? demanda Drem, retroussant ses lèvres minces en un sourire narquois.

Aislinn observa l'homme disparaître par les portes doubles décorées de rose et de doré, au bout du couloir aboutissant sur la salle du trône. La dernière chose qu'elle vit fut le rebord ondulant de son pardessus passer entre les portes. Derrière lui se hâtaient un caméraman et une présentatrice élégante et manifestement aisée de *Faelébrités*, l'émission agaçante d'«actualités» en direct qui couvrait jour et nuit les activités de la Cour Seelie, et que la reine Été trouvait si amusante.

— Il faudrait être morte pour ne pas voir sa virilité, mais s'il possède une magie sexuelle spéciale, elle n'a aucun effet sur moi.

Le regard de Drem glissa au bout du couloir, où l'homme avait disparu.

— Il te laisse vraiment de glace, Aislinn?

Elle haussa les épaules.

— Il ne m'échauffe pas les sens.

— Tu es bien la seule, murmura Carina.

Son mari lui donna une petite tape sur les fesses en guise de punition. Carina avala une bouffée d'air, prise par surprise, puis elle rit doucement.

— Regarde qui est là. C'est la raison pour laquelle aucun homme n'échauffe tes sens en ce moment.

Aislinn suivit le regard de Carina et aperçut Kendal, dans toute sa gloire blonde et lumineuse. Il bavardait avec des amis, qui avaient aussi été les amis d'Aislinn, dans l'aire de rencontres à l'extérieur des portes de la cour.

Argh.

Kendal croisa le regard d'Aislinn, mais elle détourna les yeux aussitôt, comme si elle ne l'avait pas remarqué. Elle avait déjà trop perdu de temps avec lui. Elle avait peine à croire qu'elle avait même cru qu'elle l'aimait. Kendal était un arriviste, sans plus. Il l'avait utilisée pour gravir les rangs de la cour, pour le prestige de fréquenter l'une des préférées de la reine, avant de la laisser tomber. Et il avait eu ce qu'il voulait. C'était bien la partie la plus vexante de l'histoire.

— Je n'ai rien à lui dire, commenta Aislinn sur le ton le plus froid dont elle était capable.

Carina le regarda fixement, les mâchoires serrées.

— Bien, moi, j'ai quelque chose à lui dire.

Carina entama le pas pour traverser le couloir vers lui.

Aislinn lui prit la main et la serra.

— Non, je t'en prie. Merci d'être furieuse pour moi, mais c'est exactement ce qu'il veut. L'attention flatte son ego et c'est la dernière chose qu'il mérite.

— Je peux te dire ce que ce rat mérite.

Aislinn éclata de rire.

— Tu es une bonne amie, Carina.

Les portes au bout du couloir s'ouvrirent et un farfadet préposé de la cour apparut, vêtu de rose et d'or, les couleurs emblématiques de la Tour Seelie.

— La reine exige la présence d'Aislinn Christiana Guenièvre Finvarra.

Aislinn fronça les sourcils et se figea, le regard rivé sur les portes que Gabriel Cionaodh Marcus Mac Braire avait franchies un instant plus tôt. Pourquoi la reine souhaitait-elle la voir ?

Carina la poussa vers l'avant, brisant ainsi sa paralysie momentanée. Aislinn avança, traversant le murmure inaudible des voix autour d'elle. Elle était maintenant habituée aux cancans à son sujet. Les nobles de la Cour Seelie n'avaient pas beaucoup à faire, à part se mêler des affaires des autres. La magie, quoique pratiquée et perfectionnée, n'était pas un atout d'une grande valeur de ce côté de la Place Piefferburg, à la différence de la Cour Unseelie.

Aislinn pénétra dans la salle du trône et les portes doubles se refermèrent derrière elle dans un grand bruit sourd. Caoilainn Elspeth Muirgheal, la reine des Tuatha Dé Danann Seelie, était assise sur le trône. Gabriel se tenait debout devant la reine, dos à Aislinn. Les gardes Impériaux, des hommes et des femmes au sang Tuatha Dé Seelie moins pur, étaient au garde-à-vous, alignés de chaque côté de la pièce dans leurs heaumes et hauberts roses et dorés brillants.

Se présenter devant la reine dans la salle du trône faisait toujours frissonner Aislinn. Les plafonds voûtés, recouverts de fresques peintes à la main représentant la bataille de Cath Maige Tuired au cours de laquelle les Sídhe avaient arraché l'Irlande aux Firbolg, des humains dans leur forme la moins évoluée, presque animale, saisissaient tous ceux qui entraient dans la pièce. Des planchers de marbre nervuré d'or s'étendaient sous les pieds d'Aislinn, jusqu'aux piliers et aux murs de quartz rose. C'était un lieu froid malgré ses couleurs chaudes, un lieu empreint de pouvoir, conçu pour intimider et dominer.

L'homme unseelie, Gabriel, paraissait complètement indifférent. En fait, sa façon de se tenir les pieds légèrement écartés, la tête haute, avec un petit sourire à demi dissimulé lui donnait un air presque insolent.

Les membres de l'équipe de *Faelébrités* s'étaient vu accorder la permission d'entrer. Ils étaient installés près d'un mur éloigné du trône, et le projecteur de la caméra, braqué sur la reine Été et Gabriel, se tournait à présent pour filmer la nouvelle arrivée. La présentatrice aux cheveux argentés, du nom de Holly quelque chose, se souvenait Aislinn, chuchotait dans son microphone pour décrire le déroulement des événements.

En ignorant l'équipe de tournage comme elle le faisait toujours, Aislinn s'arrêta près de l'incube tout en restant à bonne distance de lui. La dernière chose qu'elle avait en tête, c'était de le flagorner comme le faisaient la plupart des femmes. Du coin de l'œil, elle le vit qui l'évaluait du regard, lentement, de bas en haut, ainsi que le font les hommes lorsqu'ils se demandent manifestement à quoi ressemble une femme sans ses vêtements. Il n'essayait même pas d'être subtil. Peut-être était-il si arrogant et présomptueux, qu'il croyait ne pas avoir à s'embêter de discrétion.

Aislinn commençait sérieusement à détester cet homme.

Elle s'inclina très bas devant la reine, ce qui lui fut difficile dans son jean ajusté Rock & Republic. Si elle avait su qu'on la ferait venir devant le trône, elle aurait porté quelque chose d'un peu plus ample... et d'un peu plus formel. Le matin même, elle avait enfilé un pull gris à l'encolure en V et des bottes noires à semelles compensées par-dessus son jean. Elle avait attaché ses cheveux entortillés sur le dessus de sa tête et ne portait qu'une touche de maquillage.

Chose certaine, elle n'avait pas prévu cette situation.

La reine, fidèle à ses habitudes, était vêtue de brocart, de soie et de dentelle. Ce jour-là, elle avait choisi comme couleurs un bourgogne riche et un blanc crème, ses jupes empilées formant à ses pieds un océan de sang. Sa longue chevelure pâle était remontée en un enchevêtrement complexe de tresses, et de lourds rubis scintillaient à ses oreilles tandis que d'autres étaient blottis dans le creux de son cou pâle et gracile. Elle ne portait pas de maquillage, car elle n'en avait pas besoin. Sa beauté était aussi froide qu'impeccable. Son style était, comme toujours, vieillot. Un style qui lui allait parfaitement bien.

Caoilainn Elspeth Muirgheal remua une fine main, les nombreuses bagues de ses doigts miroitant sous la lumière.

— Aislinn, j'ai le plaisir de vous présenter Gabriel Mac Braire. Il a présenté à la cour une demande de résidence, au cas où vous n'en auriez pas entendu parler. Il semble que le mot se soit répandu d'un bout à l'autre de la Rose. Je n'ai pas terminé d'évaluer sa demande. Comme vous le savez, nous n'accordons que rarement ce statut.

Oui, mais il y avait jurisprudence. Ronan Quinn, par exemple. Il était mage de sang mi-druide, mi-unseelie. La reine lui avait concédé la résidence dans la Tour Rose plus de trente ans auparavant, parce qu'il était tombé amoureux de Bella, la meilleure amie d'Aislinn. Peu de temps après avoir reçu l'approbation de la reine, Ronan avait perdu Bella et avait succombé à un découragement démesuré qui avait duré des années. Puis, il y avait maintenant un an, il s'était chargé d'un travail mystérieux pour le Phaendir, ce qui lui avait pratiquement valu de se faire décapiter par la reine Été. Au bout du compte, Ronan avait conservé le droit de vivre et regagné le cœur de Bella, mais le couple avait été banni de la Tour Rose comme sanction pour les transgressions de Ronan. Aislinn ne savait pas où ils se trouvaient à présent.

Bella lui manquait chaque jour. C'était la seule qui avait jamais connu ses plus grands et plus lourds secrets. Sans sa présence, Aislinn se sentait seule au monde.

Mis à part toute cette histoire, Ronan Quinn constituait un exemple d'homme unseelie qui avait réussi à trouver sa place dans la Rose.

Gabriel, comme Ronan, était extrêmement beau, ce qui jouerait certainement en sa faveur. La reine ne pouvait résister à un homme si viril à la magie si puissante.

— Il restera ici jusqu'à la fin de la semaine prochaine, et j'ai décidé que vous serez son guide et son assistante générale durant son séjour.

— Moi ? s'exclama Aislinn en clignant des yeux, pourquoi moi ?

La question était sortie de sa bouche avant qu'elle ne réfléchisse et elle regretta aussitôt de l'avoir posée. On ne questionnait pas Caoilainn Elspeth Muirgheal ; on lui obéissait, un point c'est tout.

La reine Été haussa un pâle sourcil parfaitement arqué.

— Pourquoi pas *vous* ?

— Avec tout le respect qui vous est dû, ma reine, je crois…

— Doutez-vous de mon jugement ?

Oh non, les choses empiraient avec chaque mot que prononçait la reine. La température de la pièce s'était légèrement refroidie, en raison de l'humeur de la souveraine qui se manifestait par sa magie. Aislinn frissonna dans l'air frais.

— Non, ma reine.

Gabriel lui glissa un sourire moqueur de ses lèvres charnues et sensuelles.

Et non ! Il ne lui plaisait pas du tout, malgré ces lèvres charnues et sensuelles.

— Bien, Aislinn. Avez-vous un problème avec Gabriel ? La plupart des femmes seraient prêtes à tuer pour passer du temps avec lui.

La reine agita vaguement la main.

— Je croyais vous faire plaisir après votre… incident malheureux avec Kendal.

Oh, douce Danu. Aislinn grinça des dents avant de répondre.

— Je n'ai aucun problème avec lui, ma reine.

La reine tapa des mains ; Aislinn sursauta.

— Bien, c'est réglé, donc. Vous pouvez vous retirer tous les deux.

Aislinn se retourna sans attendre et se dirigea vers la sortie, Gabriel sur ses talons. Elle n'aimait pas l'avoir derrière elle ; elle se sentait comme une gazelle pourchassée par un lion. Mais il allait bientôt découvrir que cette gazelle était endurcie. Jamais elle ne s'allongerait pour lui montrer son ventre doux et vulnérable... ou toute autre partie de son corps.

Ils empruntèrent un couloir envahi par une foule curieuse. Carina, qui se trouvait avec Drem au milieu du passage, fit mine d'aller vers son amie, mais cette dernière leva la main pour l'arrêter. Tous les yeux étaient tournés vers Aislinn et Gabriel. La nouvelle accompagnatrice ne voulait pas s'attarder dans cet endroit pour discuter, de peur qu'on capte ses paroles pour fabriquer des rumeurs. Les curieux pourraient faire comme tout le monde et regarder *Faelébrités* pour obtenir des détails croustillants.

Tout en emboitant le pas à Aislinn, Gabriel balaya la scène du regard et passa une main sur son menton décoré d'une barbe de quelques jours et d'une fossette.

— C'est toujours comme ça ici ?

Sa voix, grave et profonde, rappelait à Aislinn le chocolat noir.

— Comme quoi ? rétorqua-t-elle sèchement, irritée.

Il désigna le couloir d'un ample geste de la main tout en marchant à ses côtés.

— Tous les nobles de la cour qui se rassemblent pour commérer.

Il vit l'expression dure de sa guide et reprit son sérieux.

— Oubliez ce que j'ai dit.

— Insulter mon foyer n'est pas une bonne façon de m'aborder, Mac Braire.

— Vous pouvez m'appeler Gabriel, et je n'ai pas voulu vous insulter. Ce n'était qu'une observation. J'aimerais que ce soit mon foyer aussi, n'oubliez pas. C'est pour cette raison que je suis ici.

— Pourtant, j'aurais juré entendre une insulte, murmura-t-elle, tâchant d'échapper aux grappes de nobles Seelie qui faisaient exactement ce dont Gabriel venait de les accuser.

Il marchait toutefois plus vite qu'elle. Elle avait du mal à suivre les pas de cet homme aux jambes beaucoup plus longues que les siennes.

— Je suis désolée. Que pense le roi des Ténèbres de votre défection de la Noire ? Je doute qu'il en soit très heureux.

Gabriel laissa échapper un rire grave.

— Non, en effet. Je prends un risque énorme. Si la reine Été me rejette et que je perds la protection de la Cour Seelie, je pourrais aussi perdre ma tête.

— Vous n'avez pas l'air si nerveux, pourtant.

— Je ne vis pas dans la peur. De toute façon, je vis depuis si longtemps que je recherche maintenant l'aventure. N'importe quoi pour briser la monotonie. N'importe quoi pour changer, Aislinn.

Sa façon de prononcer son nom la fit frissonner de la tête aux pieds. Il avait fait rouler les syllabes sur sa langue comme s'il leur donnait un baiser mouillé, doux et sucré tel un bonbon qui fond dans la bouche.

Sa réaction lui fit briser la cadence, ce qui l'énerva davantage. Elle accéléra le pas pour le rattraper une fois de plus.

— Écoutez, je ne sais pas pourquoi la reine m'a choisie pour ce boulot, mais la dernière chose dont j'ai envie en ce moment, c'est de jouer à la gardienne avec vous.

Aïe. Pourquoi se montrer si méprisante ? Elle grimaça à l'écho de ses propres mots. Il ne lui avait rien fait et elle ne savait trop pourquoi elle ressentait cette hostilité. C'était sans doute à cause de sa récente rupture. Gabriel lui rappelait Kendal.

Tous les hommes la faisaient penser à Kendal.

Elle se sentait toujours si meurtrie et vulnérable. Elle avait besoin de temps en solitaire pour panser ses blessures et guérir. La dernière chose dont elle avait besoin, c'était d'être forcée à passer du temps avec un coureur de jupons, capable d'utiliser le sexe comme une arme. Littéralement. Peut-être vengeait-elle sa fierté blessée et son cœur brisé en se servant de cet homme comme d'un souffre-douleur. Si c'était le cas, c'était moche de sa part... elle semblait pourtant incapable de s'en empêcher.

Gabriel s'arrêta et posa une main sur le coude d'Aislinn.

— Une minute... Écoutez, Aislinn, si c'est vraiment ce que vous ressentez, je suis certain de pouvoir trouver quelqu'un d'autre pour jouer à la « gardienne » avec moi.

Elle grimaça de nouveau, puis se retourna pour le regarder en face. Elle se comportait comme une peste et elle devait faire marche arrière. Elle ressentit un pincement de regret et ouvrit la bouche pour lui présenter ses excuses.

— C'est dommage que vous ne vouliez pas passer de temps avec moi tout de même, car j'ai des nouvelles de Bella et de Ronan. Ils ont hâte de reprendre contact avec vous.

Danu. Bella et Ronan ? Ils étaient donc à la Cour Unseelie, finalement. C'est ce qu'avait toujours cru Aislinn, mais elle n'était pas certaine que le roi des Ténèbres leur avait accordé la résidence.

La Cour Seelie était nommée la Tour Rose parce qu'elle était construite en quartz rose. La Cour Unseelie était désignée la Tour Noire parce que, pour ne pas être en reste, elle était faite de quartz noir. La livraison d'énormes quantités de quartz pour chacune des tours avait été permise par la société humaine et le Phaendir, et la magie avait été employée pour qu'on s'en serve comme matériau de construction.

Gabriel devança Aislinn, avec l'intention de la laisser derrière lui. Sacré mec! Il lui avait donné des miettes d'information avant de s'en aller, juste pour la punir. Il savait bien qu'elle courrait pour le rejoindre. Il semblait bien que l'instinct d'Aislinn ne l'avait pas trompée; il valait mieux se méfier de lui.

— Hé ho!

Elle trottina pour le rattraper.

— Je suis désolée. Je n'ai pas été juste envers vous. Vous êtes seul et vous avez manifestement besoin de compagnie, offrit-elle, même si elle était certaine qu'il n'aurait aucun mal à se faire beaucoup d'«amies» bien assez vite.

— Et de quelqu'un pour vous faire découvrir les lieux. Reprenons depuis le début, vous voulez bien?

Gabriel freina, se retourna, puis haussa un sombre sourcil.

— Ah, vous voulez donc des nouvelles de Bella et de Ronan.

— Non, répondit-elle en secouant la tête, c'est-à-dire, oui, mais je n'ai pas dit ça seulement pour avoir des nouvelles d'eux. Je veux être juste et vous donner le bénéfice du doute.

— Le bénéfice du doute ? Quelles histoires vous êtes-vous imaginées à mon propos, jolie Aislinn ? Et sans même me connaître ?

— Une histoire mettant en vedette un homme dangereux, arrogant et superficiel, qui laisse des montagnes de femmes rejetées au cœur brisé dans son sillage.

Ils s'étaient arrêtés dans une grande aire ouverte, où une énorme fontaine en forme de cygne se jetait dans un bassin. Il y avait moins de monde ici. Pendant un moment, l'endroit fut complètement silencieux, à l'exception du clapotis de l'eau et du cliquetis des talons des quelques passants.

Gabriel examina Aislinn de ses yeux bleu foncé brillants, l'air sérieux.

— Votre honnêteté est très rafraîchissante. Je suis désolé que ce soit la première impression que vous ayez de moi. Peut-être pourrai-je la changer.

— Peut-être que vous le pourrez.

— Un peu trop honnête. C'est ma première impression de vous.

Il plissa les yeux avant d'ajouter :

— Et peut-être un peu lasse des hommes en ce moment.

Il haussa une épaule nonchalamment.

— Mais ce n'est qu'une impression.

C'était la vérité. Il était temps de changer de sujet.

— Pourquoi souhaitez-vous changer de cour, au fait ?

— Je suis étonné qu'une Tuatha Dé Seelie pose une telle question. Je croyais que tout le monde ici considérait la Tour Rose comme étant supérieure en tout point. On ne devrait pas se demander ce qui me pousse à vouloir quitter la Noire.

Aislinn trouvait bien curieux les mots qu'il avait choisi d'utiliser. C'était presque de la dérision, sans l'être tout à fait. Une attitude étrange pour quelqu'un qui, semblait-il, voulait se joindre à ceux dont il se moquait pour le reste de sa très longue vie.

— Apparemment, Bella et Ronan sont allés vers la Cour Unseelie. Ce n'est sûrement pas si mal, là-bas.

Gabriel sourit.

— Eh bien, il n'y a pas d'équipe de tournage de *Faelébrités* chez la Noire.

Non. L'équipe de tournage à qui le roi des Ténèbres avait permis d'entrer des années auparavant y avait été dévorée.

— Et les nobles n'y sont pas aussi… précieux.

Aislinn haussa les sourcils.

— Précieux ?

Il hocha la tête.

— La Cour Unseelie est plus sinistre, et il faut se méfier des autres.

— C'est ce que j'ai entendu dire. On y jette des sortilèges, on y répand le sang.

— Parfois. La magie est plus puissante, plus violente, et on y accorde une grande valeur. Vous connaissez cette partie. Les lois y sont différentes et il y faut faire gaffe à ne pas marcher sur les pieds de certains fae, qu'on ne voudrait pas avoir comme ennemis.

Une crainte travaillait l'esprit d'Aislinn.

— Comment vont Bella et Ronan ?

— Bien. Ils se sont adaptés à la vie dans la Noire. Ils font dire qu'ils vont bien, mais Bella dit que vous lui manquez. Ils veulent que vous sachiez qu'ils sont heureux.

Elle inspecta son visage pour détecter un éventuel mensonge. C'est ce qu'elle souhaitait entendre, bien sûr, et Gabriel avait l'air du type à vous dire ce que vous vouliez entendre. Mais elle voulait *tant* le croire. Elle avait passé plus d'une nuit blanche à se ronger les sangs au sujet de ses amis. Le souvenir d'eux, s'éloignant sur la Place Piefferburg à la veille de Yule, bannis à jamais des Seelie par la reine Été, lui brisait encore le cœur en miettes chaque fois qu'il lui revenait à l'esprit.

Pourtant, le crime que Ronan avait commis, accepter un travail du Phaendir, lui aurait normalement valu la peine de mort. Il avait eu de la chance. Et Bella aussi. Le Phaendir, une confrérie de druides immortels et puissants, était l'ennemi juré des Sídhe, soit les Seelie comme les Unseelie. Il était l'ennemi de *toutes* les races de fae.

Et il y avait une bonne raison derrière cette adversité.

Les Phaendir, avec le soutien absolu des humains, avaient créé Piefferburg et assuraient le contrôle de ses frontières au moyen d'une cloison magique. Ils appelaient cette ville «l'espace de repeuplement».

Pour les habitants de Piefferburg, c'était plutôt «la prison».

En considérant le sort des fae d'un point de vue philosophique, on aurait pu dire qu'il y avait eu justice immanente pour les horribles guerres qu'ils s'étaient livrées au début du XVIIe siècle. Les guerres de races avaient décimé les populations, faisant des fae une proie facile pour leur ennemi commun, le Phaendir. Les guerres les avaient poussés à sortir de la clandestinité, et les humains avaient paniqué devant la vérité : les fae étaient réels.

En plus des guerres, une maladie mystérieuse appelée le syndrome de Watt avait frappé. Certains avaient cru à une mise au point de la maladie par le Phaendir. Peu importe son origine, le résultat avait été le même : les fae s'étaient affaiblis davantage.

Ces circonstances désastreuses avaient précipité leur chute. Au moment où les fae avaient atteint un état complètement vulnérable, les Phaendir s'étaient alliés aux humains pour les emprisonner dans un espace qui s'appelait alors le Nouveau Monde et qui avait été fondé par un humain du nom de Jules Piefferburg.

Des siècles plus tard, les sectes de fae qui s'étaient fait la guerre au cours des années 1600 vivaient dans une paix fragile. Elles s'étaient unies contre le Phaendir, car comme le vieil adage humain disait : *L'ennemi de mon ennemi est mon ami.*

Aislinn se racla la gorge pour réprimer l'émotion soudaine qui la submergeait. Bella avait été la seule personne de la cour avec qui elle avait partagé le poids de son lourd secret. En réalité, Bella avait été plus une sœur qu'une amie.

— Venez avec moi. Je vais vous faire visiter la tour avant le dîner.

— Je veux bien.

Ils marchèrent d'un bout à l'autre de la Rose, qui était un édifice énorme et autosuffisant. Aislinn montra à Gabriel tous les étages et lui expliqua qu'ils étaient divisés en fonction des rangs de la cour. Les étages du haut, ceux les plus proches du penthouse de la reine, étaient occupés par les Tuatha Dé Seelie au sang le plus pur. Elle lui fit visiter la cour du solarium, où les familles résidaient afin que leurs enfants puissent facilement aller jouer dehors. L'école. Les restaurants de la cour, dans lesquels dînaient les nobles. La salle de bal, les nombreux lieux de rassemblement et les salles de réception.

La plupart des résidents ne quittaient presque jamais l'immeuble, à part pour aller faire les boutiques ou aller au restaurant. Les plus aventureux d'entre eux s'encanaillaient parfois dans les rares boîtes de nuit que comptait Piefferburg, mais la reine Été décourageait les Tuatha Dé Seelie de se mêler aux fae de la troupe. Ces dernières n'appartenaient à aucune cour et n'étaient ni des fae de la nature ni des fae de l'eau.

Tandis que les contacts sociaux avec la troupe n'étaient pas recommandés, les contacts sans surveillance ou non approuvés avec les Tuatha Dé Unseelie étaient strictement défendus. Aislinn soupçonnait que ces contacts illicites étaient beaucoup plus répandus que ne le croyait la population seelie. Après tout, elle soupçonnait même sa propre mère d'en avoir été coupable. Il n'y avait aucun autre moyen d'expliquer certaines... curiosités... caractérisant ses pouvoirs magiques.

Elle termina la visite de la tour devant la porte de son appartement. Une bonne chose, car elle avait envie de ses pantoufles, d'une tasse de chocolat chaud et de sa propre compagnie pour le reste de la soirée.

Gabriel lui saisit la main avant qu'elle ne puisse s'esquiver.

— Merci d'avoir passé du temps avec moi aujourd'hui, murmura-t-il en vieux maejian, les mots roulant doucement et chaudement sur sa langue comme un bon whiskey.

Il se pencha pour lui baiser la main, selon la vieille coutume, les yeux rivés sur son visage. Au dernier moment, il tourna sa main vers le haut et posa les lèvres sur son poignet, tout en caressant sa paume du pouce.

Le frottement de son pouce rugueux, combiné à la douceur de ses lèvres chaudes et soyeuses, donna à Aislinn des frissons. Elle pensa aux mains et aux lèvres de cet homme sur d'autres parties de son corps, et à ce grand corps musclé, nu contre le sien, entre les draps de son lit.

Dans une étreinte enfiévrée.

Leurs membres entrelacés…

Méchant incube. Elle arracha sa main de celle de Gabriel.

Il resta là un moment, penché, la main encore tendue et les lèvres avancées. Il sourit, mi-moqueur, mi-espiègle, se redressa, puis s'éloigna dans le couloir, d'une démarche exsudant le sexe et l'arrogance.

Aislinn supposa que la reine Été avait cru que de passer du temps avec Gabriel lui ferait du bien après sa rupture avec Kendal. Pourquoi pas une aventure sans lendemain, histoire de retrouver l'envie de draguer ? Mais les aventures sans lendemain, ce n'était pas son truc.

Et elle n'était pas du tout heureuse d'avoir un homme comme Gabriel Mac Braire sur les bras.

Douce Danu, dans quel bourbier l'avait jetée la reine ?

DEUX

Aislinn se balançait nerveusement d'un pied à l'autre en observant Gabriel qui s'avançait vers elle dans la salle de bal. Une centaine d'autres hommes dans la pièce portaient le même modèle de smoking en laine noire, mais aucun d'eux ne le portait comme l'incube. Ses cheveux étaient tirés sur sa nuque, révélant l'ossature presque brutalement parfaite de son visage et rehaussant le bleu profond de ses yeux.

— Douce Danu, murmura Aislinn, portant sa flute de champagne à ses lèvres.

Elle sursauta au moment où Carina fit halte à côté d'elle.

— Ah, grande Déesse, souffla son amie, dévorant goulûment l'incube des yeux par-dessus le rebord de sa flûte à champagne. Regarde, il vient par ici.

Carina émit un petit grognement sourd, puis ajouta :

— Il y a un je-ne-sais-quoi chez un homme qui vient du côté noir, non ?

— Non, pas du tout.

— Je t'envie tant d'être son guide.

— Tu n'es pas la seule. Mais pense à Drem.

— Drem ne cherche pas du tout à savoir si je bave pour un autre homme, pour autant que je rentre le retrouver chaque soir.

Gabriel fendait la foule, et les gens semblaient s'écarter de son chemin par pur instinct. C'était étrange de voir les hommes faire un pas de côté, comme pour lui ouvrir le passage. Même les femmes se tassaient pour le laisser passer, tout en profitant de l'occasion pour le jauger. Était-ce parce qu'il était unseelie ? Ou était-ce plutôt parce qu'il était incube ? Selon Aislinn, ni l'une ni l'autre de ces hypothèses ne répondait à la question, mais elle ne pouvait mettre le doigt sur la menace qu'il paraissait exhaler inconsciemment.

Quelque part au fond d'elle-même, Aislinn se sentit, elle aussi, mue par l'impulsion subtile de s'écarter du chemin de Gabriel, malgré l'attrait qu'il dégageait. Toutefois, cette impulsion ne venait pas de sa réticence du moment envers les hommes. Elle regarda ostensiblement ailleurs alors qu'il s'approchait.

— Aislinn, Carina, salua Gabriel, en s'arrêtant devant les deux femmes. Vous êtes toutes les deux ravissantes ce soir.

— Merci, répondit Carina en arborant un sourire affecté.

Aislinn leva les yeux au ciel.

Il tendit le bras pour montrer la foule.

— Alors, s'agit-il d'un événement spécial ?

— Vous savez bien qu'il s'agit d'une soirée ordinaire, répliqua Aislinn, nous en avons parlé cet après-midi.

— Ah, oui, c'est bien vrai. Hebdomadaire, n'est-ce pas ?

— Périodique.

Gabriel y allait encore de ses petites moqueries.

— Aimeriez-vous danser, Aislinn?

Elle hésita, les mâchoires serrées.

— Elle aimerait bien, répondit Carina, dérobant adroitement le verre de champagne de son amie et la poussant délicatement pour l'«aider» à avancer.

Gabriel glissa une main autour de la taille d'Aislinn et la mena vers le plancher de danse de la salle scintillante, où des couples tournoyaient déjà sur la musique traditionnelle des Tuatha Dé Sídhe Seelie. Ils avaient tous dansé sur les mêmes mélodies un millénaire plus tôt, mais elles s'étaient, depuis, un tant soit peu raffinées.

Sa main était grande, remarquablement grande, possessive même, sur la taille de sa partenaire, tandis qu'il la guidait au milieu de la cohue. Il lui prit la main et l'attira beaucoup plus près qu'elle ne l'aurait souhaité, même si cette proximité faisait partie de la danse. Ses seins débordaient du corsage de sa robe gris tourterelle, et elle se sentit soudainement nue.

Elle se racla la gorge et s'efforça de se détendre entre les bras de Gabriel. Le problème, justement, c'était qu'elle était *tout à fait* à l'aise dans ses bras. Elle s'y sentait en sécurité, d'une manière qu'elle n'avait pas envie d'examiner de trop près.

— Comment vous plaisez-vous à la Tour Rose jusqu'à maintenant?

C'était une question candide, posée gentiment, et Aislinn avait même emprunté un ton parfaitement poli. Un point gagné pour elle.

— C'est un endroit agréable et les femmes y sont amicales. Pas les hommes, par contre.

Aislinn laissa échapper un petit gloussement.

— J'imagine que vous en avez l'habitude, en tant qu'incube. Les hommes se sentent menacés.

— Pas à la Tour Noire.

Feignant de tousser, elle répliqua :

— C'est difficile à croire.

— Vous m'avez manqué aujourd'hui, lui confia-t-il à l'oreille, de sa douce voix grave.

Elle s'était absentée tout l'après-midi.

— Je faisais du bénévolat dans le *ceantar láir*. Il y a un centre pour…

— Les fae sans-abris. Oui, je le connais.

Il sourit gentiment.

— Fermez la bouche.

Elle réalisa qu'elle était bouche bée et referma vite la bouche. Elle avait peine à croire qu'il connaissait le centre. Aislinn ne pouvait penser à aucun Seelie qui le connaissait.

— Désolée. Je fais du bénévolat dans ce centre une fois par semaine pour préparer et servir les repas.

— J'imagine que la reine n'aime pas trop votre activité.

— Elle n'y voit pas d'inconvénient, répondit Aislinn, sur la défensive.

En réalité, la reine tolérait difficilement ce « passe-temps », comme elle l'appelait.

Il lui fit un air peu convaincu.

— Elle vous permet de fréquenter les gobelins, lutins, gnomes et calottes rouges crève-la-faim ?

— Elle est très compatissante.

Gabriel se contenta de rire.

— Elle peut l'être, parfois, se ravisa Aislinn. De toute façon, je n'ai pas à me défendre ni à la défendre devant vous.

— Alors pourquoi le faites-vous?

— Parce que vous m'y forcez.

Les mots étaient sortis dans un sifflement grave, agacé. Pfff! Cet homme faisait ressortir le mauvais en elle, et elle ne pouvait tout simplement pas se maîtriser.

— Loin de moi l'idée de vous forcer à faire quelque chose que vous ne voudriez pas faire, belle Aislinn, murmura-t-il au-dessus de sa tête, ses yeux errant dans la foule.

Ses mots semblaient chargés d'insinuations.

— La Cour Seelie est beaucoup plus que de simples bals, de belles tenues et de futiles commérages. Nous sommes une tour honorable. Nos hommes et nos femmes croient en la galanterie et l'intégrité. Nous observons ici un code d'éthique respectable.

— Détendez-vous, Aislinn. La dernière chose que je veux faire, c'est d'énerver mon guide.

— Je ne suis pas votre guide, rétorqua-t-elle sèchement.

— Non, vous êtes ma partenaire de danse, et vous êtes très douée, en plus.

Sa voix dégageait une légère note d'émerveillement.

Aislinn cligna des yeux, puis elle regarda autour pour s'apercevoir que tous les yeux étaient tournés vers eux. Sa voix avait été raide et tendue pendant leur échange, mais son corps était resté étrangement… souple. En fait, elle avait fondu sans aucune gêne contre lui et l'avait laissé la guider dans une série de pas complexes qui attiraient maintenant l'admiration de toute la salle de bal.

Elle le fusilla du regard.

— Vous l'avez fait exprès.

Imperturbable, il haussa une épaule.

— Je ne peux vous forcer à faire quoi que ce soit que vous ne désirez pas faire, même inconsciemment.

La moutarde lui montait maintenant au nez. Elle pinça les lèvres pour se maîtriser.

— Je ne comprends toujours pas pourquoi vous voulez résider à la Rose, Gabriel. Vous semblez mépriser cette cour et même la reine.

Elle soutint son regard un long moment, comme si elle pouvait lire son esprit.

— À quelle sorte de jeu jouez-vous ?

— Vous m'avez eu. Je suis ici en mission ultraconfidentielle pour le compte du roi des Ténèbres, et j'ai reçu l'ordre de vous prendre pour cible. J'ai contraint la reine Été à m'aider à me rapprocher de vous et j'utilise mes charmes d'incube pour vous séduire afin de vous emmener à la Noire dans un but infâme.

Elle leva les yeux au plafond.

— Je suis sérieuse, Gabriel. Pourquoi désirez-vous être ici ?

Il la fit tournoyer, puis basculer vers l'arrière. La bouche de Gabriel plongea vers son visage pour s'arrêter juste au-dessus de ses lèvres.

— Je crève d'ennui, beauté, et vous êtes le remède idéal.

Il la tint ainsi le temps d'un battement de cœur, leurs lèvres se touchant presque. Autour d'eux, les gens applaudirent.

Il la redressa, puis elle s'empressa de retourner vers Carina pour récupérer son verre. Elle avait besoin de ce verre, et de plusieurs autres, en fait. Gabriel disparut dans la masse des danseurs.

— Tu lui plais bien, opina Carina.

— Hein? Bien, oui, peut-être. Je lui plais bien comme toutes les femmes lui plaisent bien; un jouet potentiel pour une nuit dans son lit.

— Non, je veux dire que tu lui plais vraiment. Je peux le voir dans son langage corporel. Tu te souviens? C'est ma magie. Je peux distinguer la vérité du mensonge en observant quelqu'un bouger et je peux dire que Gabriel te trouve très spéciale. Je dirais même qu'il *t'admire*.

Aislinn sentit ses joues s'empourprer.

— Impossible. Je ne lui ai rien donné à admirer. J'ai été affreuse envers lui, une vraie chipie.

— Je ne dirais pas ça, dit Carina.

Elle haussa les épaules, puis avala une gorgée de champagne.

— Je te dis simplement ce que je vois. Il admire quelque chose chez toi, et bien qu'il puisse les trouver beaux, ce ne sont pas tes seins, précisa-t-elle, braquant les yeux sur le décolleté d'Aislinn, qui était particulièrement révélateur ce soir-là.

Aislinn poussa un soupir excédé.

— Je ne le crois pas. La seule personne que cet homme trouve spéciale, c'est lui-même.

Sous un ciel jonché d'un million d'éclats d'étoiles, Gabriel traversait la Place Piefferburg vers la moitié noire, le col de sa chemise détaché et une bouteille de champagne à moitié vide dans la main. Du côté Seelie, les m'as-tu-vu déambulaient, de même que les occasionnels passants de la troupe, ces fae qui n'appartenaient à aucune cour et qui vivaient à titre de simples citoyens de leur belle zone de repeuplement, ou leur prison, comme la considéraient la plupart d'entre eux.

Au centre de la place, où avait été érigée la statue en fer enchanté de Jules Piefferburg, dénigrée et maltraitée, et pourtant aussi arrogante qu'un majeur dressé éternellement vers le ciel, s'étendait une zone obscure où les deux cours se touchaient presque. Dans cet entre-deux apparaissaient des exemples un peu plus monstrueux de fae issus du côté noir.

Il y avait les grands gobelins grêles qui paraissaient si fragiles, mais qui pouvaient déployer une force incroyable et se montrer horriblement brutaux lorsque la situation l'exigeait.

Certains travaillaient au service de la Tour Noire et y résidaient, mais la plupart vivaient à Ville des Gobelins, non loin de la Place Piefferburg. Puis il y avait les furies, ces êtres gigantesques et imposants, de sexe masculin ou féminin, connus aussi sous le nom de calottes rouges, qui devaient tuer périodiquement pour survivre. Heureusement, « périodiquement » signifiait à intervalle de quelques centaines d'années, et les calottes rouges réservaient à leur propre espèce leurs meurtres revigorants, qu'ils perpétraient dans le cadre de tournois complexes de combats du style des gladiateurs, auxquels tous les fae venaient assister. Il y avait aussi les alpes, ces fae allemands, petits et trapus, qui s'asseyaient sur la poitrine de leurs victimes et causaient des cauchemars assez violents pour entraîner des dommages psychologiques permanents. Finalement, il y avait les hybrides : de gros bossus bestiaux qui tordaient un peu l'esprit de leurs proies, et les créatures à l'allure d'elfes, plus courtes, atteintes d'écoulement rhino-pharyngé permanent. Les Unseelie acceptaient tout le monde, peu importe leur apparence.

Mais on trouvait également chez la Noire tout plein de créatures non monstrueuses. Des Tuatha Dé Danann Unseelie, hommes et femmes, qui étaient aussi beaux que Gabriel, mais qui, au contraire des Seelie, pouvaient tuer ou mutiler au moyen de leur magie. C'était peut-être même eux, les membres les plus dangereux de la Tour Noire. Traîtres et parfois meurtriers.

Après avoir passé une journée complète à la Cour Seelie, avec toute sa prétention étincelante, Gabriel savait qu'il préférait les monstres et le chaos aux dorures et aux racontars.

Il n'avait qu'une envie, rentrer chez lui.

Il avança plus profondément dans l'obscurité de l'autre moitié de la Place Piefferburg, sous l'ombre de la haute tour de cristal sombre, qui était le reflet de la Rose. Les portes s'ouvrirent immédiatement pour le laisser entrer, et il pénétra dans le hall de marbre noir.

— Gabriel, dit Hinkley, le conseiller principal du roi des Ténèbres et majordome de la Tour Noire.

C'était un homme mince et bossu au crâne dégarni, qui était toujours à demi penché. Il leva les yeux sur Gabriel à travers ses lunettes rondes à fine monture, perchées sur son long nez crochu.

— Il a demandé plusieurs fois à vous voir. Vous aviez dit que vous reviendriez beaucoup plus tôt.

Ce « il » dont Hinkley ne pouvait être qu'une personne.

Gabriel lui tendit sa bouteille de champagne, maintenant vide, et s'éloigna à grands pas, forçant Hinkley à galoper de ses courtes jambes pour le rattraper.

— Je n'aurais pu venir plus tôt sans éveiller les soupçons. J'ai passé presque toute la journée d'hier et la soirée d'aujourd'hui en compagnie d'Aislinn Christiana Guenièvre Finvarra. Il y avait un bal ce soir, et j'ai dû rester plus tard que je ne l'aurais voulu.

Il haussa les épaules et attrapa une pomme rouge et brillante dans un bol de fruits près du canapé.

— Je travaillais, affirma-t-il, avant de mordre vigoureusement dans la pomme.

— J'en conclus donc qu'elle est déjà sous votre charme? demanda Hinkley, soulevant plusieurs fois les sourcils d'une manière mielleuse qui fit frémir Gabriel, qui plaignit la pauvre femme sur qui Hinkley jetterait son dévolu.

— J'ai la certitude que ce sera affaire classée dans deux ou trois nuits.

Pourtant, ce n'était pas gagné d'avance.

La veille, lorsqu'il était arrivé à la Rose, Gabriel avait aperçu Aislinn alors qu'il franchissait le couloir menant au trône de la reine Été. Elle l'avait regardé de ses yeux gris et froids, des yeux immobiles sur un visage en forme de cœur. La froideur et le détachement qui les marquaient avaient été la première chose qu'il avait remarquée chez elle; la froideur n'étant habituellement pas un comportement que la majorité des femmes manifestaient à son égard. La deuxième chose qu'il avait remarqué, c'était à quel point elle était séduisante. La mission que lui avait assignée le roi des Ténèbres serait loin d'être une épreuve difficile. Pour une fois.

Non, Gabriel adorerait séduire la belle incendiaire Aislinn Finvarra, à la chevelure soyeuse d'un blond argenté et au joli corps mince doté de courbes alléchantes. En réalité, il était impatient d'effectuer le boulot dont on l'avait chargé. Cependant, il se doutait maintenant qu'il devrait attendre, car il avait remarqué quelque chose d'autre chez Aislinn : elle n'était pas du tout touchée par son «charme» unique.

Mais alors, pas du tout.

Parmi toutes les femmes que le roi des Ténèbres lui avait ordonné de séduire au profit de la Tour Noire, Aislinn était la seule qui semblait immunisée contre sa magie.

Séduire les femmes ne représentait habituellement pas un grand défi pour Gabriel, mais s'en trouvait parfois une pour lui résister. Ce qui ne l'avait jamais trop dérangé ; après tout, il y avait toujours une volontaire dans les environs et Gabriel n'était pas très difficile. Pour autant qu'elles soient jolies et aventureuses au lit, elles faisaient l'affaire. Mais il devait séduire cette Seelie réticente s'il voulait continuer à profiter des bonnes grâces du roi des Ténèbres.

Et s'il y avait bien une chose que Gabriel voulait sans contredit, c'était continuer rester dans les bonnes grâces du roi des Ténèbres.

Il profitait d'un statut haut placé dans la Noire, d'un bel appartement, de bons repas et d'autres petits avantages. Il ne disposait pas de fortune familiale sur laquelle il pourrait compter en cas de besoin, puisqu'il avait grandi dans l'extrême pauvreté et qu'il avait connu un début de vie tordu au cours duquel il avait fait ce qu'il avait à faire pour survivre. Le roi exigeait bien peu de lui pour maintenir son statut privilégié. Gabriel ne pouvait pas le décevoir.

En plus de sa froideur et de son détachement, Aislinn, parmi tous les Seelie qui l'avaient observé entrer dans leur tour, était la seule qui ne l'avait pas regardé avec un mélange de peur et de désir dans les yeux. La peur était normale et il avait l'habitude de la reconnaître sur les visages, même sur ceux des Unseelie.

En effet, il représentait un dangereux mélange de sexe et de mort.

Si la plupart des gens ne percevaient pas consciemment le danger de mort, il était bien là. Il ne s'agissait pourtant pas de sa capacité de créer une dépendance sexuelle chez les femmes. Il en était effectivement capable, mais pas au point où elles mourraient de désir pour lui. En vérité, ce type de pouvoir avait disparu longtemps auparavant chez ses ancêtres, mais il était dans l'intérêt de Gabriel d'en garder le secret. De plus, créer une dépendance sexuelle chez celles qui s'allongeaient dans son lit n'était pas quelque chose de souhaitable ; ses amantes devenaient collantes et accaparantes, ce qu'il trouvait insupportable.

Non, la menace intangible de mort, que les gens pouvaient sentir, provenait de quelque chose de beaucoup plus puissant. Une chose connue seulement d'une petite poignée d'Unseelie en qui il avait confiance.

Gabriel tourna le coin pour emprunter le couloir aboutissant aux appartements du roi des Ténèbres et Hinkley pressa le pas pour le suivre. Le plancher et les murs de cet endroit étaient faits de marbre noir strié de veines argentées. Des photos encadrées représentant les batailles historiques entre la Rose et la Noire décoraient les murs, au-dessus de petites tables sur lesquelles étaient posés des vases d'orchidées ou des bols de fruits ou de bonbons. Ces batailles avaient eu lieu bien avant le Grand Balayage, qui avait contraint les Seelie et les Unseelie à cohabiter dans Piefferburg et les avait ainsi forcés à faire la paix, sans qu'ils soient pour autant devenus alliés.

C'était l'étage où résidaient le roi des Ténèbres et ses conseillers. Les autres Unseelie n'avaient que rarement une raison d'y venir ; le silence était donc complet, uniquement brisé par les pas de Gabriel et de Hinkley.

Les pensées de Gabriel se tournèrent vers Aislinn et il ressentit un malaise qui lui était peu familier.

— J'aurai peut-être besoin de plus de temps que nous le croyions nécessaire avec cette femme.

Hinkley fit mine de suffoquer.

— Vous n'avez pas beaucoup de temps devant vous. Pour une raison que j'ignore, le roi des Ténèbres est complètement obsédé par l'idée d'avoir cette femme parmi nous. Je ne crois pas l'avoir jamais vu si impatient.

Gabriel étouffa un bâillement et commença à détacher les boutons de manchette de son smoking.

— Ce ne sera pas un problème.

Ils arrivèrent devant les portes doubles ouvrant sur les appartements du roi. La Cour Unseelie était habitée par des fae vivant le jour comme la nuit. Il y avait continuellement de la vie, au contraire de la Cour Seelie, qui s'animait surtout le jour. Le roi était un oiseau de nuit, ce qui voulait dire que Gabriel n'allait pas tirer Sa Majesté d'un profond sommeil. Même si c'était le cas, le roi n'en serait pas importuné. Le roi des Ténèbres ne siégeait pas sur le trône comme une statue à moitié morte, à la différence de la reine Été. Il bougeait, se battait, dansait, riait et batifolait avec son peuple.

Bien entendu, personne n'aurait fait l'erreur de considérer le roi comme son égal. Imprégné du pouvoir de l'amulette des Ténèbres, il était beaucoup plus puissant qu'aucun d'entre eux ne pouvait l'imaginer. L'amulette procurait au détenteur du trône unseelie la vie éternelle et la capacité d'appeler et de diriger l'armée des gobelins. On ne voulait pas fâcher le roi, et on ne voulait jamais le décevoir. Lorsque Sa Majesté décidait que vous méritiez une punition, ses châtiments étaient légendaires. La torture magique était bien pire que n'importe quel autre type de torture.

C'était la raison pour laquelle Gabriel ne voulait pas échouer dans sa mission. Pas même les préférés du roi étaient protégés de sa colère. Au contraire, il exigeait davantage d'eux.

Les portes s'ouvrirent automatiquement au moment où Gabriel approchait; une petite touche de magie bien utile. Hinkley fit un pas de côté pour permettre à Gabriel d'entrer seul. Il n'y avait personne dans la salle d'attente et les portes de l'appartement étaient ouvertes. Il traversa donc le spacieux vestibule et marcha jusqu'au salon.

Le décor de la pièce était moderne, dans les tons d'argent et de blanc. C'était un style froid pour un roi amical. Gabriel n'aimait pas ce style, malgré la richesse du décor et les signes évidents d'abondance qu'il présentait. Par ailleurs, le nom du roi des Ténèbres ne collait pas du tout à la peau du souverain, à l'avis de l'incube. Pas si l'on considérait que les ténèbres étaient lugubres et froides.

Aodh Críostóir Ruadhán O'Dubhuir, aussi connu sous le nom de roi des Ténèbres, était debout devant l'énorme fenêtre qui surplombait la Place Piefferburg, un petit verre rempli d'un liquide ambre à la main. La longue chevelure qui cascadait le long de son dos était blond cendré aux racines, sa couleur naturelle, puis se fondait ensuite dans un dégradé de teintures orangées, suivies du rose et se terminant par un rouge ardent aux pointes. L'homme était âgé de plusieurs centaines d'années, mais grâce à l'amulette des Ténèbres, il paraissait avoir trente-deux ans au plus. L'amulette faisait partie de lui, littéralement. Une fois que son détenteur légitime l'accrochait à son cou, le lourd collier s'enfonçait dans la chair et imprégnait le chef royal de sa magie, ne laissant qu'une image tatouée sur le cou et le haut de la poitrine pour marquer sa présence physique.

Le roi des Ténèbres feignit de ne pas avoir entendu Gabriel entrer, mais l'incube savait qu'il était conscient de son arrivée.

Le bâton de combat au pommeau de cristal, son arme préférée avec laquelle il s'était souvent entraîné contre Gabriel, était posé contre le mur à côté de lui. Son ogre Barthe, une créature sauvage aux capacités intellectuelles limitées, rôdait silencieusement dans le coin, fixant Gabriel de ses petits yeux noirs enfoncés dans une face pâteuse.

Un petit nombre d'ogres seulement avaient survécu au syndrome de Watt, la maladie qui avait décimé leur race. La plupart d'entre eux vivaient maintenant au sein de clans familiaux tissés serrés, dans les grottes des Terres frontalières. D'ordinaire, les ogres dédaignaient les contacts avec le reste des habitants de Piefferburg, mais pas Barthe. Il constituait à lui seul une race à part, car il recherchait l'interaction avec les autres. En fait, il s'était engagé à servir le roi. La bête agissait comme un pit-bull, pour ainsi dire, afin de protéger son maître.

Mesurant plus de deux mètres, Barthe était bâti comme un énorme footballeur et avait la taille fine, d'énormes bras musclés et de larges épaules. Sa face charnue ressemblait plus à celle d'un sanglier qu'à celle d'un homme, et il en sortait de petites défenses, à ne pas sous-estimer dans un combat. Son corps était couvert de fins poils noirs. Il marchait en position debout, se battait de manière terriblement brutale, et aimait son roi plus que sa propre vie. Ses aptitudes de communication étaient limitées, mais Gabriel avait compris que son clan l'avait rejeté après qu'il les eut quittés pour servir le roi unseelie.

Gabriel s'affala dans un fauteuil couleur perle. À titre de favori du roi, il jouissait de certaines permissions. Par ailleurs, il se sentait exténué. Devoir travailler à la Cour Seelie le jour avant de retourner parmi les Unseelie après minuit allait sûrement le mettre à rude épreuve.

— Vous ne m'avez pas donné signe de vie, hier soir, déclara le roi sans se retourner, avant de prendre une grosse gorgée.

— Je n'avais rien à signaler et j'avais beaucoup de travail à faire.

— J'ose croire que vous avez quelque chose à rapporter maintenant. L'avez-vous vue ?

Gabriel savait bien que le roi parlait d'Aislinn et non de la reine Été.

— J'ai fait plus que la voir. J'ai réussi à m'assurer sa compagnie quotidienne en convainquant Caoilainn Elspeth Muirgheal qu'elle représentait mon premier choix comme guide pendant mon séjour. Après avoir appris sa récente rupture, il ne m'a pas été difficile de persuader la reine que ma compagnie serait bénéfique à Aislinn. La reine semblait encline à aider l'une de ses préférées. J'ai donc maintenant une bonne excuse pour demander à la voir et passer du temps avec elle.

Le roi des Ténèbres n'avait pas de reine et la reine Été n'avait pas de roi. Ils vivaient ainsi depuis des siècles, et certains disaient que leurs contacts n'avaient pas toujours été aussi froids. Gabriel s'était toujours demandé pourquoi le roi prenait un air bizarre à la simple mention de Caoilainn Elspeth Muirgheal. En ce moment même, il ne pouvait voir l'expression d'Aodh, mais ses épaules s'étaient tendues à l'instant où le nom de la reine avait atteint ses oreilles, les pointes rouge sang de ses cheveux s'étant soulevées avec le haussement crispé de ses épaules.

— Et?

— Et Aislinn est-elle venue dans mon lit, tombée follement et passionnément amoureuse de moi et a-t-elle offert de faire n'importe quoi pour me faire plaisir? dit Gabriel en souriant. Non.

Le roi se retourna. Son pâle visage, éternellement beau, était marqué de traits sombres. Ses yeux bleu pâle s'illuminèrent d'impatience.

— Pourquoi pas? Je croyais que vous réaliseriez votre tâche en deux temps, trois mouvements. Je croyais qu'elle ramperait à vos pieds comme toutes les autres femmes et que vous n'auriez aucun problème. Je suis surpris *et mécontent* de voir qu'elle n'est pas accrochée à votre bras ce soir. Ne me dites pas que je dois envoyer quelqu'un d'autre la chercher?

Quelqu'un d'autre. Gabriel savait à qui pensait le roi en suggérant ces mots, et ce n'était pas une bonne idée... pas pour Aislinn, en tout cas. Il ne savait pas exactement ce que le roi des Ténèbres voulait à Aislinn Christiana Guenièvre Finvarra, aux longs cheveux blond argenté et aux magnifiques yeux gris, mais il ne croyait pas que le souverain ait eu l'intention de lui faire du mal physiquement. Malgré tout, le «quelqu'un d'autre» à qui pensait le roi ne serait pas aussi agréable à regarder ni aussi délicat que Gabriel, et il effraierait même probablement Aislinn.

L'incube se replaça dans son fauteuil et soupira.

— Essayons de ma manière d'abord. Je n'ai jamais échoué jusqu'à maintenant. J'ai seulement besoin de quelques jours de plus. Vous avez passé beaucoup de temps sans la présence de cette femme dans votre cour. Vous pouvez bien vous en passer une autre semaine ou deux, n'est-ce pas ?

Il marqua une pause, puis demanda :

— Toutefois, j'ai besoin de savoir pourquoi elle est si importante pour vous.

Aodh le dévisagea silencieusement pendant un long moment.

— C'est une parente éloignée. Je n'en ai pas beaucoup, et j'ai l'intention de la couvrir du luxe qu'elle mérite. Je vous en prie, ne me décevez pas, Gabriel. C'est quelque chose qui représente beaucoup pour moi. Je n'ai pas beaucoup de... famille.

Gabriel leva un sourcil. Il voyait une légère ressemblance dans le menton et la couleur de leurs cheveux était la même, mais autrement il n'aurait jamais deviné qu'ils étaient du même sang. Les yeux d'Aodh étaient d'un bleu pâle comme ceux d'un husky ou comme de l'eau glacée. Ceux d'Aislinn étaient gris comme l'acier ou un ciel orageux. Proches, mais nettement distincts.

— Vous pouvez compter sur moi, mon roi.

Aodh prit une autre gorgée, puis se retourna vers la fenêtre.

— Bien. Vous pouvez aller remplir votre tâche, maintenant. J'entends le cri des âmes au loin.

Gabriel les entendait aussi. Il sentait en plus qu'elles cherchaient à l'attirer. S'il délaissait son travail trop longtemps, elles se mettraient à hurler et à griffer l'intérieur de sa psyché. Il était l'heure de faire ce à quoi il était destiné. Il ne pouvait y échapper. Gabriel ne désirait pas y échapper. C'était son devoir sacré.

— Je reviendrai vous faire rapport sur la situation lorsque j'aurai réalisé de véritables progrès.

Mais le roi ne l'entendait plus, replongé profondément dans ses pensées devant l'immense fenêtre. Gabriel sortit sans attendre.

Il n'arrêta pas à son appartement. Rien ne l'y attendait de toute façon. Pas de famille. Pas d'étreinte romantique. Gabriel n'y gardait même pas de domestiques, préférant la solitude totale à l'intérieur de ses propres murs. Pas d'animal de compagnie. Pas beaucoup d'amis, mais ceux qu'il avait étaient de vrais amis.

Des admiratrices et des amantes, il en avait, bien sûr, mais elles ne le visitaient que la nuit, pour le sexe seulement. Ses relations avec elles étaient chaleureuses... torrides, mais l'amitié qui en restait, froide.

C'est ainsi qu'il le voulait.

Si une fois de temps à autre il se sentait seul, eh bien, c'était le prix à payer pour protéger son secret ; le secret qu'il ne révélerait pour rien au monde, car c'était ce qui donnait un sens à sa vie. C'était ce qui lui donnait le sentiment d'être utile et qui lui permettait de servir son peuple. Si on lui enlevait son devoir à la Tour Noire, il ne lui resterait plus rien.

Il parcourut les couloirs de marbre sombre et franchit les portes de bois gravées. D'un coin à l'autre de la tour, l'eau ruisselait sur la face des murs et des feux brûlaient dans les nombreux âtres occupant la myriade de petites aires de repos dispersées dans l'édifice.

Les architectes avaient fait du beau travail et Gabriel n'aurait voulu vivre nulle part ailleurs. Il était là lorsque la tour avait d'abord été conçue, puis construite. Enfant, il s'était rendu chaque jour à la Place Piefferburg pour observer l'érection de l'édifice, l'espoir d'y vivre un jour parmi son peuple brûlant dans sa poitrine. À cette époque, c'était le seul espoir qui l'habitait. C'est ce qui l'avait gardé en vie durant les premières années de misère ayant suivi la création de Piefferburg. Il était alors déjà seul, sans personne dans sa vie, et il avait déjà appris qu'il valait mieux ne compter que sur soi-même.

Il s'introduisit dans l'aile ouest par une porte secrète, puis grimpa l'escalier en colimaçon qui menait au toit de la Tour Noire. La pierre grise et froide tournoyant à l'infini semblait tout droit sortie d'un conte de fées humain. Ici et là, une tête de gargouille, placée par les constructeurs et imbue d'un sort de protection, saillait des murs rocailleux. Des statues sculptées à la main représentant de célèbres fae unseelie veillaient, nichées au creux d'alcôves. Gabriel escaladait cet escalier chaque nuit depuis plus d'un siècle, et il connaissait chacune des statues par leur nom, de même que leur histoire.

Lorsqu'il atteignit le haut de l'escalier tourbillonnant, il trouva Aeric Killian Riordan O'Malley, qu'on appelait aussi «le forgeron». Appuyé dans l'embrasure de la porte donnant sur le toit, Aeric, ses bras bien sculptés croisés sur la poitrine, haussa un sourcil blond châtain.

— Tu es en retard et les âmes sont impatientes. Nous sommes presque partis sans toi.

Aeric, il y avait de cela longtemps, quand le monde des fae était bien différent, avait été un forgeron capable de façonner des armes magiques, qui avaient donné une tout autre dimension aux batailles dans lesquelles elles avaient été brandies. La demande pour les armes de combat enchantées s'était depuis affaiblie, mais Aeric trouvait encore du travail ici et là en fabriquant des sangles ensorcelées et, plus rarement, une massue ou un sabre de fer enchanté, aussi illégal l'un que l'autre. Aeric faisait maintenant partie de la bande de Gabriel, et il était aussi l'un de ses meilleurs amis.

Certains les appelaient «la Bande furieuse». Gabriel considérait plutôt que les membres de sa bande n'étaient que légèrement agacés. Probablement plus que d'habitude à cette heure, puisqu'il les avait fait attendre.

— J'étais occupé. J'ai été chargé d'un boulot à la Rose par le roi des Ténèbres, dit Gabriel, en tendant le bras vers la porte.

— La Rose?

Aeric s'éloigna du cadre de porte et s'écarta pour laisser passer Gabriel. Ses cheveux châtains mi-longs étaient attachés sur sa nuque et il portait un jean usé, des bottes à bout renforcé et un t-shirt moulant sa poitrine. Il n'était plus forgeron, mais il avait toujours la carrure qui allait avec l'emploi.

— C'est comment là-bas ?

— Ennuyeux.

Sauf pour ce qui était d'Aislinn. Elle était comme un feu crépitant. Dans d'autres circonstances, il en aurait parlé à Aeric, mais Aodh voulait garder la mission secrète.

— Les autres sont ici ?

— Ouais. Nous attendons depuis une heure.

Sa voix avait retenti comme un grognement grave, empreint de colère. Dans la Tour Noire, Aeric était bien connu pour son tempérament fougueux.

En émergeant sur le toit, Gabriel vit le reste de sa bande, allongée sur le quartz noir luisant. Les chevaux mystiques erraient sans but. Cette nuit, six montures étaient venues du Monde des Ténèbres, ce qui signifiait qu'il y avait beaucoup d'âmes à récolter. Abastor était le Quarter horse noir de Gabriel, le seul cheval qui apparaissait chaque nuit. Abastor était un cheval entêté que seul Gabriel pouvait maîtriser, et il menait la chasse. Les chiens de chasse des Ténèbres, Blix et Taliesin, de belles bêtes au poil lustré, faisaient aussi les cent pas, reniflant ce qu'il y avait à renifler en attendant d'aller traquer les âmes perdues aux quatre coins de la ville.

Melia, une fae de combat rousse, courte et toute menue, se prélassait sur le toit aux côtés de son mari, Aelfdane. Ce dernier était beaucoup plus grand que sa minuscule épouse, était maigre comme un manche à balai, et avait de longs cheveux blonds tombant au creux de son dos. Aelfdane avait une allure délicate, presque efféminée, comme tous les

Twyleth Teg, d'ailleurs, mais cette délicatesse était aussi trompeuse que l'était la taille de Melia. Ils étaient tous deux redoutables au combat. En fait, Aelfdane était doté d'un pouvoir qui lui permettait de vous rendre malade en un clin d'oeil. Ce n'était pas quelqu'un qu'on s'amusait à énerver.

Bran était assis à la table et jouait au solitaire. Il n'y avait rien d'inhabituel à son comportement. Bran était un mystère pour la plupart d'entre eux. Son habileté spéciale consistait à guider les animaux; il dirigeait les créatures, par exemple, les chevaux aquatiques et les phoukas des Terres frontalières, et même les chiens mystiques de la bande. Blix et Taliesin l'adoraient. Son corbeau, Lex, était perché non loin de lui, observant tout et tout le monde de ses yeux impénétrables. Bran resta immobile à l'approche de Gabriel, perdu dans son monde à lui. Il semblait pouvoir communiquer aisément avec les animaux du monde fae, mais pas tellement avec qui ou quoi que ce soit d'autre.

Chacun d'eux avait été spécialement choisi par des forces obscures pour faire partie de la petite troupe de Gabriel, la Bande furieuse. Chaque nuit, ils lançaient la Chasse sauvage, dont la légende était racontée dans presque toutes les cultures de presque tous les pays depuis le début des temps.

Toutes les nuits, ils se retrouvaient pour aller accomplir leur devoir sacré.

Toutes les nuits, ils chevauchaient leurs étalons mystiques.

Melia et Aelfdane levèrent la tête au moment où Gabriel passa devant eux.

— Ok, allons récolter des âmes.

TROIS

Aislinn se réveilla en sursaut, ses draps de satin blanc entortillés autour de ses jambes. Elle s'assit dans son lit, respirant fort, essayant de repousser les vestiges d'un rêve qui s'accrochait à elle comme une toile d'araignée. En serrant son drap doux contre sa poitrine, elle frémit.

C'était un rêve prémonitoire, comme tant d'autres qu'elle avait eus dans sa vie. Ces rêves étaient bien différents de ses rêves ordinaires. Tout y était beaucoup plus clair, comme si elle se trouvait dans un monde complètement et totalement réel. C'était ce qui les rendait si terrifiants : tout était réaliste et particulièrement horrible.

Ce dernier rêve était encore plus horrible que les autres.

Un fort pressentiment s'attardant dans son esprit, Aislinn se glissa hors du lit et trouva ses pantoufles et son peignoir. Elle se dirigea ensuite vers la cuisine dans la pénombre et se versa un grand verre d'eau froide, les mains tremblantes. Le bec du pichet d'eau vibra sur le bord du verre, et elle faillit répandre le liquide partout.

C'était l'un de ces moments où elle détestait vivre seule, regrettant de ne pas héberger une domestique, comme presque tout le reste de la Rose. Elle avait failli embaucher Lolly, la servante farfadet de Bella, après que son amie eut été bannie de la tour, tout simplement parce que Lolly faisait partie de la famille. Mais la servante avait trouvé du travail ailleurs et c'était aussi bien ainsi. En effet, les nuits comme celle-ci étaient aussi la raison pour laquelle Aislinn ne pouvait vivre avec quelqu'un, pas même une personne en qui elle aurait confiance, comme Lolly.

En emportant son verre pour aller s'asseoir sur le canapé du salon, elle s'arrêta devant la fenêtre dominant la Place Piefferburg et prit une grande gorgée bien fraîche, s'efforçant de ne pas penser à son rêve. Évidemment, c'était peine perdue. Elle était aussi bien d'abandonner l'idée de dormir pour le reste de la nuit.

La capacité qu'elle avait de voir occasionnellement l'avenir constituait une habileté propre aux fae qui lui avait été transmise par ses ancêtres. Il s'agissait d'une caractéristique courante et hautement considérée chez les Sídhe, et c'était, entre autres, ce qui faisait d'elle une Seelie. Mais Aislinn n'était pas *qu'une simple* Seelie. Sa lignée était composée, si l'on se fiait aux archives, de Tuatha Dé *purs sang*. De tels antécédents étaient essentiels pour faire partie des échelons supérieurs de la Cour Seelie.

Sa mère était incroyablement fière du statut social de sa famille. En fait, la place de sa famille dans la Rose était la seule chose qui comptait vraiment pour elle.

Cependant, la mère d'Aislinn ignorait que sa fille possédait un autre don que celui des rêves prémonitoires. Un don beaucoup plus noir. Un don qui la pousserait de l'autre côté de la Place Piefferburg, avec les monstres. C'était la raison pour laquelle Aislinn devait vivre seule. Si son don se manifestait devant une personne avec qui elle vivait, la reine pourrait être mise au courant.

Aislinn communiquait avec les morts.

Elle pouvait les voir et leur parler, même si personne d'autre n'en était capable. Les âmes la recherchaient pour cette raison précise. Elle se doutait qu'elle pouvait aussi appeler et influencer les morts, bien qu'elle n'avait jamais essayé de le faire.

À ses yeux, il serait mal de prendre pour cobayes ceux qui venaient lui demander de l'aide. Malgré tout, elle pouvait sentir ce pouvoir au fond d'elle. Elle *savait* tout simplement qu'il était là. Faire venir et diriger les esprits du Monde des Ténèbres constituait un pouvoir magique relevant de la nécromancie.

Et cette habileté n'était *certainement pas* respectable du point de vue seelie.

Tout avait commencé alors qu'elle était encore très jeune, mais Aislinn avait rapidement appris à camoufler son habileté. Si quiconque dans la Rose avait découvert qu'Aislinn possédait une magie unseelie, elle aurait été expulsée de la tour, et sa mère, déshonorée. Elle avait donc grandi en réprimant ce pouvoir et en le niant, malgré une partie d'elle-même qui était fascinée par lui.

Une partie dangereuse d'elle-même était toujours fascinée.

Aislinn serait si heureuse de trouver un mentor, quelqu'un qui pourrait l'aider à exercer cette habileté plus efficacement, à développer son talent. Le fait qu'elle ait voulu exercer son pouvoir de nécromancienne plutôt que de le refouler était un secret qu'elle n'avait pu révéler à personne, pas même à Bella, à qui elle avait parlé de sa magie noire. De toute façon, s'il existait d'autres nécromanciennes, elles vivaient toutes du côté obscur de la Place.

Elle admira la Chasse sauvage s'élancer du haut de la tour Noire. À titre de noble faisant partie des Seelie les plus haut placés, elle jouissait d'un bel appartement, somptueusement meublé et doté d'une vue splendide. Si elle veillait passé minuit, elle apercevait fréquemment la Chasse sauvage qui s'envolait pour faire son travail de la nuit : récolter les âmes des fae qui avaient péri dans les vingt-quatre heures suivant leur dernière tournée.

Ces fae qui mouraient à l'extérieur des murs de Piefferburg, et il y en avait encore qui y vivaient et avaient réussi à échapper au Grand Balayage du Phaendir dans les années 1650, ne seraient jamais recueillies. Elles erraient sans but pendant une éternité, leur colère empirant devant leur destin, et finissaient par être dangereuses pour les humains. Aislinn le savait, car elle pouvait les sentir qui cherchaient à l'atteindre, depuis l'autre côté du mur de garde de Piefferburg. Ils l'appelaient à travers la magie puissante dans laquelle les Phaendir les avaient emprisonnés. Leurs cris étaient étouffés, mais toujours audibles.

Les humains croyaient les fae immortels, ce qui n'était pas tout à fait vrai. Les rois et reines Seelie et Unseelie bénéficiaient de la vie éternelle grâce à la magie que leur procuraient les objets anciens de la Cour. Les chefs unseelie portaient une amulette et les chefs seelie portaient un jonc, chaque bijou leur accordant la vie éternelle et les protégeant de la maladie et du vieillissement. Ils pouvaient toutefois être tués et n'étaient pas immunisés contre les blessures mortelles.

Quant aux fae, la plupart des races étaient immortelles du point de vue des humains, mais pas par définition. Ils vivaient simplement très longtemps, et leur processus de vieillissement ralentissait de manière extraordinaire à l'âge de vingt-cinq ans. Toutefois, tous les types de fae demeuraient vulnérables aux accidents, à la maladie, et après plusieurs centaines d'années, à l'âge, tout comme les humains. Pour preuve, le syndrome de Watt avait fait des ravages épouvantables et emportait encore un fae ici et là dans les limites de Piefferburg. Les seules races de fae qui ne vivaient pas très longtemps étaient les gobelins et leur espèce ramifiée, moins cauchemardesque, les farfadets. Leur espérance de vie se situait à environ cent ans.

Aislinn regarda la Chasse sauvage larguer les amarres dans la noirceur de la nuit, montée sur ses chevaux fantômes, avec ses chiens de chasse flairant les esprits errants. Le seigneur de la Chasse sauvage entendait-il également les âmes perdues au-delà des frontières de Piefferburg ? Pouvait-il sentir ces fae disparus qui tiraient sur la chaîne de sa psyché pour lui demander l'aide qu'il ne pourrait jamais offrir, tout comme elle ?

D'une étrange façon, Aislinn se sentait plus proche du mystérieux meneur de la Chasse sauvage que de n'importe qui à la Cour Seelie… du moins depuis que Bella était partie.

Personne ne savait qui était le seigneur de la Chasse sauvage. Son identité, de même que celle de sa bande, demeurait un secret bien gardé. Dommage, puisqu'elle aurait aimé le rencontrer un jour, bien qu'il ait habité la Noire.

Mais dans ce cas, *elle allait le rencontrer*, n'est-ce pas? Et bientôt, de surcroît. Son rêve lui avait révélé ce détail. Elle le rencontrerait lorsqu'il viendrait récolter son âme. Ses rêves lui prédisaient toujours la mort de quelqu'un.

Cette fois, elle avait rêvé de sa propre mort.

Elle ferma les yeux au moment où son rêve lui revint à l'esprit, le verre d'eau glissant de ses doigts pour se fracasser sur l'épaisse moquette fauve à ses pieds. Des mains. Une multitude de mains, l'agrippant, la serrant.

Elles avaient tiré, prises dans ses cheveux, ses vêtements, lui faisant des bleus sur les bras et les jambes. En dessous d'elle et derrière elle, une noirceur glauque s'était étendue. Au-dessus d'elle, l'atmosphère s'était éclaircie, comme si elle avait été submergée dans l'eau et qu'elle regardait vers la surface du lac. Les possesseurs des mains harcelantes lui avaient gémit et ronronné à l'oreille de se laisser aller, de lâcher prise, et de leur permettre d'emmener son âme au-delà du seuil, mi-clair mi-obscur, situé entre la vie et la mort. Vers le Monde des Ténèbres. Vers la nuit éternelle. Elle n'avait pas eu la force de leur résister. Elle était si fatiguée, si faible.

Elle allait bientôt mourir et Gabriel Cionaodh Marcus Mac Braire, d'une certaine façon, par un moyen ou un autre, serait l'élément catalyseur.

L'homme était debout, l'image grise que son âme avait laissée chez les vivants s'illuminant d'une douce lueur clignotante. Un cordon argenté et chatoyant ondulait et vibrait, rattachant son dos au Monde des Ténèbres, où une place l'attendait déjà. Tout ce dont il avait besoin, c'était que la Chasse sauvage lui montre le chemin. Dans l'expression du vieillard se fondait un mélange de tristesse et de douleur, tandis qu'il regardait son épouse, toujours vivante, allongée dans le lit à côté de son corps silencieux et immobile. La femme ne comprendrait probablement pas que son mari était décédé avant le matin.

Gabriel regrettait sa découverte et son chagrin imminents, mais c'était le chemin naturel pour tous les êtres vivants. Personne n'en était exempté. Il n'était qu'un passeur, imprégné d'une force cosmique inconnue lui procurant la capacité d'accompagner les défunts vers l'après-vie.

Seuls lui et sa bande pouvaient voir les esprits fae. Sans en avoir la preuve, Gabriel se disait qu'il devait bien exister quelques autres fae, hormis les membres de sa bande, pourvus de la même habileté. Cependant, il ne savait trop si ce pouvoir se retrouvait chez les âmes humaines. Il était né à l'extérieur de Piefferburg, mais il n'était qu'un enfant, et non le seigneur de la Chasse sauvage, pendant les courtes années de liberté qu'il avait connues dans le monde. Comme il allait sûrement mourir à Piefferburg, il ne découvrirait probablement jamais la réponse à ces questions.

Le flambeau de la Chasse sauvage lui avait été transmis près de deux cents ans plus tôt. Au cours de toutes ces années, Gabriel avait vu tous les types d'âme possibles et imaginables. Certaines quittaient leur vie avec une paix et une acceptation remarquablement belles. D'autres étaient furieuses et se battaient pour rester sur Terre. Certaines finissaient même par y rester.

La plupart étaient simplement tristes de laisser ceux qu'ils aimaient, rompant à contrecœur le lien qui les rattachait à leurs proches. Il était parfois difficile de convaincre les âmes de faire ce dernier voyage avec lui, un voyage qui les conduisait vers leur vie suivante, sans qu'ils sachent ce qui les attendait. Gabriel n'était pas dans le secret du monde qui s'étendait au-delà de celui qu'il connaissait, même si son travail consistait à y mener les âmes directement.

Puisque sa bande attendait dehors, le seigneur de la Chasse tendit une main vers l'âme.

— Il est temps d'y aller, maintenant.

L'homme le regarda, puis lui tourna le dos pour s'agenouiller aux côtés de sa femme. Il avait de toute évidence besoin d'un moment pour lui faire ses adieux. Gabriel était toujours heureux d'accorder ce moment. Si la femme se réveillait pendant que le seigneur de la Chasse sauvage était dans la pièce, tout ce qu'elle verrait serait une ombre. Tout ce qu'elle entendrait serait des murmures et des chuchotements. La magie protégeait la véritable identité de la Chasse. Il en était ainsi depuis le début des temps.

Même si elle pouvait percevoir les membres de la Chasse sauvage, la femme ne serait pas en mesure de voir son mari. Elle présumerait probablement que la bande l'avait tué. Les fae de troupe, qui n'avaient malheureusement pas développé une belle spiritualité comme celle des fae de la nature et qui n'avaient pas non plus acquis les connaissances des nobles, considéraient la Chasse comme diabolique.

Gabriel laissa l'homme auprès de sa douce moitié jusqu'à ce que l'aube commence à dorer l'horizon.

— Venez. Votre vie ici est terminée et une autre vous attend. Votre femme va vous pleurer, mais son voyage sur Terre n'est pas encore terminé.

L'homme l'ignora, serrant la main de sa femme comme s'il n'allait jamais la relâcher.

La plupart des âmes que le seigneur recueillait semblaient comprendre qu'il était temps de partir. Par contre, certaines refusaient carrément de comprendre. Gabriel s'assurait de retourner les voir de temps à autre pour essayer de les persuader de quitter le monde. Les âmes fae ne possédaient plus de magie, mais elles pouvaient tout de même faire du mal aux vivants si elles le voulaient vraiment. Un nécromancien assez puissant pourrait même se servir d'elles comme armes pour tuer les gens. Heureusement, il n'en existait aucun à Piefferburg.

L'homme s'éloigna finalement de sa femme et s'approcha de Gabriel. Silencieusement, ils sortirent de la maison du *ceantar láir* et rejoignirent la bande de cueilleurs d'âmes, qui les attendaient. Ils avaient réalisé une grande collecte ce soir. Cinq autres âmes étaient montées sur le dos de leurs chevaux.

Une fois que l'homme fut installé sur une jument noire comme le jais, les chiens donnèrent le coup d'envoi pour aller récolter une dernière âme.

— Pas encore, marmonna Aislinn en roulant sur le ventre, tirant la couverture par-dessus sa tête.

L'aube était sur le point de se lever et elle avait finalement réussi à se rendormir, après s'être convaincue que le rêve qu'elle avait fait n'était qu'un rêve et qu'il n'était en aucun cas prémonitoire.

C'était un mensonge qu'elle *devait* croire. Elle ne pourrait fonctionner autrement. Comment pourrait-elle regarder Gabriel dans les yeux en croyant le contraire ? Comment pouvait-elle s'acquitter de la tâche que la reine Été lui avait assignée tout en croyant que Gabriel était, d'une manière ou d'une autre, le déclencheur des événements qui la mèneraient vers sa propre mort?

Finalement, elle avait réussi à détourner son esprit des mains envahissantes et s'était assoupie. Mais voilà qu'elle se réveillait de nouveau. Quelqu'un avait surgi à côté de son lit et l'observait. C'était une sensation qu'elle connaissait bien... une sensation qu'elle avait égoïstement envie d'ignorer en ce moment.

Un doux chuchotement.

Le bruit de pas traînants.

La pression psychique d'une âme appelant à l'aide.

Aislinn se retourna dans le but de faire face à l'âme qui se trouvait debout à côté de son lit. Elle se redressa pour s'asseoir et, stupéfaite, elle souffla :

— Elena?

C'était l'une des amies de sa mère. Le cordon qui l'ancrait au Monde des Ténèbres scintillait d'une douce couleur pêche.

— Non, c'est impossible. Vous êtes trop jeune pour mourir.

— Je suis déjà morte, chérie. Le syndrome de Watt, murmura Elena, à la manière dont les âmes s'exprimaient, comme une brise tiède et délicate. La maladie sommeillait en moi depuis près d'un siècle, puis elle a finalement enfoncé ses griffes.

Le syndrome de Watt était une maladie qui n'attaquait que les fae. Elle était à présent presque totalement maîtrisée... mais pas tout à fait. Elle avait décimé les races de fae dans les années du Grand Balayage, mais aussi dans les années qui avaient suivi, alors que Piefferburg était encore toute nouvelle.

Certains fae n'avaient pas été touchés et d'autres y avaient survécu ; les premiers étaient donc naturellement immunisés tandis que les deuxièmes avaient développé une résistance contre Watt.

Quant au syndrome, il était de source magique. La plupart des fae croyaient qu'il avait été créé par le Phaendir. Aucun vaccin n'avait été mis au point, malgré les efforts déployés. Le syndrome de Watt emportait encore des victimes à l'occasion, après toutes ces années.

Apparemment, même Elena y avait succombé.

Aislinn avait remarqué que l'amie de sa mère restait souvent tapie chez elle, dernièrement, et qu'elle ne participait plus aux événements sociaux qui dominaient le calendrier de la Tour Rose. Elle avait le teint grisâtre, avait perdu du poids et paraissait presque toujours fatiguée. Elena avait affirmé qu'elle combattait simplement un virus.

Le plus souvent, c'était des âmes qu'Aislinn ne connaissait pas qui venaient la voir, des âmes qui n'avaient pas de proches, pas de famille ou d'amis. Elles voulaient simplement que quelqu'un les voie, leur parle, et apaise leur peur de l'inconnu. Elles avaient parfois des messages à faire transmettre à ceux qu'elles laissaient derrière, et Aislinn essayait de les livrer sans trop risquer de révéler son secret.

Une ombre foncée apparut dans le coin de la pièce, diamétralement opposée au soleil se levant dans l'autre direction. Aislinn cligna des yeux. D'autres ombres émergèrent derrière la première. Il y avait maintenant cinq formes indéfinissables près de la porte de sa chambre.

Elle se redressa abruptement, stupéfiée.

Le seigneur de la Chasse sauvage et sa bande ? Ça ne pouvait être qu'eux.

Ils étaient venus pour recueillir Elena.

Danu.

Jamais de toute sa vie elle n'avait été en compagnie d'une âme au moment où la Chasse sauvage venait la recueillir. Elle s'était toujours dit qu'il était bien possible qu'une chose pareille se produise, compte tenu du nombre d'âmes qui venaient la trouver au beau milieu de la nuit. Mais c'était la première fois. Secrètement, elle avait souhaité qu'ils viennent chez elle. Elle voulait apercevoir, ne serait-ce qu'un instant, les seules personnes qui, dans tout Piefferburg, pouvaient comprendre son don exceptionnel.

Soudainement, une atroce pensée l'assaillit. Elle baissa les yeux sur son propre corps pour vérifier qu'elle n'en était pas sortie, prête à être recueillie elle-même. Non. Elle existait toujours dans sa forme corporelle. Le rêve prémonitoire où elle s'était vue bientôt mourir n'était pas en train de se réaliser... Pas encore, du moins.

Elena considéra la Chasse. Son visage était toujours jeune et dépourvu de rides, et il affichait maintenant un air serein.

— Ils sont venus me chercher.

Aislinn serra ses couvertures contre elle, les yeux rivés sur les ombres. Elle avait observé la Chasse sauvage s'envoler du haut de la Cour Unseelie d'innombrables fois ; elle avait peine à croire qu'ils étaient à présent debout dans sa chambre.

La première ombre grande et large qui était apparue, le seigneur de la Chasse sauvage, fit un pas vers l'avant, et un chuchotement inintelligible résonna dans la pièce. Les poils de la nuque d'Aislinn se dressèrent. Les contours de la Bande furieuse se précisaient un peu, devenant plus que de simples taches d'ombres.

— J'arrive dans une minute, dit Elena en réponse au chuchotement, puis elle tourna de nouveau la tête vers Aislinn.

— J'ai senti ta faculté spéciale dès le moment où je suis partie, affirma-t-elle. J'ai été attirée vers toi immédiatement. C'était réconfortant de savoir que je pouvais venir te voir. Même s'il fait partie de la magie noire, unseelie, ne laisse pas ton pouvoir dépérir, Aislinn. C'est un don.

— D'a-d'accord.

Elle ne souhaitait pas le laisser dépérir.

— Dis à ta mère qu'elle a toujours été une bonne amie pour moi et qu'elle va me manquer.

— Oui.

Aislinn marqua une pause, affermit sa voix, et dit :

— Au revoir, Elena. Bon voyage.

Mais Elena traversait déjà la pièce vers la grande main qui lui était tendue. Ensemble, ils quittèrent la pièce, les autres ombres formant une procession derrière eux.

Aislinn bondit de son lit, attrapa son peignoir et courut à la fenêtre du salon. Quelques minutes plus tard, la bande s'élevait depuis le toit, manifestement chargée de nombreuses âmes posées sur le dos de ses chevaux. Ils s'envolèrent vers l'aube rosée, puis ils semblèrent exploser dans un éclat de rayons de soleil.

Ensuite réapparurent les ombres, les chevaux et les chiens, sans les âmes. La Chasse sauvage rentrait chez elle, à la Cour Unseelie.

QUATRE

De retour sur le toit de la Tour Noire, Gabriel descendit adroitement d'Abastor et plongea le regard dans le ciel illuminé par l'aube, au-delà de la Tour Rose.

Ses mâchoires se crispèrent. Aislinn. C'était Aislinn qu'ils avaient vue. Et elle était indéniablement capable de voir et de parler à l'âme qu'ils étaient allés recueillir.

— Ça va ? demanda Aeric à côté de lui.

Gabriel cligna des yeux, tentant de bien saisir la situation.

— Ouais.

— C'est incroyable ça, non ?

— Ça alors ! Quelqu'un à la Rose qui peut voir les âmes.

Melia descendit de sa monture avec l'aide d'Aelfdane.

— Elle a du sang unseelie. Cette femme ne devrait même pas être là. J'imagine à quel point elle doit se sentir seule ; devoir camoufler un si grand secret tous les jours de sa vie.

Le roi des Ténèbres avait dit qu'Aislinn était une parente ; alors évidemment elle était une Unseelie vivant au mauvais endroit. Ce n'était pourtant pas ce qui avait tant stupéfié Gabriel. En près de deux cents ans passés à diriger la Chasse sauvage, le seigneur n'était jamais tombé sur une personne pouvant communiquer avec les âmes. Jusqu'à ce soir.

De manière incroyable, cette personne se trouvait à être *Aislinn*, la femme qu'il venait tout juste de rencontrer. La femme qu'on lui avait demandé de leurrer jusqu'à ce qu'elle décide de plein gré d'intégrer la Noire.

La probabilité d'une telle coïncidence était infime, donc ce n'était pas le fruit du hasard. Gabriel ne croyait pas au hasard, de toute façon, mais il ne pouvait comprendre ce que cachait cette coïncidence.

Une chose était certaine : Aislinn n'appartenait pas à la Tour Rose. Hormis la demande du roi des Ténèbres, qui voulait qu'elle abandonne la Rose pour s'installer à la Noire, son peuple était les unseelie, et non ces imbéciles poudrés habitant de l'autre côté de la place publique.

Peu importe la source de cette découverte, qu'elle lui soit tombée dessus par pur hasard ou qu'elle soit la volonté d'une force supérieure, on lui avait fait un cadeau.

Puisque ses charmes d'incube ne semblaient pas fonctionner, il pourrait tirer parti de cette nouvelle information pour attirer Aislinn vers la Noire.

Était-ce possible qu'elle soit une nécromancienne ?

Gabriel s'affala dans l'un des fauteuils d'Aislinn et l'observa qui s'affairait dans la cuisine. Ça lui paraissait peu probable. Grande Danu, ça lui paraissait impossible. Pourtant, la capacité de communiquer avec les âmes allait habituellement de pair avec le pouvoir de les appeler et de les diriger. Et il y avait des nécromanciens chez les ancêtres et descendants du roi des Ténèbres, quoique le roi ait qualifié Aislinn de parente « éloignée ». De plus, les nécromanciennes faisaient partie de sa lignée directe, ce pouvoir étant transmis du côté maternel de sa famille. Peut-être Aislinn n'était-elle pas aussi « éloignée » que le prétendait le roi.

Mais pourquoi aurait-il menti ?

Les nécromanciennes étaient des Unseelie puissantes et dangereuses. À titre de seigneur de la Chasse sauvage, Gabriel avait l'habileté de faire venir les sluagh : la horde de morts non pardonnés du Monde des Ténèbres. Toutefois, il lui manquait la capacité de les diriger. Une nécromancienne ne pouvait faire venir les sluagh, mais elle pouvait les diriger. C'était là une sorte de protection cosmique, car les sluagh étaient capables de destruction totale.

Le seigneur de la Chasse sauvage représentait le yang et une nécromancienne symbolisait son yin.

Même sans l'aide des sluagh, une nécromancienne pouvait provoquer un épouvantable chaos, car elle pouvait faire venir n'importe quelle âme du Monde des Ténèbres, exiger qu'elle revête une forme corporelle, puis s'en servir comme arme, si une émotion assez intense pouvait être suscitée chez cette âme.

Gabriel fronça les sourcils et se frotta le menton, plongé dans ses réflexions. Dans la cuisine, Aislinn s'occupait à une tâche légère (ce qu'elle pouvait bien fabriquer, seule Danu le savait), tout en fredonnant gaiement une jolie petite mélodie. Il essaya de l'imaginer commander une armée de morts non pardonnés.

Nan, Aislinn n'était pas une nécromancienne.

La lèvre inférieure de Gabriel tressauta pour esquisser un bref sourire. Loin de n'être qu'une légère boule de peluche frivole comme le reste des femmes de cette cour, elle n'avait pas non plus la prestance sinistre d'une magicienne noire. *Non*. Il ne pouvait imaginer qu'elle puisse exercer un pouvoir sur les morts.

Elle devait être ce que le roi des Ténèbres avait dit qu'elle était : une parente éloignée, sans plus. Peut-être portait-elle en elle un soupçon de ce talent inhérent à la lignée directe du roi, mais une infime partie seulement. Juste assez pour lui permettre de communiquer avec les âmes.

Une porte d'armoire claqua. Elle essayait de gagner du temps.

Pour la première fois de sa vie, une femme cherchait réellement à *gagner du temps* pour repousser le moment d'assister à une réception en sa compagnie.

Elle entra dans le salon, la jupe de sa longue robe dorée ondulant au rythme de ses pas. Ses longs cheveux blond argenté étaient lissés en un chignon fixé sur sa jolie nuque, une zone habituellement sensible du corps féminin. Gabriel se demanda quels sons feraient Aislinn s'il la mordillait gentiment à cet endroit. Elle portait très peu de maquillage, juste assez pour souligner son regard d'argent et sa bouche en bouton de rose. Sa lèvre inférieure était beaucoup plus charnue que sa lèvre supérieure, ce qui donnait envie de la suçoter. Elle portait peu de bijoux, seulement des diamants aux oreilles et un pendentif assorti niché dans le creux de sa gorge.

— Je suis prête, annonça-t-elle, enfilant les deux gants de soirée laissés sur le comptoir.

Gabriel perçut une note de résignation dans sa voix.

— Vraiment ? Êtes-vous certaine de ne pas vouloir mettre de l'ordre dans les armoires ? Placer vos boîtes de soupe par ordre alphabétique, peut-être ? Ou inspecter votre réfrigérateur et jeter tous les contenants d'aliments expirés ? Ça va, je peux attendre.

— Très drôle.

Toujours étalé dans le fauteuil, il écarta les mains.

— Je promets de ne pas vous mordre, Aislinn. Inutile de repousse le moment de partir.

Elle leva un sourcil et mit les mains sur ses hanches.

— Ne vous flattez pas trop. Écoutez, Gabriel, je n'ai pas peur de grand-chose, surtout pas de vous. Seulement, je n'ai pas très envie d'aller à cette soirée, mais pas parce que j'y vais avec vous. Si la reine ne m'avait pas confié la tâche de vous présenter à tout le monde, je n'irais tout simplement pas.

— Que feriez-vous, alors ?

— Je resterais à la maison, je me préparerais un bon dîner, je prendrais un bain et je me mettrais au lit de bonne heure.

Elle fit une pause, pensive

— Ça vous paraît peut-être ennuyeux, mais pour moi, c'est la description d'une soirée parfaite. Je n'ai pas bien dormi la nuit dernière et je suis très fatiguée. De plus, je me suis réveillée ce matin pour apprendre qu'une bonne amie de ma famille était décédée du syndrome de Watt pendant la nuit. Je n'ai pas particulièrement le cœur à la fête.

Oui, il savait déjà qu'elle s'était réveillée bien assez tôt.

Il était aussi au courant pour la mort de l'amie de sa famille.

— D'accord, honnêtement, Aislinn, je préférerais passer une soirée tranquille, moi aussi.

Le travail de Gabriel, c'était Aislinn, et non de rencontrer toute la cour rose.

— Que diriez-vous si nous laissions tomber le bal pour nous faire à manger ici? Je suis assez bon cuisinier. Vous pouvez aller prendre un bain, et je nous concocterai un repas. Je ne resterai pas tard, pour que vous puissiez vous coucher tôt. De cette façon, nous pourrons apprendre à nous connaître un peu mieux et je pourrai changer cette horrible opinion que vous avez de moi. Et commençons par nous tutoyer, qu'en dites-vous?

Elle hésita, battit des paupières quelques fois, puis eut l'air de vouloir se sauver.

— Je n'ai pas une opinion horrible de vous... de toi! C'est juste que...

Il leva les mains en l'air.

— Ton honneur est en parfaite sécurité avec moi, Aislinn. Tu n'as qu'à verrouiller la porte de la salle de bain. Je ne veux qu'être ton ami.

Mensonge. Il voulait coucher avec elle. La séduire et la trahir. L'attirer dans son lit par la ruse avant de l'attirer vers la Cour Unseelie. Il voulait la livrer au roi des Ténèbres et à ses intentions glauques.

Pendant un instant, il eut mauvaise conscience.

Mais c'était le travail qu'il avait accepté. Et il connaissait le roi des Ténèbres depuis de nombreuses années. Malgré toutes les histoires qui circulaient à son sujet, ce n'était pas un homme mauvais. Ce n'était pas un dirigeant injuste. Gabriel ne savait pas ce que son roi voulait à cette femme, mais il savait au fond de son cœur qu'il ne voulait pas lui faire de mal. Après tout, elle faisait partie de sa famille.

Le but était de faire en sorte qu'elle l'ait dans la peau, qu'il devienne important pour elle... qu'elle soit accro à lui sexuellement, même, si possible. Ensuite, à la fin de son séjour à la Rose, il déciderait qu'il n'était pas fait pour la Cour Seelie et retournerait à la Noire, se jetant ainsi à la merci du roi des Ténèbres. Il convaincrait Aislinn de venir avec lui. Il lui dirait qu'il ne pourrait vivre sans elle et que le roi des Ténèbres le laisserait vivre s'il constatait que Gabriel avait enfin trouvé l'amour.

Et maintenant, il avait en plus l'avantage de connaître le secret monumental qu'elle gardait.

Bons dieux, il était un salopard de la pire espèce. Parfois, il arrivait même à se surprendre.

Il valait peut-être mieux aller à la fête pour s'entourer d'autres gens. Il valait peut-être mieux de ne pas apprendre à se connaître, de faire avorter ce projet dès maintenant. Gabriel pourrait retourner à la Cour Unseelie et dire au roi des Ténèbres que.

— Bon, c'est d'accord.

Aislinn se débarrassa de ses gants et envoya valser ses talons aiguilles.

— Bonne idée, mais je ne sais pas ce que tu trouveras à faire pour dîner. Je n'ai pas beaucoup de nourriture chez moi. Je survis en mangeant principalement du gruau et du yogourt.

Gabriel sentit son estomac se nouer. Il n'était soudainement plus certain d'avoir eu une bonne idée. Mais il était déjà allé trop loin.

— Je trouverai bien quelque chose.

Elle lui offrit un sourire indécis, parut hésiter, comme si elle s'apprêtait à dire autre chose. À la place, elle se dirigea vers sa chambre.

Il garda les yeux rivés sur la porte fermée pendant un long moment, toujours affaissé dans le fauteuil. La décision avait été prise et il devait s'atteler à la tâche. Il ne pouvait espérer une situation plus opportune que celle qui s'offrait à lui. Tout ce qu'il fallait maintenant, c'était qu'il se replonge dans le jeu. Il desserra sa cravate et se leva pour préparer un feu dans le foyer. À force de l'attiser avec des petits bouts embrasés, il finit par l'enflammer ; exactement la méthode qu'il prévoyait utiliser sur Aislinn. Le feu se mit à crépiter gaiement, et Gabriel s'aventura dans la cuisine.

Elle avait dit vrai en affirmant qu'il n'y avait pas grand-chose dans les armoires. En fouillant dans tous les coins et recoins, il réussit à dénicher des linguine, un bout de chou-fleur presque gâté, des olives, des raisins secs, un peu d'ail et un oignon, des noix et une petite boîte de pâte de tomates. Quiconque considérerait le fruit de sa collecte ne le croi-rait pas en mesure de créer un plat délicieux, mais Gabriel avait confiance en ses capacités. Petit, il avait observé sa mère se débrouiller avec presque rien, combinant sa créati-vité aux ressources limitées dont elle disposait, et il n'avait jamais oublié la leçon. Elle avait toujours réussi à inventer quelque chose de succulent à partir de bouts de ci et de restes de ça.

Avec l'étrange assortiment d'ingrédients, il improvisa un plat de pâtes sucré salé de même qu'une salade. Il trouva aussi une bouteille de rouge, l'ouvrit et en versa dans deux coupes. Au moment où Aislinn sortit du bain, il avait déjà mis la table et le dîner était prêt.

Séduction, phase un.

— Oh là là!

Gabriel leva les yeux au son de sa voix et eut le souffle coupé. Aislinn était debout dans l'entrée de sa salle à manger et examinait les deux couverts qu'il avait disposés sur sa table en acajou poli, avec les assiettes raffinées et les verres de cristal qu'il avait trouvé dans son armoire à porcelaine. Sa robe de soirée avait disparu pour céder la place à un pull foncé et un pantalon en jersey de coton à l'aspect ultradoux. Elle était pieds nus, et ses ongles d'orteils étaient vernis d'un rose coquillage, tout comme les ongles de ses doigts. Son visage était dépouillé de maquillage, et ses cheveux, libérés de leur chignon, tombaient maintenant sur ses épaules, fraîchement lavés et encore humides. Elle semblait tout à fait à l'aise, habillée si simplement, et elle avait même l'air un peu plus jeune.

Sans l'armure qu'elle portait habituellement à la cour, elle était encore plus belle.

Gabriel se racla la gorge et détourna le regard, résistant à l'envie de s'approcher d'elle. Il savait que s'il l'attirait contre lui, l'embrassait et caressait sa peau douce, elle finirait par céder. Elle lutterait peut-être contre lui au début, mais il savait, avec la certitude sombre et érotique du sang incube qui coulait dans ses veines, qu'il pourrait briser sa résistance, et qu'elle finirait par s'offrir à lui. Ce serait tellement bon. Il pourrait la porter jusque dans sa chambre, la coucher sur le matelas et la défaire de ses vêtements. Il pourrait parcourir son corps de ses lèvres et de ses mains, baisant, suçant et caressant jusqu'à ce qu'elle devienne incohérente de désir. Jusqu'à ce que les seuls sons qu'elle puisse émettre soient gémissements et supplications.

Son corps se raidit sous l'effet du fantasme qui se déroulait dans son esprit.

— Ça sent délicieusement bon et je meurs de faim, déclara Aislinn.

Gabriel dut s'éclaircir la voix pour réveiller ses cordes vocales.

— Ton bain t'a fait du bien ?

Il évita de penser à son corps nu caressé par l'eau et couvert de gouttelettes. Il avait déjà du mal à maîtriser son érection, chose qui arrivait rarement.

— Incroyablement, oui.

Elle prit place et il lui servit des pâtes à partir d'un joli bol de céramique bleu et jaune. Aislinn faisait partie des rangs supérieurs de la cour en raison de son sang pur de fae seelie. Ainsi, elle jouissait de tout ce qu'il y avait de plus beau et de meilleur. Lorsqu'il l'emmènerait à la Cour Unseelie, elle devrait renoncer à tout ce luxe. Toutefois, en considérant leur filiation et le rang social qu'elle occupait précédemment, le roi des Ténèbres, se convainquait Gabriel, lui accorderait des vêtements et un logement appropriés.

Probablement. Il eut à nouveau mauvaise conscience.

Il s'assit à côté d'elle et se servit tandis qu'elle goûtait à son repas. Elle ferma les yeux et soupira.

— C'est délicieux, Gabriel. Je n'arrive pas à croire que tu as réussi à créer un mets pareil pendant les vingt minutes que j'ai passées dans la baignoire.

— À trois cent soixante-cinq ans, j'ai beaucoup d'expérience dans ce domaine.

— La reine Été a mentionné que tu étais enfant à l'époque du Grand Balayage et que tu n'avais que sept ans lorsque les humains et le Phaendir ont créé Piefferburg.

Aislinn prit une gorgée de vin avant de poursuivre :

— Elle a même dit que, petit, tu as souffert du syndrome de Watt et que tu en étais toujours atteint au moment où on t'a emprisonné ici.

— Oui. Ma mère a aussi été touchée. J'ai été très malade et j'en suis presque mort, mais j'ai réussi à m'en sortir. Je suis maintenant immunisé. Malheureusement, ma mère n'a pas connu le même sort. Elle y a succombé dans les premières années suivant la création de Piefferburg.

— Je suis désolée.

— Merci, mais c'était il y a très longtemps.

— Tout de même, ce n'est jamais facile, la perte d'un parent. Même si c'est arrivé il y a longtemps.

— C'est vrai.

— Comment était Piefferburg, à cette époque ?

Gabriel avala une gorgée de vin pour engourdir le souvenir écrasant qu'il tentait habituellement d'esquiver. Il vit défiler les images de cabanes en bois dont le toit coulait lorsqu'il pleuvait. Les nuits extrêmement froides et les hivers dangereusement glacés ; sa mère étendue sur un matelas étroit, sans personne pour s'occuper d'elle, sauf un garçon de sept ans, luttant lui aussi contre la maladie. Il se remémora l'après-midi au cours duquel elle était morte, alors qu'il était parti faire les poubelles à la recherche de nourriture. Lorsqu'il était rentré, les yeux de sa mère étaient ouverts, absents, enfoncés dans son visage gris.

Il se remémora les années qui avaient suivi la mort de sa mère, au cours desquelles il n'y avait personne pour s'occuper de lui parmi les autres fae capturés, qui se battaient pour se remettre sur pieds dans leur nouvelle réalité. En grandissant, il avait été forcé de faire tant de choses répugnantes pour survivre. Des choses dans les ruelles sombres, pour des fae qui avaient mauvaise haleine, les cheveux gras et les mains baladeuses. Il avait été forcé d'utiliser sa magie à des fins auxquelles il ne voulait pas penser en ce moment. Malgré tout, le souvenir refaisait surface, comme un petit démon venu écorcher les recoins de son esprit.

Il prit une autre grande gorgée de vin.

— C'était l'enfer sur Terre, pour certains d'entre nous.

— Tu veux dire pour tous ceux qui n'étaient pas seelie ?

Il hocha la tête sans rien ajouter. L'amertume lui serrait toujours la gorge tandis qu'il songeait aux années du Grand Balayage. La façon dont les Phaendir les avaient traqués, rameutés, puis transportés de force depuis les quatre coins du monde jusqu'à Piefferburg. La maladie avait facilité la tâche au Phaendir… tout ça parce que les races de fae avaient été fragmentées par les guerres.

La succession des événements avait mené les fae à leur perte. Les guerres et la maladie les avaient révélés aux humains, qui avaient paniqué devant la légende devenue réalité. Intimidés par la magie des fae, ils s'étaient laissé influencer par le Phaendir, qui les avait persuadés de réagir pendant que les fae étaient faibles.

Tant de fae étaient morts sur les navires ; autant avaient ensuite succombé à la maladie pendant la colonisation de la jeune Piefferburg, qui était cruellement privée de ressources. Pas de nourriture. Pas de logement. Pas de médicaments. Pas de chauffage. Même pas d'eau potable.

Les premières années avaient été très difficiles pour tous les fae, à l'exception des Seelie, qui avaient été traités comme des rois au détriment de toutes les autres races. La troupe voyait les Seelie comme un symbole éclatant de la grandeur de leur peuple. Pour cette raison, ils les soutenaient, sans se soucier du prix à payer pour le reste.

Gabriel leva le regard sur celui d'Aislinn.

— Oui, c'est ce que je veux dire, appuya-t-il en se gardant d'emprunter un ton tranchant.

Ce n'était pas la faute d'Aislinn si les Seelie avaient tant fait souffrir les autres fae lors de la naissance de Piefferburg. Elle n'était même pas née à cette époque. Piefferburg avait mis des années à se mettre sur pieds et à bâtir une économie, tout en endurant l'enfer du syndrome de Watt, une pathologie mise au point par le Phaendir, selon Gabriel.

— Ta mère était seelie, n'est-ce pas ? Et ton père, unseelie ?

— Ma mère faisait partie de la troupe. Elle avait du sang seelie, mais il était mélangé au sang des fae de la nature ; pas assez pur pour la Rose.

Ses mâchoires se contractèrent l'espace d'un instant.

— Mon père était un Unseelie noble, à cent pour cent incube.

— Et ton père, demanda-t-elle doucement, a-t-il péri des suites du syndrome, lui aussi ?

Gabriel se crispa de nouveau.

— Non, s'efforça-t-il de répondre.

Il n'avait pas eu à parler de ces choses depuis une éternité. C'était pour lui des blessures encore fraîches, même si elles dataient de plusieurs centaines d'années.

— Il est donc ici à Piefferburg ?

Aislinn engloutit une autre bouchée de son repas, inconsciente de lui faire du mal avec chaque nouvelle question. C'était une interrogation plutôt candide de la part d'une dame seelie qui n'avait connu aucune difficulté réelle tout au long de son existence choyée, remplie de gens qui l'adoraient.

La main de Gabriel se resserra sur sa fourchette, puis il s'efforça de relâcher sa prise.

— Non, il ne s'est jamais rendu à Piefferburg.

Une bonne chose pour son père, puisque Gabriel l'aurait tué une fois devenu assez grand et assez fort pour le faire. Tout petit, il se sentait impuissant contre le salaud qui l'avait engendré.

Aislinn manqua de laisser tomber sa fourchette.

— Tu veux dire qu'il est toujours en vie ? Il a échappé au Grand Balayage ?

— Oui, mais à la façon dont il vivait, il est probablement mort aujourd'hui.

Elle l'examina avec un regard assez pénétrant pour le rendre mal à l'aise. Il devina qu'elle évaluait ce qu'il avait dit et le ton sur lequel il avait parlé. Elle se demandait sûrement pourquoi son père avait choisi la liberté dans le monde aux dépens de sa famille, ou pourquoi il n'avait pas au moins essayé d'empêcher les Phaendir de lui enlever sa femme et son enfant. Ces questions, Gabriel ne voulait pas y répondre. Heureusement, Aislinn eut la délicatesse de ne pas les poser.

En portant son attention sur son assiette, elle demanda plutôt :

— Que faisait ta mère pour gagner sa vie ?

Les lèvres de Gabriel palpitèrent.

— Elle se prostituait.

La main d'Aislinn trembla.

— Ça va, je n'ai pas honte. Ma mère a fait ce qu'elle devait faire pour s'occuper de nous. C'était une bonne mère, une femme forte qui faisait son possible, compte tenu des embûches que la vie lui a données.

Gabriel réfléchit un instant.

— J'ai plus de ma mère en moi que de mon père. Je suis heureux de pouvoir dire ça.

Aislinn leva les yeux.

— Je ne jugerais jamais une femme dans sa situation, à cette époque, seule avec un enfant à sa charge. L'Histoire ne nous a pas fait de cadeaux, à aucun de nous.

— J'oserais croire qu'elle a été plus généreuse envers les Seelie.

Le regard d'Aislinn se durcit soudainement.

— Pourquoi ? C'est nous qui avons perdu le plus, même si nous avons fini par tout regagner. Le peuple Seelie a dominé les îles Britanniques après en avoir arraché le contrôle aux Firbolg et aux Formorians. Les Milesiens se sont ensuite alliés aux Phaendir pour se l'approprier. Ce sont les *Seelie* qui ont alors négocié, et ce, dans l'intérêt de toutes les races de fae. Si nous n'avions pas pris ces décisions difficiles, les fae auraient peut-être été balayés de la planète. Alors, ne me dis pas que les Seelie n'ont rien eu à sacrifier par rapport au reste des fae.

Les Milesiens, une simple peuplade d'humains, s'étaient alliés au Phaendir et avaient utilisé des armes en fer enchanté pour se battre contre les fae. Avec l'aide des Phaendir, ils avaient vaincu les Tuatha Dé Seelie. Mais comme les fae ne pourraient jamais être tous anéantis, ils avaient été forcés de promettre solennellement de disparaître de la vue et de la connaissance des humains. Ils étaient partis sous terre. Parfois littéralement, dans le cas des gobelins et des fae de la nature, mais la plupart s'étaient seulement effacés derrière l'anonymat, pour ne devenir au bout du compte que mythe et légende dans l'esprit de l'humanité. Du moins, jusqu'à ce que les guerres et le syndrome de Watt les révèlent au monde entier.

Gabriel sentait un désaccord palpable dans l'air, mais il était incapable de passer à autre chose. Il sourit, sachant que son visage restait froid.

— Il est intéressant de constater à quel point la vie des nobles Seelie est basée sur l'illusion.

— C'est-à-dire?

— Les Seelie croient qu'ils sont supérieurs à tous les autres types de fae parce qu'ils les ont tous dirigés, avant que les Unseelie s'organisent et deviennent aussi puissants qu'eux. Ils croient le soutien de la troupe leur revient de droit. Ils croient que les Unseelie sont d'horribles monstres sanguinaires, alors que c'est faux et…

— C'est faux? répéta Aislinn en haussant un sourcil.

— Tu prouves ce que je viens de dire, répondit Gabriel en écartant les mains. Nous ne sont pas tous des monstres. Je n'en suis pas un, tout de même?

— Je ne te connais pas assez bien pour me prononcer sur ce point.

Elle cligna des yeux innocemment et savoura une autre bouchée de pâtes.

Elle était férocement honnête. Il aimait ce trait de caractère chez elle. Les Seelie étaient connus pour leur facilité à dissimuler la vérité, mais Aislinn semblait avoir très peu de talent pour cet art douteux. Elle était par ailleurs très intelligente ; sans être un monstre sanguinaire, Gabriel n'était pas exactement inoffensif.

Il abaissa légèrement les paupières, se pencha vers elle, et baissa la voix.

— Et j'aimerais que tu apprennes à me connaître beaucoup mieux, mademoiselle.

Les yeux d'Aislinn s'agrandirent un peu, puis clignèrent plusieurs fois. Bien. Il était temps qu'elle comprenne que, peu importe ce qu'il pouvait lui dire, ses intentions envers elle étaient loin d'être honorables. Sensuelles, érotiques, et moites, sans aucun doute, mais alors là, vraiment pas honorables.

Il s'adossa à sa chaise.

— Pour terminer ce que je disais, la troupe croit que les Seelie méritent son soutien, qu'ils représentent les seuls vestiges de beauté, de noblesse et de pouvoir pour les fae. La troupe considère le peuple Seelie comme la monarchie et elle désire le garder en adoration sur un piédestal.

Aislinn sentit tous les poils de son corps se hérisser.

— C'est ainsi que les choses sont depuis des millénaires. C'est ainsi qu'est construite la culture fae.

— Oui, mais ça ne veut pas dire que c'est bien. Comment pourrait-ce l'être si c'est basé sur de puissantes croyances, aussi fausses qu'illusoires ? Je trouve la chose fascinante.

— Tu dis donc que les Seelie sont comme n'importe quel autre type de fae, et non la source génétique originale de laquelle les autres fae proviennent, et que pour cette raison, ils ne devraient pas avoir droit à un traitement particulier ?

Les yeux à demi fermés, Gabriel étudia son visage orageux. Elle était encore plus sublime lorsqu'elle était énervée. Il prit mentalement note de l'irriter plus souvent.

— Je souscris à la croyance qui veut que les Unseelie et les Seelie ont été créés en même temps. L'obscur et la lumière, qui se complètent. La troupe et les fae de la nature sont nés de combinaisons génétiques entre les deux.

Aislinn déposa sa fourchette et pressa ses lèvres l'une contre l'autre avant de rétorquer :

— Tu sembles avoir un léger préjugé contre les Seelie pour quelqu'un qui veut venir habiter la Rose.

— Pas du tout. Je critique les deux cours de façon aussi cinglante.

— Je crois comprendre que tu es hautement considéré à la Tour Noire. Tu dois y être à l'aise, non ? J'ai du mal à croire que tu es prêt à tout laisser tomber seulement parce que tu t'ennuies.

Il prit une gorgée de vin.

— Peut-être que je veux explorer le côté sídhe seelie de ma mère pour un certain temps, du moins la petite partie qu'elle possédait. Et je n'ai jamais menti à propos de l'ennui, Aislinn. Tu verras, toi aussi. Tu auras tendance à chercher des expériences plus stimulantes et excitantes après avoir atteint un certain âge, même si ça signifie de fuir une tour pour recommencer dans une autre.

— Tu n'es pas exactement un vieillard, tout de même, avança Aislinn.

Elle souleva un sourcil et précisa :

— Je suis certaine que la majorité des femmes te trouvent très... très...

— Très ?

— Viril, termina-t-elle, ses joues rosissant un tantinet.

Il sourit.

— Et toi ? Tu me trouves viril ?

La teinte rosée de ses joues tourna au rouge colérique.

— Je n'ai aucun intérêt envers les hommes, et j'ai l'intention de ne pas m'y intéresser avant très longtemps. Tu peux donc t'enlever cette idée de la tête. Et l'effacer de ton visage.

— Oui, les commérages sur ta rupture avec Kendal circulent dans toute la Cour Seelie.

— Je n'ai pas envie d'en parler.

— Pas de problème, mais je n'ai qu'une chose à dire. Kendal est un idiot. Chaque fois que je le vois, j'ai envie de lui balancer mon poing au visage. Il ne t'a jamais méritée.

Gabriel se pencha vers l'avant.

— Si tu laisses un seul type misérable ruiner tes chances de trouver l'amour, tu es vraiment stupide.

Elle laissa échapper un éclat de rire inattendu.

— Merci pour ce conseil dont je n'ai pas besoin.

Les lèvres de l'incube remuèrent silencieusement avant de répliquer :

— Pas de problème.

— Tu n'es peut-être pas aussi mauvais que je le croyais, Gabriel.

— Je suis heureux que tu en viennes finalement à cette conclusion. Je ne peux nier ce que je suis, Aislinn. Je suis à moitié incube et bien que je maîtrise ma magie dans une certaine mesure, elle me vient surtout naturellement. C'est une partie de ce que je suis. Crois-moi, ce n'est pas toujours rose ; ça a aussi ses désavantages.

Mensonge numéro deux. Il lui était à l'occasion fatigant de repousser les avances de quelqu'un qui ne l'attirait pas, mais en général, sa magie était l'une des meilleures que l'on puisse posséder, à son avis. Il n'avait jamais passé une nuit en solitaire, à moins de l'avoir voulu. Bien sûr, il y avait une rare femme ici et là qui paraissait insensible à son charme. Comme la belle et douce Aislinn. Mais ceci ne faisait que rendre les choses encore plus intéressantes.

— À part être Tuatha Dé pur sang, quelle magie possèdes-tu ?

Il lui tardait d'entendre Aislinn répondre à cette question. À son tour de se sentir mal à l'aise. Gabriel s'adossa confortablement sur sa chaise et aspira la dernière goutte de vin de son verre.

Elle s'éclaircit la voix, et il crut remarquer qu'elle pâlissait — ou était-ce son imagination ? Comme c'était fascinant.

— J'ai le pouvoir de la prédiction. Je rêve parfois à des choses qui se produisent dans la réalité. Je rêve surtout à la mort des gens.

— Hmm ! C'est noir.

Les mots, bien sûr, étaient calculés de sa part.

Aislinn se crispa.

— C'est parfois un peu noir. Ce n'est pas une sorte de magie qui est rare chez les Seelie, par contre. Ce n'est pas une magie qui peut tuer ou mutiler les gens.

— As-tu rêvé la mort de l'amie de ta famille ?

— Non.

Aislinn baissa les yeux sur ses genoux.

— Mon don est imprévisible, vois-tu. J'ai rêvé à la mort de quelqu'un d'autre la nuit dernière.

— Quelqu'un que tu connais ?

Elle leva les yeux, un sourire cynique tremblant sur sa bouche pulpeuse.

— Oui, intimement.

— Je suis désolé. Mais tu sais, la mort fait partie de la vie. Nous pouvons vivre sur Terre des siècles et des siècles, mais à la fin, nous serons tous récoltés par la Chasse sauvage.

Aislinn se crispa davantage. Peut-être que sa première rencontre avec la Chasse sauvage l'avait déstabilisée.

— C'est vrai, mais c'est tout de même triste.

Gabriel fit non de la tête.

— Pas toujours. C'est triste pour ceux et celles qu'on laisse derrière, peut-être. Mais je crois que notre âme va vers une autre vie. Il n'y a pas de mort, juste un changement de vie. Tu as sans doute déjà vu la Chasse sauvage s'envoler dans la nuit. S'il n'y avait rien après la mort, il n'y aurait aucune raison pour eux de faire ce qu'ils font.

Aislinn lui sourit.

— C'est une belle idée. J'espère que tu as raison.

— Je crois bien que j'ai raison.

Il considéra les restes de leur dîner.

— Je vais te laisser aller dormir, Aislinn, et je te verrai demain. Tu as eu une longue journée et tu vis un deuil. Je ne veux pas t'imposer ma présence plus longtemps.

Il se leva de table.

— Attends.

Il s'immobilisa.

Aislinn sourit et poussa son index sur la table lisse.

— Reste un peu plus longtemps, le temps de prendre un verre. J'ai l'impression de t'avoir traité si injustement.

Gabriel arrêta son regard sur le dessus de sa tête, tâchant de maîtriser une autre impulsion pressante. Il voulait rester. Soudainement, il ressentait le besoin de rester. Rester pour boire ce verre, se pencher vers elle à un certain moment, prendre délicatement le verre de sa main et lécher les gouttelettes restées sur ses lèvres.

Cette voix sombre à l'intérieur de lui, l'incube, chuchota : «Tu peux la faire te désirer. Tu peux la faire te supplier.»

Il savait qu'il pouvait la séduire cette nuit même s'il le voulait. Tout ce qu'il avait à faire, c'était se rapprocher d'elle, faire en sorte qu'elle lui permette de l'embrasser, de la toucher.

Il pouvait la faire panteler, assoiffée par son corps puissant, et gémir de désir pour lui. Si seulement il pouvait poser ses lèvres et ses mains sur elle. Sa queue se raidit à cette pensée, et il dut serrer le bord de la table pour se retenir d'agir à l'instant même.

Bons dieux, il commençait à vouloir cette femme trop intensément. Il n'arrivait presque plus à se maîtriser, ce qui ne lui arrivait *jamais*. Cette femme était dangereuse pour lui ; une ambroisie redoutable. Tôt ou tard, la tentation deviendrait trop forte, et il devrait la goûter.

Mais il était encore trop tôt.

Ce n'était pas seulement son corps qu'il tentait de séduire, même si ce corps faisait certainement partie du scénario. Il devait aussi séduire son cœur et sa tête. C'était la partie la plus délicate, et il avait peu d'expérience en la matière... Aucune, à vrai dire.

Même s'il ne savait pas trop comment approfondir cette relation avec elle, il savait qu'il devait y aller doucement. Il devrait attendre. Attendre qu'elle décide de venir vers lui. Elle devait lui manifester un peu plus de chaleur, avoir envie de s'ouvrir à lui.

Il avait simplement besoin de *plus* de la part d'Aislinn.

Une fois qu'elle aurait mordu à l'hameçon, il pourrait ensuite l'attirer vers lui.

En rassemblant toutes ses forces, il se pencha et se contenta de poser un baiser sur le dessus de sa tête.

— Non, tu dois te reposer. Je ne veux pas te faire veiller trop tard. Demain, nous prendrons ce verre.

Elle sourit.

— D'accord.

Demain soir, ils savoureraient ce verre et, avec de la chance, un peu plus.

CINQ

Gideon compta au moins vingt vautours tournant autour des flèches de l'église, que les branches d'un grand arbre blanc et dégarni touchaient presque. Dans cet arbre venaient se nicher les oiseaux. C'était un perchoir bien connu par les observateurs, qui venaient de partout pour contempler les vautours. Ces branches, sur lesquelles la colonie venait se reposer la nuit, surplombaient l'église du Cimetière de Labrai, un décor idéal… pour un cauchemar.

Le regard de Gideon se porta vers la gauche par habitude, vers le mur massif qui séparait Piefferburg de l'humanité. Entourant un territoire d'un diamètre de centaines de kilomètres, touchant l'Atlantique à chaque extrémité, et atteignant six mètres de profondeur dans la terre, ces murs massifs n'étaient pas ce qui gardait les fae prisonniers. Ce travail était plutôt assuré par le mur de garde invisible que les Phaendir alimentaient jour et nuit, afin de maintenir le mal à l'écart du reste de la populace de la Terre. Gideon et ses frères avaient fait d'énormes sacrifices pour les humains, mais ces derniers en étaient-ils reconnaissants ? Non. Les humains tenaient pour acquis les efforts du Phaendir.

Labrai, le seul et unique Dieu, les châtierait tous lorsqu'il descendrait pour punir les pécheurs, les êtres doués de pouvoirs surnaturels et les non-croyants. Et les Phaendir seraient soulevés jusqu'aux cieux, puis Labrai les récompenserait de leur labeur et de toutes les épreuves qu'ils auraient surmontées.

Il baissa la main, et le rideau jaune pâle de son bureau du siège du Phaendir retomba en place. Gideon pouvait toujours voir au travers les formes noires qui tournoyaient paresseusement dans le ciel jaunâtre.

— Frère Gideon.

Il se retourna pour trouver la grande silhouette aux cheveux noirs de frère Maddoc, son supérieur, debout dans l'embrasure de la porte.

— Oui, frère Maddoc ?

— J'ai reçu un rapport signalant que vous avez effectué des appels au moyen d'un portable à Piefferburg. Ils étaient empreints de magie ? demanda frère Maddoc, les yeux plissés

Ils étaient toujours en conflit, lui et Maddoc. Ils voulaient des choses différentes pour le Phaendir et, par le fait même, pour les fae. Cette différence dans leurs programmes respectifs se révélait être un aspect pénible de leur relation.

Gideon répondit avec l'aisance de l'innocent. Il avait toujours menti avec brio. Il croisa les mains derrière son dos et accrocha son regard à celui de Maddoc.

— En effet. Je devais transmettre des renseignements à frère Rhys au sujet de l'équipe de tournage de *Faelébrités*.

Les gardes-frontières les ont fouillés avant qu'ils ne passent les portes, mais je les soupçonnais tout de même de transporter des documents de propagande des HLF et je désirais que frère Rhys garde un œil sur eux.

Emily, l'assistante personnelle de Maddoc, arriva aux côtés de son patron. Aujourd'hui, ses cheveux roux mi-longs étaient retenus en torsades derrière ses oreilles à l'aide d'une pince à cheveux et elle ne portait pas ses lentilles cornéennes. Une paire de lunettes au motif d'écailles de tortue était perchée sur le bout de son mignon petit nez.

Perdant un peu de son sang-froid, Gideon agita les pieds tout en baissant furtivement les yeux sur la moquette chocolat.

Emily glissa un paquet de feuilles dans les mains de Maddoc, leurs doigts s'effleurant un tout petit peu plus longtemps que nécessaire. Elle jeta un bref regard à Gideon, puis repartit comme elle était venue.

Maddoc examina les documents, les sourcils froncés, pendant que Gideon bouillonnait de colère. Maddoc la baisait. Il le savait. Ses poings se serrèrent de chaque côté de son corps, ses ongles creusant la paume de ses mains.

Maddoc possédait tout ce que Gideon était censé avoir : le pouvoir, le prestige, le respect, le titre.

Et maintenant, la femme.

Selon Gideon, toutes ces choses lui revenaient de plein droit. C'était *lui* qui avait un meilleur plan pour l'avenir, et il avait des masses de partisans au sein du Phaendir pour le prouver. Leur nombre augmentait chaque jour.

Maddoc émit une réponse inaudible et partit d'un pas traînant, le nez plongé dans les papiers. Il se retourna abruptement.

— J'ai oublié de vous dire que nous avons possiblement une piste menant vers le Livre de l'union. L'archiviste a suivi la trace de ses possesseurs pour aboutir sur une famille de fae du nom de Finvarra. Auriez-vous croisé ce nom dans vos recherches, par hasard ? Il s'agit apparemment d'une famille prospère de souche seelie, aux relations privilégiées.

Oh, fais gaffe, mec. Danger. Gideon fronça les sourcils.

— Ça ne me dit rien, mais je vais vérifier mes notes, répondit-il avec un sourire aimable.

— Merci. Si nous pouvions trouver un document qui indiquerait quelle personne, dans cette famille, est toujours en vie, nous serions peut-être en mesure de déduire qui garde le livre. Inutile de vous dire qu'il s'agit d'un dossier de la plus haute importance.

Ma foi, trouver le Livre de l'union, le livre recelant le sort destiné à anéantir le mur de garde de Piefferburg, relevait de la plus haute importance ? Quelle révélation.

Gideon sourit et baissa la tête.

— Bien sûr, frère Maddoc.

Lorsqu'il releva la tête, l'imbécile était reparti. Il regarda fixement dans le vide, là où Maddoc se trouvait un instant plus tôt, sentant la magie lui brûler les veines et transpercer l'espace comme si sa haine pouvait réduire en cendre celui qui venait de partir. Son corps en trembla, son visage s'enflamma et ses yeux voulurent sortir de leur orbite.

Son tour viendrait.

Au cœur de l'immeuble, une cloche sonna. Trois courts éclats d'une alarme tonitruante essuyant immédiatement le désir et la rage qui avaient fait irruption dans le corps de

Gideon. Laissant tout le travail qu'il avait à faire étendu sur son bureau, il entra dans une petite pièce attenante à son cabinet de travail. Chaque membre des échelons supérieurs du Phaendir disposait d'une chambre particulière où prier. Les souillons qui jouaient un rôle moins important se contentaient d'une salle commune.

Après avoir allumé les six chandelles placées sur la petite table en bois près de l'entrée, Gideon ferma la porte et retira ses robes avec précaution, puis suspendit sa tenue à une patère de l'autre côté de la pièce, afin d'éviter de la tacher de sang. Il retira ensuite ses chaussures et ses chaussettes et les posa près de la porte.

Puis, il prit le martinet en cuir accroché à sa patère, s'agenouilla devant la table surmontée de chandelles, ferma les yeux, et le souleva. Joli martinet lisse, accordant à la fois douleur et joie, en parts égales.

Les coups s'abattirent sur son dos, réguliers et apaisants ; des gestes qu'il avait effectués tous les jours et des milliers de fois. Son dos était devenu une masse de tissu cicatriciel blanc marbré. Chaque lanière du martinet écorchait la peau cicatrisée. Le sang coula comme du pus sanguinolent et chaud sur sa peau, dégoulinant le long de son dos, ruisselant sur ses fesses et entre ses cuisses. L'odeur de cuivre chaud remplit l'espace restreint.

Ses globes oculaires roulèrent vers l'arrière de sa tête au moment où la douleur arriva au seuil entre l'inconfort et le plaisir, un chemin qu'il empruntait chaque jour. Sa voix se mit à vibrer dans la pièce comme un ronronnement, suivant le rythme certain des mots écrits dans son âme, prononcés cinq cents fois par jour.

Mon désir brûlant est immortel.
Il ne peut être maîtrisé.
Utilisez-moi, Labrai. Contrôlez-moi.
Décomposez-moi et recréez-moi à Votre image.
Rendez-moi digne d'être Votre instrument.
Utilisez mes mains pour réaliser Votre travail.
Aidez-moi à purger le monde du mal.
Aidez-moi à purger le monde des fae.

Gabriel se tenait trop proche d'Aislinn dans la cohue.

Si proche, qu'elle pouvait sentir sa peau. Si proche, que sa chaleur irradiait de son corps et la réchauffait. Bons dieux, si proche, qu'elle en était étourdie.

Non. Elle ne pouvait se laisser aller ainsi. Elle ne pouvait se laisser aller à penser à ces choses.

Elle ferma les yeux un moment et chercha à reprendre ses esprits. Elle n'allait pas se laisser faire. *Pas question.* Pas par cet homme. Qu'il croie ou non que sa forme naturelle de magie soit un fardeau, il était tout de même le sexe sur deux pattes et un coureur de jupons né. Il était le dernier homme sur Terre envers lequel elle pouvait risquer de ressentir la plus petite étincelle d'attirance, artificielle ou pas.

Carina l'avait acculée dans un coin dès qu'elle était entrée avec Gabriel à ses côtés. Au moment où il cherchait leurs places dans l'immense salle à manger de la Cour Seelie, Carina avait pris Aislinn à part pour lui souffler une très vilaine petite idée à l'oreille.

— Ne te culpabilise pas si tu finis par coucher avec lui, chuchota-t-elle. Il pourrait t'aider à te remettre de ta déception amoureuse. Je suis certaine que Gabriel ne verrait pas d'inconvénient à ce que tu l'utilises. C'est un peu son boulot, non? Le moins que l'on puisse dire, c'est qu'il ne cherche pas à se caser, pas vrai?

Une toute petite voix sombre — vraiment toute petite —, lui chuchotait la même chose d'un coin de son cerveau depuis la veille. Mais pas tout à fait dans les mêmes termes. C'était un peu cruel de tenir pour acquis que Gabriel n'était qu'un objet sexuel dont les femmes pouvaient se servir, avant de le jeter comme un vieux papier mouchoir. Aislinn ne songeait à personne dans des termes si insolents.

Malgré tout, une partie d'elle, une portion de son esprit qu'elle essayait de garder sous clé, se demandait comment était Gabriel au lit. Un homme de son âge, avec toute cette expérience et cette magie innée… C'était la partie purement sexuelle, la partie femme sous sa forme la plus brute qui remarquait un homme comme Gabriel.

Après tout, Aislinn était une femme vibrante de santé. N'importe quelle femme en santé le remarquerait.

Pas même le poids du rêve prémonitoire qu'elle avait eu ne semblait atténuer son attirance envers lui.

Elle avait essayé de raisonner sa libido plusieurs fois. Gabriel serait l'élément catalyseur de sa mort. Selon son rêve, il n'en serait pas la cause directe, mais il jouerait involontairement un rôle de premier plan dans sa survenue.

Inutile de nier le destin. C'est ce qu'Aislinn croyait. Même si elle s'esquivait pour s'enfuir le plus loin possible dès maintenant, en vue de se distancer au maximum du catalyseur, le destin la retrouverait.

Elle espérait avoir simplement mal interprété son rêve. La mort était symbole de changement. *Danu*, même Gabriel avait exprimé cette idée au cours de leur dîner. Peut-être

Gabriel serait-il plutôt le catalyseur d'un changement dans sa vie et non de la mort comme telle. Les rêves étaient constitués de symboles, après tout.

Mais que dire des mains ? Ces mains qui l'agrippaient et la tiraient pour l'attirer au fin fond du lac de la mort ? Bon, d'accord, elle n'avait toutefois pas encore trouvé d'explication acceptable pour les mains.

Après que Carina eut formulé, dans des termes un peu plus crus, la pensée qu'Aislinn essayait elle-même d'ignorer, elle avait veillé à ce que son amie soit assise à côté de Gabriel. Ils avaient mangé. Aislinn s'était acquittée de sa tâche, c'est-à-dire le présenter à tous ses amis, sa mère et les amis de sa mère. Cette dernière avait envisagé Gabriel comme s'il s'agissait d'un insecte, mais l'homme n'en avait paru aucunement dérangé. À présent, le dîner était terminé et la musique avait commencé à jouer. Gabriel lui avait demandé si elle voulait danser.

Et il se tenait trop près d'elle.

La dernière fois qu'ils avaient dansé, la proximité avait été la même, mais elle ne ressentait pas encore la peur et le désir qui s'entremêlaient maintenant en elle. Peut-être était-elle finalement devenue intoxiquée par la magie incube. Peut-être avait-elle succombé à l'obscur pouvoir sexuel qu'il exerçait inconsciemment.

Il fallait que ce soit ce pouvoir. Il était impossible qu'elle se laisse tenter de plein gré.

La main de Gabriel entourait sa taille, et il l'avait attirée tout contre son lui. Il était beaucoup plus grand qu'elle, même si elle portait ses talons aiguilles, et le menton d'Aislinn lui arrivait à peine à hauteur d'épaule. Elle n'avait donc d'autre choix que de poser la tête sur sa poitrine ou de la lever pour le regarder en face, ce qu'elle trouvait plutôt intime, car il aimait plonger le visage vers le sien de temps en temps, de sorte que leurs lèvres se touchaient presque.

Leurs hanches bougeaient ensemble au rythme de la musique. Balance, pousse, balance, pousse. Un peu comme faire l'amour.

Aislinn aurait vraiment voulu arrêter de penser au sexe.

Mais tant et aussi longtemps qu'elle sentirait ce torse musclé contre elle et cette queue pressée contre son pelvis, ce serait peine perdue. Il avait une érection et elle en était probablement la cause. À l'idée d'avoir cet effet sur lui, elle sentit le sang lui monter au visage et quelques frémissements parcourir son bas-ventre.

Ce soir, il portait un pantalon noir assorti à une superbe chemise noire, probablement très coûteuse. Il semblait préférer les couleurs foncées et il fallait le dire ; elles lui allaient très bien. Elles contrastaient avec ses yeux et soulignaient la chute brillante de ses cheveux. La beauté pure de cet homme était le complément parfait de sa sorte particulière de magie, le rendant encore plus toxique pour les femmes qu'il rencontrait.

Aislinn avait la certitude que la reine Été approuverait sa demande.

Personne ne pouvait résister à la tentation coupable du chocolat riche, et c'est *exactement* ce qu'était Gabriel Cionaodh Marcus Mac Braire.

Elle songea à son père, un incube de sang pur, et se demanda si Gabriel lui ressemblait ou s'il tenait plutôt de sa mère. Elle avait entendu la haine dans sa voix lorsqu'il avait parlé de son père. Aussi elle espérait, par empathie pour lui, que c'était à sa mère qu'il ressemblait le plus. Leur conversation lui avait révélé une profondeur chez Gabriel, une profondeur qu'elle désirait explorer davantage.

Était-ce à ce moment que son attirance envers lui s'était accentuée? C'était mauvais signe; si c'était le cas, ce serait dire que son attirance était authentique et pas seulement issue d'une magie fae artificielle.

Elle contempla la foule. Les danseurs parlaient et riaient, tournoyaient et se déhanchaient. Les têtes d'amoureuses étaient posées sur les épaules accueillantes. Les couleurs tourbillonnaient tandis que les femmes se pavanaient comme des paons. Ce genre de spectacle jouait si souvent à la Cour Seelie. Ce monde de paillettes était consumé par la vanité : la minceur, l'interaction sociale, les fêtes et les bals. Aislinn commençait à s'en lasser, mais de toute évidence elle était la seule à ressentir cet ennui.

L'équipe de *Faelébrités* circulait parmi les invités, interviewant les m'as-tu-vu pour les présenter au monde humain qui, semblait-il, les trouvait aussi fascinants qu'effrayants.

Kendal n'avait jamais trouvé la Rose monotone, mais il était un arriviste, ce qui était à l'opposé d'Aislinn, au grand désarroi de sa mère. Bien sûr, avec le recul, elle voyait qu'il avait été avec elle pour son nom et son rang uniquement. Il ne l'avait jamais aimée. Il lui avait menti sur toute la ligne.

Elle en avait marre des menteurs et des fraudeurs. Marre de se sentir utilisée. C'était la raison pour laquelle elle n'arriverait jamais à utiliser Gabriel, aussi alléchante que fût l'idée.

Pas même s'il désirait lui-même être utilisé.

Elle fouilla la foule des yeux, sachant qu'elle y trouverait Kendal. En effet, il était là, au bord de la piste de danse, en train de discuter avec Erianne tout en lui balançant son fameux sourire, celui-là même qu'il avait utilisé avec Aislinn au début. Erianne était donc sa nouvelle conquête. Très bien. Aislinn n'allait pas laisser cette constatation lui pincer le cœur.

— Qu'est-ce qui ne va pas? demanda Gabriel, juste avant de la faire tourner vers la droite, dans la direction de la scène qu'elle regardait.

Puis il l'attira de dos vers lui, et dit sur un ton dédaigneux:

— Ne laisse pas ce con miner ta bonne humeur. Il n'en vaut pas la peine.

— Dis-le à mon cœur, répondit-elle, avant de comprendre que les mots avaient glissé de sa bouche malgré elle.

— L'aimais-tu? Vraiment? demanda-t-il en fronçant les sourcils. Je peux voir en un coup d'œil quel type d'homme il est.

Il marqua une pause et grogna:

— Pas le type qu'il te faut.

— Tu ne peux pas dire ça simplement en le regardant.

Il la retourna contre lui, prit le temps de bien regarder Kendal par-dessus son épaule, puis décrivit:

— C'est un faible et un opportuniste. Un égocentrique. Il parle probablement toujours de lui dans une conversation. N'ai-je pas raison?

Aislinn fit oui de la tête.

— C'est un crétin.

— Un crétin?

— Oh, oui. Il est inutile.

Elle jeta un coup d'œil derrière l'épaule de Gabriel et vit que le crétin en question les avait remarqués et qu'il marchait maintenant dans leur direction.

— Oh, non. Je ne veux pas lui parler, souffla-t-elle. Je ne lui ai pas reparlé depuis notre rupture et…

En posant la main dans le creux de son dos, Gabriel la renversa vers l'arrière… et l'embrassa.

Le corps d'Aislinn se raidit, sans toutefois lutter contre Gabriel. Lutter contre lui dans cette position signifierait probablement de tomber sur les fesses au beau milieu du plancher de danse. Gabriel la tint ainsi, suspendue dans les airs, une main large et chaude sous le creux de son dos, ses bras forts la soutenant sans effort.

Et l'homme savait embrasser.

Les lèvres de Gabriel glissèrent d'abord lentement sur celles d'Aislinn, puis tirèrent doucement sur sa lèvre inférieure avant de se presser sur sa bouche et de l'entrebâiller délicatement pour la goûter. Sa langue se glissa à l'intérieur pour caresser celle d'Aislinn… lentement. Très lentement. D'avant en arrière. Chaud et mouillé. Elle ignorait jusqu'alors que sa bouche était une zone érogène. Son ventre s'emplit de papillons, et elle tressaillit. Le temps sembla s'arrêter, et Kendal quitta complètement ses pensées.

Ce baiser lui faisait penser au sexe.

Son corps s'échauffa et frissonna en même temps. Ses muscles se détendirent et les bruits de la salle de bal s'estompèrent pour ne laisser place qu'au battement de son cœur, retentissant de plus en plus fort. Un ronronnement commença à s'élever du fond de sa gorge et elle le ravala avec effort.

Grands dieux, cet homme embrassait comme… eh bien, comme un incube.

Les lèvres toujours collées contre celles d'Aislinn, Gabriel la redressa pour la tenir contre son torse. Ses genoux étaient si faibles, elle n'était pas certaine de pouvoir tenir debout. Cela importait peu cependant, car il l'enlaçait… et continuait à l'embrasser. Ils ne dansaient même plus. Les lèvres de Gabriel glissaient sur celles d'Aislinn, leurs langues valsaient l'une contre l'autre et plus rien n'existait. Juste les sensations. Il prenait son temps pour goûter sa bouche, suçant sa lèvre inférieure et l'érodant doucement de ses dents, ce qui faisait réagir des parties situées bien plus bas sur le corps d'Aislinn. La main qu'il avait posée sur son dos trouva un bout de peau et le caressa.

Quelqu'un se racla la gorge à côté d'elle. Kendal ? Aislinn eut du mal à se souvenir de son nom. Gabriel l'ignora. Il resserra seulement sa prise autour de la taille d'Aislinn et la tourna légèrement pour l'écarter de l'ex sournois.

Kendal se racla de nouveau la gorge avec insistance.

— Aislinn ?

Gabriel mit fin à leur baiser lentement, très lentement, en laissant traîner la lèvre d'Aislinn une fois de plus entre ses dents, puis releva la tête.

Aislinn posa les yeux sur Kendal, sachant qu'ils étaient un peu embrouillés, et que ses lèvres restaient entrouvertes, gonflées et probablement un peu rougies. Elle était tout à fait incapable de former un seul mot.

— Aislinn, tu n'as pas à frimer ainsi devant moi. Vraiment, je suis passé à autre chose. Ça m'est complètent égal qui tu baises ces jours-ci.

Il jeta un bref regard sur Gabriel et ajouta :

— Mais je ne toucherais pas à une ordure d'Unseelie si j'étais toi. Tu pourrais te bâtir une mauvaise réputation.

Les mots de Kendal eurent l'effet d'un seau d'eau froide sur la chaude léthargie qui avait enveloppé Aislinn, mais Gabriel réagit plus rapidement qu'elle. Il se détacha délicatement de sa partenaire et avança dangereusement vers Kendal, paraissant soudainement deux fois plus grand et large que ce dernier.

Kendal recula d'un pas et la main de Gabriel fonça droit sur lui à la vitesse de l'éclair. Il l'agrippa par la chemise et l'empêcha de s'enfuir. Kendal cligna des yeux, son visage pâlissant à vue d'œil.

Gabriel montra les dents avant de parler.

— Tu as perdu le droit de lui parler lorsque tu l'as utilisée, avant de rompre avec elle publiquement, devant toute la cour. Tu devrais tourner les talons tout de suite et partir avant que je me fâche.

— J'ai plus le droit de lui parler que toi, l'incube.

Toute la cour avait maintenant le souffle coupé. La musique jouait toujours, mais personne en vue ne dansait ni ne l'écoutait. La masse de curieux commençait à former un cercle autour d'eux, incapable de résister au prochain sujet de commérages.

Aislinn en avait plus qu'assez d'être le sujet des commérages.

Elle avança vers son ancien amant et Gabriel relâcha la chemise de Kendal, le tissu luxueux maintenant froissé.

— Kendal, si je ne te connaissais pas, je dirais que tu es jaloux.

Le regard de Kendal se porta sur elle.

— Mais tu me connais trop bien.

— J'en sais assez pour dire que tu es stupide d'insulter un homme à moitié unseelie qui possède une magie assez puissante pour tuer.

Tout ce que Kendal était capable de faire, c'était créer une illusion pendant quelques secondes.

Inutile.

Puis il poussa un grognement railleur.

— Et que va-t-il me faire, me baiser jusqu'à ce que je meure ?

Gabriel avait gardé le silence pendant leur échange, mais Aislinn se doutait bien que le silence de cet homme annonçait un danger. Même l'air qui l'entourait semblait s'épaissir, comme si quelque chose prenait de l'expansion, quelque chose de violent. Elle n'avait pas envie de découvrir ce que c'était.

Elle posa la main sur le bras de Gabriel.

— Allons-y. Tu as remis à une autre fois l'occasion de prendre un verre hier soir. J'insiste pour que nous allions prendre ce verre maintenant.

— Ma magie fonctionne aussi sur les hommes. Mais je n'oserais même pas te toucher avec la bite d'un autre.

Kendal avait l'air d'être prêt à exploser. Gabriel plaça une main au bas du dos d'Aislinn et la guida à travers la foule, qui les observait toujours en ricanant, et ils sortirent de la salle de bal.

— Pourquoi as-tu fait ça ? demanda-t-elle lorsqu'ils furent hors de la portée des oreilles indiscrètes. Dorénavant, il sera insupportable.

— Fait quoi ? répondit calmement Gabriel, paraissant nullement perturbé. Pourquoi t'ai-je embrassée ou pourquoi ai-je dit ce que j'ai dit ?

Elle s'arrêta au bas de l'escalier tournant tapissé de rouge qui menait vers son étage.

— Les deux.

— Le commentaire était pour lui fermer son affreuse gueule.

Il tendit le bras et l'attira contre lui.

— Le baiser, c'était parce que je le voulais et ce con m'a fourni une excellente raison de te le voler.

Il lui effleura les lèvres tout doucement, puis s'éloigna un peu.

Aislinn dut secouer la tête pour se défaire de la chaleur et de la douceur de son baiser.

— Ne t'avise *pas* d'utiliser cette magie sur moi.

— Je n'ai pas utilisé une once de magie sur toi, Aislinn.

Il arqua un sourcil avant de promettre :

— Je ne l'ai jamais fait et je ne le ferai jamais. Je le jure. Quelle que soit ta réaction envers moi, elle vient uniquement de toi. Elle est complètement naturelle.

Elle le regarda fixement un instant en essayant de se fâcher, mais l'image du visage de Kendal qui s'était approché d'eux et qui l'avait vue embrasser Gabriel était beaucoup trop délicieuse.

— Je ne suis pas une petite idiote qui va tomber directement dans ton lit. Tu peux oublier ça.

Elle le repoussa gentiment et entama l'escalier.

— J'adore les défis, Aislinn, lança-t-il derrière elle.

Elle faillit manquer une marche.

SIX

La main d'Aislinn errait sur le mur de marbre rose lisse alors qu'elle déambulait dans le couloir, plongée dans ses pensées. Elle attendait Carina, car les deux amies avaient prévu aller dans une boutique de robes du centre-ville de Piefferburg. C'était ce à quoi se résumait sa vie : une boucle interminable de thés, de déjeuners, de vêtements, de fêtes et de cocktails. Était-ce mal de vouloir plus ?

Pourquoi était-elle la seule à avoir envie d'autre chose ? La vie ne pouvait se limiter à cette suite d'événements futiles. Elle ne pouvait être la seule, dans toute la Tour Rose, à se demander s'il y avait autre chose à découvrir.

Son amie Bella avait toujours désiré voyager. Elle se sentait piégée dans la Cour Seelie et voulait plus que tout découvrir le reste de Piefferburg, et le monde au-delà. Son amie avait vu son souhait s'exaucer — pas de la meilleure façon, il va sans dire —, en se faisant bannir de la Rose.

Les fae vivaient très longtemps. Il devait bien exister d'autres Seelie Tuatha Dé qui se sentaient aussi las qu'Aislinn et qui en avaient assez de rester sur leur piédestal, admirés par la troupe. Si Aislinn voulait travailler, elle ne pouvait pas le faire. Si elle voulait développer ses pouvoirs magiques, on ne le lui permettait pas. Si elle souhaitait s'évader le temps d'un après-midi pour aller explorer Ville des Gobelins ou les Terres frontalières, ou encore le Royaume aquatique, c'était interdit. C'était ce que Gabriel ne comprenait pas. Les Seelie étaient tout aussi esclaves de l'illusion que n'importe qui d'autre.

Ou, du moins, c'est ainsi qu'Aislinn se sentait.

Ses doigts glissèrent le long du mur jusqu'à ce qu'elle s'arrête devant une ombre. Elle tourna la tête et plissa les yeux, puis reconnut Gabriel.

— Je t'ai regardée marcher d'un bout à l'autre du couloir. Tu ressembles à une somnambule. Qu'est-ce qui te tracasse ce matin, beauté ?

Beauté. Il appelait probablement toutes les femmes qu'il connaissait « beauté ».

— Je ne sais pas.

La dernière chose qu'Aislinn comptait faire, c'était de se confier à ce type.

— Je réfléchissais simplement, dit-elle en haussant les épaules.

— Hmmm, fit-il en l'examinant, pas seulement aux nouveaux vêtements que tu t'offriras, j'imagine.

— Quoi ? Comment peux-tu être au courant ? Je ne t'ai pas parlé de mes plans de la matinée.

Carina apparut à son bras.

— C'est moi qui le lui ai dit. J'ai pensé que ce serait amusant s'il venait avec nous.

Aislinn jeta un regard interloqué à Gabriel. Elle avait espéré se dérober à sa compagnie pendant quelques heures. Il la faisait ressentir… comment dire… il la faisait *ressentir*. Elle ne voulait rien ressentir en ce moment. Elle ne voulait pas se sentir attirée, envoûtée, intéressée… et peut-être un peu envahie. Mais Aislinn voyait bien le petit jeu de Carina. Son amie voulait les mettre ensemble. Elle croyait qu'une aventure avec Gabriel serait une bonne chose pour Aislinn, même si ce n'était qu'une histoire brève et superficielle.

Aislinn n'était tout simplement pas intéressée à quoi que ce soit de bref et de superficiel.

Elle rit.

— Allons, Carina, Gabriel ne veut sûrement pas se faire traîner dans une boutique de robes. Je suis certaine qu'il préférerait passer du temps…

Elle le dévisagea de la tête aux pieds. Il portait ce jour-là un jean délavé qui rehaussait ses jolies fesses et un pull bleu marine qui suivait les courbes de son large torse.

— … à faire ce qu'il ferait en temps normal.

— Ne dis pas de sottises, rétorqua Carina en s'accrochant au bras de Gabriel. Je suis certaine qu'il n'a rien de plus intéressant à faire que de passer du temps avec une belle femme et une autre, mariée et un peu moins jolie.

— J'adore passer du temps avec de belles femmes, et tu tombes sans contredit dans cette catégorie, Carina, répondit Gabriel avec un sourire.

Carina sourit à son tour à Aislinn.

— J'aime *vraiment* bien cet homme.

— Oui, murmura Aislinn, comme tout le monde, j'en ai l'impression.

— Sauf Kendal, répondit Carina. Tout le monde parle de ce qui s'est passé hier soir. C'était tout un baiser et la jalousie de Kendal crevait les yeux.

Aislinn poussa un soupir.

— Je l'ai remarqué, mais ce n'est pas parce qu'il m'aime. C'est seulement parce qu'il s'aime, lui.

Elle regarda vers Gabriel.

— Tu viens avec nous, alors ?

— J'ai trop hâte de faire les boutiques de robes.

— Il faut un homme très sûr de sa masculinité pour dire une chose pareille, ricana Carina.

Ils marchèrent ensemble jusqu'à l'entrée de l'édifice, qui donnait sur les rues du centre-ville de Piefferburg. Le farfadet serviteur posté devant les portes doubles de la Tour Rose les salua en inclinant sa petite tête chauve.

— Mademoiselle Finvarra, votre voiture est ici.

Les trois camarades sortirent sur la rue, où la brise fraîche des premiers jours du printemps soufflait, et ils laissèrent le chauffeur leur ouvrir la portière arrière de la limousine qu'Aislinn avait réservée. L'arrière des deux tours faisait face à la Place Piefferburg, où l'accès était fermé aux voitures et où seul le trafic piétonnier était permis. Le long des côtés de l'énorme place pavée se dressaient les commerces les plus prospères de la troupe : des agences de placement en valeurs mobilières, des cabinets d'avocats, quelques cafés et des magasins de détail.

Au centre de la place se trouvait la statue de fer enchanté représentant Jules Piefferburg, le fondateur de leur prison. La statue ne pouvait être détruite en raison de la magie qui la protégeait, mais elle pouvait être souillée et profanée. Elle faisait donc souvent l'objet de mauvais traitements…

Elle était parfois costumée selon le thème d'une fête traditionnelle ou de la saison en cours, mais son accoutrement visait habituellement à ridiculiser l'homme qu'elle représentait. L'autre monument notable de la Place Piefferburg était l'horloge qui la dominait du côté nord. L'horloge était placée exactement à mi-chemin entre les deux cours, comme si elle faisait le compte à rebours d'un événement mystérieux.

La zone bordant le devant de la Tour Rose était le quartier le plus riche et le plus cossu du centre-ville de Piefferburg, avec toutes les bijouteries, les boutiques de mode, les restaurants chics et les cafés raffinés tenus par les fae de la troupe. Piefferburg et la Ville de Piefferburg connaissaient une économie florissante, même s'ils recevaient encore une importante aide financière provenant de l'autre côté des frontières, de même que de fréquents envois de vivres et de fournitures. Aislinn était d'avis que les fae y avaient droit, puisqu'on les gardait emprisonnés.

Elle avait compris que la région entourant la Tour Noire était également un quartier huppé, qui accueillait par ailleurs la portion plus cauchemardesque de la troupe. Aislinn était curieuse de voir à quoi ressemblait ce quartier, bien qu'elle n'ait jamais osé le dire à voix haute.

La voiture descendit l'allée, puis s'engagea dans la rue. Les passants de la troupe étaient élégamment vêtus dans cette partie de la ville et ne portaient que peu d'attention aux véhicules des Seelie, qui étaient légion dans les environs.

— Tu as dit que Ronan et Bella se portent bien, dit Aislinn à Gabriel, une fois en route, mais tu n'as pas vraiment donné de détails. Peux-tu m'en dire plus?

Gabriel contempla le paysage urbain en parlant. Carina était installée à côté de lui et Aislinn était assise en face d'eux.

— Ils sont venus à la Cour Unseelie lorsque la reine Été les a expulsés de la Rose, l'hiver dernier. Le roi des Ténèbres les a immédiatement acceptés. Au début, Ronan était beaucoup plus à l'aise dans la Noire que Bella, mais elle a rapidement compris que ce n'est pas un endroit aussi mauvais que la plupart des Seelie le croient. Ils ont un appartement dans la tour, ils se sont faits des amis et ils semblent être heureux. Je crois qu'ils essaient d'avoir des enfants, espérons que les forces supérieures le leur accordent.

Aucun fae ne pouvait vraiment *essayer* d'avoir des enfants. La fertilité des fae ne fonctionnait pas ainsi. Les femmes n'utilisaient pas de moyen de contraception pour prévenir les grossesses, car c'était inutile. Tout comme elles ne pouvaient planifier le moment de leurs relations sexuelles pour augmenter les chances de conception. Les grossesses dépendaient des volontés de la déesse Danu.

Aislinn poussa un long soupir.

— J'espère que tu dis la vérité.

Il détourna le visage de la fenêtre pour l'envisager.

— Pourquoi mentirais-je?

Elle le regarda droit dans les yeux.

— Il y a quelque chose chez toi qui ne m'inspire pas confiance. Tu peux mettre ça sur le dos de mon intuition.

— Encore? Je mets plutôt ça sur le dos de ton ex, Aislinn. Tu ne crois pas réellement que je te mentirais. Ou peut-être as-tu le même préjugé que Kendal envers moi.

— Pas du tout. Seulement, je ne comprends pas pourquoi le roi des Ténèbres reprendrait Ronan au sein de sa
cour si facilement. Enfin, il a abandonné la Noire pour la
Rose, puis il a accepté ce boulot pour le compte du
Phaendir... Il a *travaillé* pour le Phaendir, Gabriel! Je suis
étonnée que le roi des Ténèbres ne l'ait pas tué
sur-le-champ.

— Il a choisi la Rose pour Bella, *par amour*. Le roi des
Ténèbres l'a compris. Il n'est pas insensible. Et puis, Ronan
est un mage puissant, Aislinn. Tu serais étonnée de constater
à quel point des pouvoirs utiles vous obtiennent des privi-
lèges particuliers à la Noire.

Il marqua une pause et la regarda en fermant les yeux à
demi.

— Satisfaite?

— C'est une explication qui me paraît assez plausible.

— Je suis heureux de recevoir ton approbation,
répliqua-t-il, un sourire narquois sur les lèvres. Mon seul
objectif est de te faire plaisir.

Ces derniers mots avaient été prononcés d'une voix
douce et grave vibrant de sous-entendus qui donnaient à
Aislinn des papillons dans l'estomac. Elle tourna la tête
pour se concentrer sur les commerces qui défilaient devant
sa fenêtre.

La voiture arriva enfin à la boutique de robes et les
laissa sortir. Le chauffeur reviendrait lorsqu'ils l'appelle-
raient. Avant d'entrer dans l'établissement haut de gamme,
Carina serra l'avant-bras de son amie et siffla :

— Sois gentille!

Gabriel ouvrait déjà la porte pour entrer.

— Je suis franche et j'exprime toujours mes impressions et mes opinions.

Elle hésita devant la porte.

— Je ne peux prétendre être autre chose que ce que je suis, Carina.

— D'accord, mais il existe ce petit quelque chose qu'on appelle le tact. Tu devrais essayer, ça t'irait bien.

Gabriel aimait particulièrement cette franchise et ce côté intuitif. Ces qualités se révélaient sûrement utiles pour Aislinn, mais elles lui rendaient la tâche doublement difficile. Plus difficile qu'il ne l'aurait imaginée.

Il l'observa entrer dans le magasin, après avoir entendu chaque mot de leur conversation. Tant mieux si elle ne lui faisait pas confiance. C'était sain. Elle ne devait pas lui faire confiance. Il aimait aussi son honnêteté. Il savait à quoi s'en tenir avec elle. Pas de devinettes. C'était rafraîchissant.

Aislinn était par ailleurs une personne intelligente et perspicace. Ces deux traits de personnalité, combinés à sa beauté et au mystère de sa magie, la rendaient intrigante aux yeux de Gabriel ; un effet que peu de femmes avaient eu sur lui.

Il l'aimait vraiment bien.

Dommage qu'il doive la duper.

Une étrange sensation de lourdeur emplit sa poitrine et flétrit le sourire qu'il affichait en la regardant. Pour une raison obscure, ses réflexions avaient diminué son plaisir. Quel était ce sentiment ? Aislinn l'effleura en passant devant lui, touchant les robes de soirée suspendues au présentoir placé près de la porte de la petite boutique bondée. Le sourire de Gabriel s'effaça complètement et l'impression de lourdeur s'accentua tandis qu'il l'observait. Était-ce du regret?

Bons dieux... était-ce... de la *culpabilité*?

Carina lui donna gentiment un coup sur l'épaule.

— Qu'est-ce qui ne va pas?

Il cligna des yeux et sursauta, ne sachant trop combien de temps il était resté là, sans bouger, figé dans cette confusion si agaçante.

— Allons au rayon de la lingerie et essayons de convaincre Aislinn d'en essayer, grogna-t-il en marchant en direction de sa proie.

— Voilà qui est mieux! ronronna Carina.

Aislinn s'était arrêtée pour toucher le tissu d'une robe rouge foncé au décolleté et au dos échancrés. Le corsage n'avait pas de manches et la jupe était un fourreau long et droit. Aislinn serait irrésistible dans cette robe. La couleur contrasterait avec sa peau claire, ainsi qu'avec la chute blond argenté de ses cheveux délicatement bouclés et ses magnifiques yeux gris pâle.

— Elle est superbe, murmura-t-il, en imaginant la lui retirer.

Aislinn serait encore plus magnifique enveloppée uniquement de la lumière de la lune.

Ou de ses mains.

Elle retourna l'étiquette pour la lui présenter.

— C'est une Valentino et elle coûte douze mille dollars.

— Tu ne peux pas te le permettre?

— Oh oui, je peux me le permettre, répondit-elle, en passant à l'autre présentoir de robes de soirée. Ma famille était riche avant la création de Piefferburg.

Elle lui lança un regard amer, puis continua :

— *Nous* ne vivons pas de l'argent de la troupe. Par contre, je me fais un point honneur de ne jamais dépenser une somme si scandaleuse pour n'importe quel vêtement que j'achète pour moi-même. C'est trop égoïste.

— Je dépenserais cette somme en un clin d'œil, murmura Carina, en approchant derrière Gabriel.

Elle fit glisser la somptueuse étoffe entre ses doigts, puis repartit vers les sacs à main.

— D'accord, répondit Gabriel en devançant Carina, laisse-moi donc t'offrir quelque chose de scandaleusement cher et égoïste.

Aislinn se tourna vers lui et plissa les yeux.

— Non.

— Tu dois me laisser faire. Je veux te montrer ma reconnaissance, comme tu as été mon guide cette semaine.

Elle lui tourna le dos.

— Non, merci. Ce n'est pas nécessaire.

— Quelque chose de moulant et sexy pour ton prochain amant, peut-être ?

Silence.

— Qui ne sera pas moi, ajouta-t-il.

Mensonge, mensonge, mensonge.

— Non.

— Ah, tu veux dire que tu me prendras comme prochain amant ?

Une vendeuse s'approcha d'eux. Aislinn lui sourit et lui fit signe qu'elle n'avait pas besoin d'aide.

— C'est peu probable.

— Bien. C'est entendu. Laisse-moi acheter quelque chose pour le prochain veinard. Tu n'as aucune raison de refuser et tu m'offenseras si tu dis non, puisque j'essaie de te remercier de ta gentillesse.

Elle fit halte près d'un présentoir de chaussures griffées.

— Je n'ai pourtant pas été très gentille avec toi.

— Une autre raison de céder et de me laisser t'offrir un cadeau.

Elle passa l'index sur une chaussure rouge Jimmy Choo.

— J'accepte juste pour que tu me laisses tranquille et que je puisse faire le tour des rayons en paix. J'ai l'impression que tu persisteras jusqu'à ce que je te laisse faire.

Oh, elle avait vu juste.

Il afficha un large sourire, qu'il espéra sembler moins prédateur qu'il ne le sentit.

— Je ne suis rien sans ma détermination.

— Oh, je te crois ; je l'ai bien remarqué.

Elle commença à fureter nonchalamment.

— Je te ferai signe lorsque j'aurai trouvé quelque chose d'approprié.

— Il faut que ce soit de la lingerie, et tu dois me laisser la voir sur toi avant que je l'achète. Tu sais, pour m'assurer que le prochain amant soit satisfait.

Elle s'éloigna d'un pas chancelant, se contentant de lancer gaiement par-dessus son épaule :

— Très bien.

Il cligna des yeux. Il aurait cru qu'elle hurlerait en réponse à cette suggestion compromettante.

N'ayant aucun intérêt pour les vêtements féminins, sauf lorsqu'il s'agissait de les retirer à quelqu'un, Gabriel observa Aislinn. Elle palpait les robes, vérifiait leur taille et leur longueur, discutait des retouches possibles avec la vendeuse, tout en gardant un regard morne. Alors que Carina semblait béate devant la marchandise, Aislinn, même si elle pouvait acheter tout qu'elle désirait porter à la cour, tâtait les morceaux de ses mains errantes, apathiques, comme si elle recherchait quelque chose d'inespéré, quelque chose qu'elle savait ne jamais pouvoir trouver entre les quatre murs de l'immeuble. De temps à autre, elle glissait un regard par la baie vitrée pour contempler l'animation de la rue et ses passants.

Aislinn Christiana Guenièvre Finvarra de la Cour Seelie, présumée Tuatha Dé Danann au sang pur, était lasse. Elle était lasse de sa vie, et désirait ardemment connaître autre chose. Un autre secret qu'elle cachait à ses pairs. Ajoutez-le à la liste.

Elle devait se sentir si seule.

Le sentiment de lourdeur qui s'était installé dans la poitrine de Gabriel s'atténua un peu. L'attirer vers la Cour Unseelie était la meilleure chose qu'il pouvait faire pour elle. À la Tour Noire, elle pourrait explorer sa magie sans craindre les représailles ou le rejet. Une femme aussi intelligente et intéressante qu'Aislinn méritait de sentir libre, à tout le moins. Elle ne méritait pas d'être étouffée et asphyxiée dans un environnement illusoire et toxique comme celui de la Cour Seelie. Elle ne s'ennuierait plus. Elle ne serait plus seule.

Bien sûr, elle le détesterait pour ce qu'il avait fait. Mais au bout du compte, elle se sentirait beaucoup mieux à la Noire, entourée de son propre peuple.

— Je crois que j'ai trouvé.

Gabriel revint à lui, voyant qu'elle butinait maintenant dans la section de la lingerie. Il pouvait entendre Carina bavarder avec l'une des vendeuses dans une autre section de la boutique. Il rejoignit Aislinn et vit qu'elle avait entre les mains une robe rouge en satin et en mousseline de soie. Le vêtement était long et... fascinant. Sexy. *Voilà* le genre de vêtements auxquels les hommes s'intéressaient, du moins pendant quelques minutes, avant qu'ils ne deviennent qu'une boule de tissu sur le plancher de la chambre à coucher.

Il haussa les sourcils.

— Essaie-le.

Elle disparut dans la cabine d'essayage et réapparut quelques instants plus tard. L'étoffe la couvrait jusqu'aux chevilles, tout en étant la chose la plus sexy qu'il ait jamais vue. Les balconnets du corsage soulevaient ses seins, juste ce qu'il fallait, juste comme il voulait le faire. Ses doigts se replièrent tandis qu'il imaginait les prendre de cette manière. Le rouge était sublime contre la couleur de sa peau.

— Retourne-toi.

Il avait parlé d'une voix légèrement rauque et il se rendit compte qu'il agrippait une robe en soie suspendue tout près, assez fort pour la froisser.

Elle se retourna et il eut le souffle coupé. Le dos plongeait très bas, jusqu'au haut de ses fesses rondes sublimes. Il voulait parcourir des lèvres sa peau fine et impeccable, en commençant par sa nuque, puis en descendant jusqu'au creux de son dos, pour ensuite...

— Gabriel?

Aislinn s'était retournée vers lui et le regardait fixement, les sourcils froncés.

Il se racla la gorge.

— Ça te va très bien. Ton prochain amant va baver sur la moquette, je te préviens.

Il en avait la certitude parce que ce serait lui, son prochain amant. Il n'allait, en aucun cas, permettre à un autre homme de la voir dans cette tenue. Aislinn était à lui.

— Je l'aime aussi.

Elle balança son épaisse chevelure par-dessus une épaule, les boucles argentées bordant maintenant son sein, poussant presque Gabriel à avaler sa langue, puis elle pivota d'un côté et de l'autre en se regardant dans le miroir le plus proche. Ses mamelons étaient durs comme le roc et pointaient à travers la matière fine de la robe.

— Je ne porte jamais ce genre de truc.

— Tu étais tout aussi jolie dans le pull et le bas de pyjama que tu portais il y a quelques jours, mais c'est bon de s'envelopper de luxe à l'occasion.

Gabriel se retourna et se dirigea vers la section des chaussures. Il fallait qu'elle remette ses vêtements avant qu'il n'explose spontanément au beau milieu de la boutique.

— Tu as besoin d'une paire de talons hauts assortis.

Elle gloussa et précisa d'un ton on ne peut plus sérieux :

— Oui, avec des plumes duveteuses dessus.

Il alla choisir les chaussures les plus duveteuses de la boutique, tout en imaginant les mille et une stratégies qu'il projetait d'exécuter pour la séduire. Cette fois, cependant, ce complot n'avait rien à voir avec le roi des Ténèbres, et tout à voir avec ses propres désirs.

SEPT

Aislinn tremblait encore un peu au moment où ils rentraient à la Tour Rose. Elle tremblait encore, même s'ils avaient passé toute la matinée à la boutique de robes, que Carina avait pratiquement vidée de ses marchandises. Elle tremblait encore, même s'ils étaient ensuite allés déjeuner chez O'Shea, un restaurant qui servait les plats traditionnels Tuatha Dé Dannan, comme le bar grillé aux câpres et les côtelettes d'agneau au miel et aux abricots.

Gabriel lui tournait la tête, ce qui la rendait furieuse.

Elle était épuisée et elle avait bien mangé, cependant elle ne pouvait calmer les frissons qu'elle avait depuis que Gabriel l'avait regardée essayer la robe rouge. Elle l'avait fait en croyant qu'il n'y aurait pas vraiment de conséquences. Il n'allait jamais la revoir dans ce vêtement, peu importe l'intensité des charmes qu'il déploierait sur elle. Elle s'était dit que, comme elle n'était pas du tout attirée par lui, l'aguicher un peu serait amusant, sans plus.

Elle s'était prise à son propre jeu.

Elle avait cru réussir à masquer sa réaction, mais se trouver devant Gabriel dans cette deuxième peau affriolante, ce presque rien en soie, avait réveillé tous ses sens. En ce moment, elle se détestait d'avoir mis à l'œuvre cette mauvaise idée, mais elle ne pouvait nier qu'à la façon dont son regard l'avait absorbée, comme si elle était non seulement la plus belle, mais *la seule* femme qu'il avait jamais vue, son sang s'était échauffé.

C'était complètement stupide.

Gabriel Mac Braire regardait probablement *toutes* les femmes de cette manière. C'était presque assurément un regard qu'il avait perfectionné au cours de siècles passés à courir les jupons. En tant qu'acteur accompli, il maîtrisait l'art de la séduction, et elle ne croyait pas une seule seconde qu'il n'essayait pas de la charmer.

Toutefois, son corps refusait de collaborer avec son esprit depuis ce moment où elle s'était montrée à lui, à peine couverte, et qu'elle s'était demandé — *avait bien deviné* — ce qui lui passait par la tête en la regardant. Ses mamelons s'étaient durcis et son corps était devenu plus alerte qu'il ne l'avait été depuis très longtemps. Avec Kendal, le sexe n'était pas mauvais, mais ce n'était pas non plus du tonnerre. En général, c'était moyen. Tous ces souvenirs avec lui étaient maintenant empoisonnés de toute façon.

Les trois amis arrivèrent à la tour et entrèrent parmi la foule habituelle de Seelie, s'affairant ici et là, se préparant pour la soirée, se tenant en petits groupes vêtus impeccablement pour cancaner, ou parlant à l'équipe de *Faelébrités*.

De retour à la maison. Zut.

— J'aimerais te faire à dîner ce soir, Aislinn. Par contre, ça signifie que nous manquerons probablement le... qu'est-ce que c'est, ce soir ?

— Cocktails dans la salle de détente, répondit Carina.

Aislinn hésita, car l'idée d'avoir une bonne excuse pour échapper à la soirée de cocktails était très tentante. Elle ne pouvait prétexter les maux de tête et la fatigue à chaque occasion sans que les gens commencent à jaser. Mais la lingerie...

— Je ne crois pas...

— J'invite Carina et Drem aussi.

— Oh, c'est très gentil. Bien sûr, nous viendrons.

Carina glissa un regard en coin à son amie.

— Toi aussi, Aislinn, n'est-ce pas ?

Aislinn soupira. Au moins, elle ne serait pas seule avec Gabriel.

— D'accord. Merci. Je crois que je vais aller me détendre un peu chez moi. Nous nous verrons à l'heure du dîner ?

Ils se dirent au revoir et l'un des farfadets valets de la Tour Rose suivit Aislinn jusqu'à son appartement en portant tous ses paquets. Carina aurait probablement besoin de cinq assistants.

Aislinn passa l'après-midi à nettoyer, à boire du thé et à réfléchir. Incapable de se détendre, elle fit jouer Nina Simone et revisita tous les recoins de son appartement, fouillant les placards et mettant de l'ordre dans les tiroirs jusqu'à avoir envie de hurler. Juste avant la venue du crépuscule, le ciel s'ennuagea et il se mit à pleuvoir. Elle se retrouva à la fenêtre de son salon, enveloppée d'un jeté pris au passage sur le canapé pour se protéger de l'air frais printanier. Elle contemplait la Place Pïefferburg tandis que les gouttes d'eau éclaboussaient le verre. Tout en bas, son peuple s'empressait de se mettre à l'abri de la pluie, du moins ceux qui n'avaient pas de parapluie ou le pouvoir magique de se protéger des intempéries.

En levant les yeux, elle serra les bras contre sa poitrine, puis regarda fixement la Tour Noire. Bella et Ronan y vivaient maintenant. Que faisaient-ils de leurs journées ? La vie y était certainement très différente. En allant faire les boutiques le matin même, Gabriel avait mentionné qu'ils étudiaient leur magie, qu'ils la développaient. Elle fronça les sourcils, se demandant comment c'était de vivre chaque jour avec un but.

Sûrement très agréable.

La pluie tombait maintenant plus fort et obscurcissait la vue, mais elle pouvait encore distinguer le toit sur lequel les membres de la Chasse sauvage se retrouvaient chaque nuit.

Elle les enviait. Elle enviait leur rôle et leurs responsabilités.

Elle enviait également Bella et Ronan. C'était quelque chose qu'elle ne pourrait jamais dire à voix haute. Juste d'y penser, elle craignait la colère de la reine Été. Les Tuatha Dé Seelie étaient prétendument les êtres *choisis*, les êtres spéciaux. C'était un privilège de résider entre les murs de la Tour Rose et de porter le titre et le sang de la déesse Danu. L'idée même que les Unseelie aient pu jouir d'avantages que les Seelie n'avaient pas était inconcevable.

Toutefois, peut-être que d'avoir un emploi, n'importe quel type d'emploi, l'aiderait à se sortir de ces pensées maussades dans lesquelles elle s'était enlisée. Peut-être que cela l'aiderait à arrêter de s'apitoyer sur son sort. Elle se détestait de le faire à l'instant même. Elle haïssait se plaindre, se lamenter ainsi. Elle vivait dans un bel appartement, possédait tout l'argent qu'elle pouvait désirer. Qu'y avait-il à ne pas aimer dans sa vie ?

Ses pensées vagabondèrent jusqu'au livre qu'elle avait trouvé dans les affaires de son père, après sa mort. Elle ne l'avait pas ouvert depuis des années. Elle n'avait pas osé. Cependant, il y avait quelque chose dans cette journée pluvieuse, au cours de laquelle elle réfléchissait à sa vie et à sa récente rencontre avec la Chasse sauvage, qui l'incitait à vouloir y jeter un autre coup d'œil.

Après un moment d'hésitation, elle se rendit à sa chambre. Elle ouvrit le coffre-fort qu'elle gardait dans sa penderie, poussa de côté les bijoux dont elle avait hérité et trouva le livre en question, enveloppé d'une étoffe. Elle n'avait aucune idée du contenu de l'ouvrage, mais son intuition lui avait suggéré qu'il s'agissait d'un livre d'une grande valeur qu'elle devait conserver sous clé. Elle l'emporta au salon et se recroquevilla sur le canapé avec le volume sur les genoux. Ce n'était pourtant pas un roman à savourer par un après-midi de grisaille. Ce livre n'avait rien d'une œuvre de fiction.

Ce livre parlait de sortilèges.

C'était un objet ancien avec une couverture de cuivre rouge usée. Il y avait une partie bloquée à l'arrière, qui présentait une entaille rainurée destinée à recevoir un objet. Une sorte de clé, imaginait Aislinn. Hormis ces observations, elle ne savait rien du livre. Elle ne savait même pas s'il était seelie ou unseelie. Il aurait même pu avoir appartenu aux Phaendir ; aucune marque ne permettait de déterminer son origine. Le livre contenait des pages et des pages de sortilèges rédigés en vieux maejian. Elle ne savait pas non plus ce que pouvait contenir la partie verrouillée. Mais elle était certaine que cette partie, lisse et sans attaches, était scellée par une magie mystérieuse qui serait seulement libérée lorsque la clé serait insérée dans les rainures.

Elle ne savait pas comment son père en était venu à posséder ce livre, et elle n'était pas certaine de vouloir le savoir. Aislinn ne savait pas ce que la reine Été lui ferait si elle découvrait que sa sujette préférée avait ce volume en sa possession... Elle n'était pas certaine de vouloir savoir cela non plus.

En regardant longuement l'étoffe dorée qui avait recouvert l'objet, elle pensa à son père. Dieux, qu'il lui manquait. Son père avait été celui qui la réconfortait, enfant, lorsqu'elle faisait des cauchemars. Il avait été le parent qui lui offrait une épaule sur laquelle pleurer lorsqu'un garçon pour qui elle avait le béguin l'avait blessée, ou pour la consoler de n'importe quel autre traumatisme d'adolescente. Sa mère avait toujours été du type réservé, celle qui la poussait à se montrer forte, meilleure, *parfaite*, tandis que son père voulait simplement qu'elle soit heureuse. Il l'aimait inconditionnellement et avec chaque fibre de son être.

Et Aislinn l'aimait tout autant.

Jamais de toute sa vie elle n'aurait pu imaginer que son père, un homme simple et heureux, ait pu porter en lui une seule goutte de sang unseelie, ou qu'il ait pu tenir un rôle dans un scandale glauque ou un drame politique. Pourtant, après sa mort, elle avait pourtant trouvé ce livre sous quelques lames de plancher mal fixées dans sa chambre. Sa mère et lui étaient séparés depuis longtemps au moment de son décès, et la responsabilité de gérer ses biens était revenue à Aislinn, l'enfant unique de leur union. Le livre avait de toute évidence été caché sous le plancher par exprès.

Lentement, elle déballa le volume rouge foncé. Les pages de papier vélin étaient vieilles, mais elles avaient été rédigées à la main et dotées d'un charme leur permettant de défier le temps. Le livre était probablement tout aussi ancien que la langue dans laquelle il avait été écrit. Le vieux maejian était enseigné à l'école unseelie pour jeter des sortilèges, mais dans la vie de tous les jours, c'était pour ainsi dire une langue morte. Surtout chez les Seelie, qui n'avaient aucune raison de l'utiliser.

Après que les fae avaient été forcés à disparaître, c'est-à-dire se fondre dans la société humaine, ils avaient délaissé plusieurs de leurs coutumes. Ils avaient dû s'intégrer à la société humaine de tant de manières différentes, à commencer par parler les langues humaines. Aislinn connaissait un peu de vieux maejian, mais elle avait oublié une grande partie de ce qu'elle avait appris, puisqu'elle ne l'utilisait pas.

Elle ouvrit la couverture et plissa les yeux, essayant de lire la première page. Même cette première page lui était incompréhensible. Gabriel la lirait sûrement sans problème. Il parlait sans doute cette langue couramment. Elle étouffa une étincelle d'envie.

Elle trouva le signet de velours qu'elle avait laissé dans le livre la dernière fois qu'elle y avait jeté un œil et l'ouvrit à cette page. Voilà une page qu'elle était capable de déchiffrer. Elle n'était même pas certaine de pouvoir traduire ce sort en particulier ; il l'interpellait, tout simplement. Il parlait à la magie qui coulait dans ses veines. Elle alluma la lampe de la table d'appoint et lut la page jusqu'à ce que ses yeux louchent. Elle cherchait quelque chose, sans savoir trop quoi, exactement.

Ses yeux se posèrent sur une petite partie d'un sortilège, et elle murmura les mots :

Tuela mae argo naught
Tae ilium tohurst velliu oost
Sarque pae neaht ar ingram naught
Velliu mae silan vo archt

Une énergie s'éleva autour d'elle sous forme de courants tournoyants, si subtilement au début qu'elle le remarqua à peine, puis l'énergie tourbillonna de plus en plus rapidement et avec de plus en plus de force. Aislinn, surprise, avala une bouffée d'air, resta bouche bée, puis referma le livre brusquement une seconde plus tard. Le livre se referma bruyamment et l'énergie retomba brusquement.

— Qu'est-ce que c'était ? souffla-t-elle dans la pièce vide, comme si elle s'attendait à une réponse.

Dehors, la noirceur était tombée, mais il pleuvait toujours. De grosses gouttes d'eau glissaient le long des fenêtres. En ravalant sa salive, elle baissa les yeux sur le livre. Produire cette magie lui avait procuré une sensation agréable… *saine*. Elle répéta les mots. Curieusement, elle les avait mémorisés. Ils franchirent ses lèvres sans effort.

C'était peut-être idiot. Mais oui, elle *savait* que c'était idiot. Pourtant, elle ne pouvait s'en empêcher.

Les mots franchirent ses lèvres à nouveau. Elle continua, malgré la magie qui chauffait l'air autour d'elle et qui faisait bourdonner ses oreilles. Le sortilège coulait comme de l'eau qui parcourt lentement un tuyau froid en hiver, s'écoulant goutte à goutte au début, puis de plus en plus vite une fois le tuyau échauffé… et la magie inonda la pièce.

— Aislinn.

Elle eut un hoquet de surprise et leva les yeux. Le livre ancien et précieux glissa de ses genoux pour finir sur le plancher.

— Papa?

Il était debout devant elle, ondulant, vaporeux comme un fantôme. Un long cordon argenté et chatoyant l'ancrait quelque part dans le Monde des Ténèbres. L'image de son père cligna des yeux, déconcertée.

— Aislinn? Qu'est-ce que je fais ici?

La magie faiblit, faisant osciller son image brumeuse jusqu'à ce qu'elle soit sur le point de disparaître. Aislinn tendit la main, et le mot fusa de sa bouche comme un éclat :

— Non!

Son père lui tendit la main à son tour, le regard avide.

Elle se leva et fit quelques pas vers lui, la couverture glissant de ses épaules. La magie s'estompait rapidement. Douce Danu, *non*!

— Papa, ne pars pas!

— Je t'aime, chérie.

Sa voix semblait déjà si lointaine. Son image vacilla, avant de s'effacer complètement. Aislinn chancela jusqu'au milieu du salon et tomba à genoux, à l'endroit où son père se trouvait un instant plus tôt. Le voir ainsi, même sous forme de silhouette brumeuse comme un simple rêve, lui avait fait l'effet d'un coup de poing dans le plexus solaire. Elle n'était tout simplement pas préparée à cette visite.

Apparemment, les mots qu'elle avait prononcés l'avaient fait *venir vers elle*. Elle avait fait venir quelqu'un du Monde des Ténèbres.

— Oh, papa, murmura-t-elle.

Elle posa son poing sur la douleur cuisante dans sa poitrine et ferma les yeux pour ne pas sombrer dans le profond chagrin qui ne l'avait jamais tout à fait quittée.

Pourquoi l'avait-elle appelée ? Parce qu'elle avait pensé à lui ? Était-ce ainsi que le sort fonctionnait ?

Mais comment y était-elle arrivée et pourrait-elle recommencer ? C'était bon, naturel, comme si une partie d'elle qu'on lui aurait arrachée lui avait été retournée au moyen de ce pouvoir qui l'emplissait.

Oh, dieux, elle était une nécromancienne. Il n'y avait aucune autre explication possible. Le sang unseelie qu'elle portait en elle était plus fort qu'elle ne l'avait jamais imaginé.

Elle ne savait trop depuis combien de temps elle était agenouillée sur le tapis du salon, le livre inestimable étalé tout près d'elle. Le choc causé par la vue de son père s'évapora finalement, puis elle se leva, prit le livre, l'enveloppa et le remit à sa place.

L'euphorie ressentie devant ce qu'elle venait d'accomplir fit lentement place à la réalité. Elle avait fait venir son père cette fois et sa magie avait été faible, surtout en raison de son propre manque d'expérience, elle en était certaine. Le voir repartir si vite lui avait crevé le cœur, mais c'était, somme toute, mieux ainsi. Que ce serait-il passé si elle avait fait venir un autre esprit ? Quelqu'un de malveillant, par exemple ? Et que ce serait-il passé si, d'une façon ou d'une autre, la magie était restée avec elle ? Elle se serait retrouvée aux prises avec un esprit qu'elle n'aurait pas su maîtriser.

Elle manquait tristement de connaissances en la matière.

Bons dieux, comment pouvait-elle être aussi stupide ? Elle poussa le livre au fond du coffre-fort, verrouilla le meuble, puis appuya sa tête contre la porte en laissant échapper un long soupir. Elle n'était pas formée pour utiliser son don et il en serait toujours ainsi. Elle n'avait donc aucunement le droit de jouer avec des pouvoirs aussi noirs.

Bien sûr, Gabriel pourrait sûrement l'aider.

Il connaissait probablement une chose ou deux dans ce domaine, parlait couramment le vieux meajian et savait quoi faire avec ce genre de sortilèges. Il n'avait certainement pas peur de la magie noire, ayant grandi entouré de pouvoirs magiques comme celui d'Aislinn, et il était peut-être même capable de s'en servir de manière responsable.

— Non, pas question, dit-elle à voix haute, pour s'assurer que les mots pénètrent son esprit.

Puis elle se souvint qu'elle avait rendez-vous pour dîner. En jetant un œil à l'horloge, elle vit qu'elle était en retard. Elle se changea rapidement, refit sa toilette sans trop s'y attarder et se dirigea vers l'appartement temporaire de Gabriel, situé au cinquième étage du bâtiment annexé à la Tour Rose. C'était un endroit où logeaient les invités. En son centre s'illuminait un superbe atrium agrémenté d'une fontaine et peuplé d'oiseaux voltigeant dans les jardins qui florissaient toute l'année.

— Tu es en retard, railla Gabriel en ouvrant la porte.

Aislinn eut presque le souffle coupé. Il était vêtu de noir de la tête aux pieds : jean noir, bottes noires, pull à torsades noir. Elle ne pouvait même pas distinguer ses cheveux dans toute cette obscurité.

— Je sais. Je suis désolée, offrit-elle en inclinant la tête de côté. C'est quoi, cette obsession du noir ?

Il fit un pas en arrière et leva les bras de côté comme pour présenter son corps.

— Ça ne te plaît pas ?

— Bien…

Elle inspira pour se donner une contenance et tenta de reprendre son ton sec habituel.

— Je trouve que ça te va comme un gant.

— Je le prends comme un compliment.

L'appartement était plutôt petit, mais somptueusement décoré. Il comportait une chambre à coucher, une petite cuisine et un coin intime avec une table à manger, où on avait mis le couvert pour deux. Deux ?

Aislinn pivota vers Gabriel.

— Où sont Carina et Drem ?

Gabriel écarta les mains.

— Tu es en retard, répéta-t-il.

Haussement d'épaules. Sourire satisfait.

— Ils sont déjà partis.

Bien sûr. Elle serra les mâchoires et ferma les yeux à demi. Elle avait la certitude que Carina avait attendu environ deux minutes avant de décider qu'elle avait assez attendu, utilisant cette excuse pour laisser Aislinn seule avec Gabriel.

— J'ai préparé un poulet cordon bleu et une mousse au chocolat pour le dessert, s'empressa de dire Gabriel. Reste, Aislinn, s'il te plaît.

Il marqua une pause, et ses lèvres se tordirent en un sourire qui s'estompa aussitôt.

— Tu sais, tu es la seule femme que j'aie jamais dû supplier de passer du temps avec moi.

Le dîner dégageait une odeur délicieuse. L'estomac d'Aislinn gargouilla malgré le déjeuner copieux qu'elle avait dégusté.

— C'est bon pour toi, répliqua-t-elle, le sourire aux lèvres.

Elle se retourna et commença à inspecter les petites statues posées sur les étagères décorant le mur du salon. Elles représentaient toutes des Tuatha Dé Seelie qui avaient marqué l'histoire. En installant Gabriel dans cet appartement, la reine Été avait dû vouloir lui jeter une pique au sujet de la Cour Unseelie.

Ils s'installèrent bientôt devant un repas si succulent qu'Aislinn s'abandonna dans chaque bouchée. La mousse au chocolat fondait dans sa bouche. Elle la mangea lentement, savourant chaque bouchée.

— Es-tu heureuse ici, Aislinn?

Elle se figea un instant, la cuillère toujours dans la bouche. Soigneusement, elle la posa à côté de l'assiette, dont elle avait gratté le fond, et s'adossa à sa chaise.

— Qu'est-ce que ça veut dire, cette question?

— C'est une question pertinente pour quelqu'un qui considère un changement de vie important. Je songe à quitter une cour pour m'intégrer à une autre, tu te souviens? Tu avais l'air de t'ennuyer dans la boutique, aujourd'hui. Tu n'avais pas vraiment envie de faire les courses ou était-ce autre chose qui t'ennuyait?

Elle détourna le regard. Il était beaucoup trop perspicace. Peut-être n'était-il pas aussi égocentrique qu'elle l'avait cru au départ.

— C'est une question très personnelle.

— Je ne voulais pas être indiscret. J'aimerais simplement savoir si tu es heureuse dans ta vie ici. C'est très différent de la Noire, et je pèse le pour et le contre pour m'assurer de prendre la bonne décision. C'est quelque chose que j'ai choisi de faire pour tromper l'ennui qu'amène une longue vie, mais si ma vie ici m'apporte encore plus de monotonie, je ne veux pas le faire.

Elle soupira, impatiente.

— Tu es ici depuis près d'une semaine, Gabriel. Tu as vu tout ce qu'il y a à voir. C'est une cour sociale, protégée par les immenses pouvoirs de notre reine. La magie n'est pas valorisée ici comme elle l'est à la Tour Noire, et nous sommes oisifs, pour la plupart. Nous préférons les fêtes, les bals et les beaux vêtements au véritable travail. L'avantage que tu trouveras ici est la sécurité. Tant que tu es un membre accepté de cette cour, tu seras toujours protégé et tu ne manqueras de rien. Tu auras toujours le respect de la troupe et tu seras toujours vénéré.

— Je ne veux pas que les fêtes, les bals et les beaux vêtements représentent l'essence du reste de ma vie. Je me fiche bien d'être vénéré ou protégé. Je me suis toujours occupé de moi-même sans problème.

Il sourit, avant d'ajouter :

— Et je n'aime pas faire les boutiques.

— D'accord, je parle d'un point de vue féminin. Les hommes font autre chose.

— Comme quoi ?

Elle pinça les lèvres.

— Kendal passe beaucoup de temps avec les Fianna, sans toutefois chercher les ennuis autant qu'eux. Ils jouent au billard et vont dans les champs pour jouer au seacarr.

Le seacarr était un jeu ancien auquel s'adonnaient les fae et dont les humains s'étaient inspirés pour élaborer les règles du rugby.

— Parfois, ils sortent dans les bars de la troupe pour fumer des cigares et boire des bières.

Les Fianna étaient des hommes descendant des vrais Fianna, légendaires. Les Fianna originaux possédaient toutefois du sang Tuatha Dé. Autrefois, ils étaient employés comme sabres par les rois ayant besoin d'appui pour mener leurs batailles. À Piefferburg, cette tradition avait été délaissée longtemps auparavant, laissant ces hommes avec peu de choses à faire à part s'amuser et chercher les ennuis, un passe-temps auquel ils s'adonnaient régulièrement.

— Je ne suis pas très fervent du seacarr.

— Alors tu as ta réponse, Gabriel. Il n'y a rien d'autre à dire. Ce que tu vois ici à la Cour Seelie est tout ce qu'il y a à voir. Tu aurais dû t'informer avant de venir.

— Tu me parais frustrée.

Elle haussa une épaule et baissa les yeux sur la table.

— Tu n'es peut-être pas le seul qui cherche à vivre de nouvelles expériences.

Il resta muet.

Aislinn leva les yeux pour s'apercevoir qu'il la fixait du regard, l'étudiant avec des yeux beaucoup plus perspicaces qu'elle ne l'aurait jamais imaginé. Soudain, elle se sentait nue, assise près de lui. Ses émotions, à tout le moins, semblaient mises à nu.

Elle cligna des yeux.

— Quoi?

— Peut-être que c'est toi qui devrais considérer un changement de cour, et pas moi.

Les sourcils d'Aislinn se froncèrent et sa colonne se raidit.

— Je n'ai jamais rien entendu de si stupide. Qui voudrait changer pour la Cour Unseelie?

Elle comprit une seconde trop tard que ce qu'elle avait dit était comme une insulte lancée à la figure de Gabriel.

— Ce n'est pas ce que je veux dire, je suis désolée.

Il secoua la tête.

— Ils t'ont vraiment fait un beau lavage de cerveau, tu ne crois pas?

— Je n'ai pas voulu t'offenser.

Il leva une main en l'air.

— Tu ne m'as ni insulté ni offensé, mais tu ne sais pas ce que tu dis. J'aimerais pouvoir t'emmener à la Cour Unseelie pour que tu voies par toi-même les préjugés et les mensonges qui t'ont été servis toute ta vie.

Ses yeux, si beaux dans leur mystère bleu sombre, brillèrent dangereusement, démentant son ton calme.

— Ce n'est pas parce qu'une personne semble monstrueuse ou qu'elle possède pouvoir permettant de verser le sang ou de tuer qu'elle est, en réalité, un monstre. C'est ce que les Seelie n'ont jamais compris.

Aislinn éloigna sa chaise de la table, puis se leva.

— Manifestement, tu es toujours fidèle à la Tour Noire. Je ne vois même pas pourquoi tu voudrais quitter cette moitié de la place.

Elle s'éloigna de quelques pas, lui tournant le dos.

— À la manière dont tu parles, on dirait que tu es toujours un sujet du roi des Ténèbres ; de corps, d'âme et d'esprit.

— J'y ai vécu très longtemps, Aislinn. Je me suis présenté devant le roi des Ténèbres à la fin de mon adolescence, une fois la Cour Unseelie établie, après que Piefferburg se soit mise sur pied. Avant, je les ai regardés bâtir la tour morceau par morceau, debout sur la place jour après jour, rêvant du moment où je pourrais marcher dans ses couloirs. Une fois que j'y suis entré, je ne l'ai jamais quittée. Les vieilles habitudes sont difficiles à perdre.

Elle se retourna. Il était maintenant juste derrière elle, sans qu'elle l'ait même entendu se lever.

— Je dirais que tu ne veux pas vraiment quitter ta tour.

Les lèvres de Gabriel se tordirent, retenant difficilement un sourire cynique.

— Peut-être que non.

— Je m'inquiète pour toi.

— Tu t'inquiètes pour moi ? Je croyais que tu me détestais.

Aislinn sourit.

— On s'habitue à toi, Gabriel.

Il leva un sourcil.

— Comme à un mal de dents ?

Le sourire d'Aislinn s'élargit.

— Tu es différent de ce que j'avais d'abord imaginé.

— Hmmm. Je crois que je vais le prendre comme un compliment, alors.

— Tu m'as dit quelques mots en vieux maejian lors de ta première journée ici.

Elle croisa les bras, puis continua :

— En connais-tu seulement assez pour susurrer des mots doux aux oreilles des femmes ou le parles-tu couramment ?

— Je le parle couramment.

Il avait l'air surpris par sa question.

— J'ai appris dès ma tendre enfance. C'est la langue de la magie.

Aislinn hocha la tête en se mordillant la lèvre inférieure.

Gabriel ne dit rien pendant un long moment, puis osa :

— J'aimerais que tu te décides simplement à me dire ce qui te tracasse, mais je sais que tu ne le feras pas. Je sais que tu crois ne pas pouvoir le faire.

— Que veux-tu dire ?

— Je sais que tu es autre chose que ce que voient les gens, Aislinn. Je sais que d'une certaine façon, pour une raison que j'ignore, tu es spéciale.

Gabriel possédait-il un autre pouvoir magique que son charme sexuel ? Peut-être avait-il le don de la télépathie ? Comment pouvait-il savoir qu'elle était différente ? Elle se dirigea vers le salon, l'esquivant comme elle le pouvait.

— Pourquoi dis-tu ça ? Tu ne sais rien de moi.

— J'en vois plus que tu crois. Ne t'inquiète pas, ton secret, quel qu'il soit, est sûr avec moi. Souviens-toi que si tu sens le besoin de te confier, je suis là, et je suis peut-être la seule personne dans la Rose à qui tu peux parler.

— Je ne te fais pas confiance. Pourquoi me confierais-je à toi ?

Il haussa un sourcil et marcha vers elle, en la rejoignant au salon. Soudainement, Aislinn avait l'impression que l'appartement était beaucoup trop petit et qu'il y faisait beaucoup trop chaud. Elle dut se retenir de reculer d'un autre pas pour s'éloigner davantage et dut faire un véritable effort pour repousser le souvenir du baiser qu'ils avaient échangé l'autre soir.

— Tu as raison de ne pas me faire confiance.

Il la balaya du regard des pieds à la tête.

— Pourquoi ? Parce que tu essaies de me séduire ? Quelle surprise ! Tu as l'intention de séduire chaque femme trouvée sur ton chemin.

— C'est faux. Seulement celles qui en valent la peine, beauté. Tu tombes sans contredit dans cette catégorie.

— Cet aveu ne m'encourage pas à te révéler mes secrets les plus noirs.

Son ton était sec. C'était un réflexe dû à la réaction spontanée de son corps. Sa respiration augmenta et son cœur battit la chamade tandis que Gabriel faisait un autre pas vers elle.

— En ce qui a trait au sexe, tu ne devrais certainement pas me faire confiance. En ce qui a trait à la magie et aux lignées, alors, chérie, je suis la personne la plus digne de confiance dans toute cette tour.

Qu'est-ce qu'il voulait bien dire ? Elle ouvrit la bouche pour le lui demander, mais il pencha la tête et l'embrassa. Pressant ses lèvres contre les siennes, il la fit reculer jusqu'à ce qu'elle heurte le mur. Elle le repoussa un peu et murmura contre sa bouche :

— Arrête, Gabriel.

— Je sais que j'ai dit que je ne le ferais pas…

— Non. Ne t'avise pas de le faire.

Elle avait parlé d'une voix tremblante. Elle ne le lui pardonnerait jamais s'il utilisait sa magie sur elle.

— Pas de magie, souffla-t-elle, brisant leur baiser. Tu as promis.

— Non, pas de magie.

Un sourire se dessina lentement sur les lèvres de l'incube, révélant ses dents blanches et une bonne dose d'arrogance.

— Je n'utilise aucune magie sauf la bonne vieille méthode. Je n'ai pas à le faire.

Il posa de nouveau les lèvres sur celles d'Aislinn.

Et, tout à coup, elle ne voulait plus se dérober. Toutes les questions qui l'habitaient quittèrent son esprit. Plus que tout, elle voulait les lèvres de Gabriel sur les siennes, elle voulait sentir les mains de l'incube sur sa peau, son…

Il lui faisait imaginer des choses très vilaines.

Des frissons parcoururent son corps, et elle saisit les épaules de Gabriel au moment où il lui entrouvrit les lèvres pour y introduire la langue. C'était chaud et agréablement rugueux. Elle pensa à des activités moites, peau contre peau, qu'ils pourraient faire à la place.

Manifestement, passer du temps avec un homme au cours des derniers jours avait ravivé sa libido.

Désespérément, elle tenta de se maîtriser, car la dernière chose qu'elle souhaitait, c'était de se retrouver dans le lit de Gabriel, même si son corps tendait vers cette idée. En fait, son corps se faisait pratiquement toute une fête à cette idée.

Il la pressa plus fermement contre le mur et posa les mains sur ses hanches, puis les fit glisser jusque dans le creux de son dos. Il trouva l'ourlet de son pull et le souleva pour y enfouir les mains, puis lui caressa le dos avec son pouce dans un mouvement de va-et-vient. Le geste était lent et méthodique. Ce n'était pas un geste sexuel en soi, mais c'était tout ce à quoi elle pouvait penser en ce moment.

Elle imaginait comment il serait au lit : concentré et maître de lui-même, s'appliquant résolument à la tâche. Elle avait aperçu furtivement certaines parties de son anatomie et pouvait imaginer à quoi il ressemblait sans ses vêtements, quelle sensation il lui procurerait. Bons dieux, le sexe avec Gabriel... créait sûrement une dépendance.

Cette pensée, combinée à l'idée qu'il la mènerait indirectement à sa mort, refroidit son désir pour lui, mais seulement pour quelques instants, tandis que d'autres émotions montaient en elle pour prendre le dessus. Des émotions plus profondes et beaucoup plus dangereuses. Coucher avec Gabriel serait comme posséder une partie de son âme, comme se joindre à lui, ne serait-ce que pour un bref instant.

Elle avait envie de savoir comment ce serait.

Cette idée n'avait rien à voir avec le sexe en soi, ou le plaisir que Gabriel pourrait indubitablement lui donner. Rien à voir avec des besoins égocentriques. Elle voulait — devait — se retrouver aussi proche de lui que possible. L'idée était incongrue et terrifiante. Jamais Aislinn n'avait-elle éprouvé quelque chose de semblable envers Kendal ni aucun autre homme avec qui elle avait été. Il y avait quelque chose chez Gabriel qui l'attirait, et qui n'avait pourtant rien à voir avec le sexe ou le fait qu'il soit incube.

Par contre, le prix à payer serait trop cher.

Elle le repoussa à deux mains.

— Je ne peux pas, tu es trop dangereux pour moi.

Elle fila vers la porte de l'appartement.

— Aislinn, ne pars pas.

Elle s'arrêta à mi-chemin.

Gabriel avança jusqu'à elle.

— Je n'ai jamais utilisé ce pouvoir sur une femme, car c'est un mythe, voilà tout. Une idée fausse qui m'est bien utile et que j'exploite à mon avantage, mais c'est un mensonge, sans plus. Je peux utiliser ma magie pendant l'amour pour créer une légère dépendance, mais rien qui pourrait tuer une femme.

— Non, ce n'est pas ce que je trouve dangereux chez toi, dit-elle, le poussant en s'éloignant. Ce n'est pas ce qui me fait peur.

— Alors, c'est quoi le problème ?

Elle ne pouvait pas lui parler de son rêve et elle ne pouvait absolument pas lui parler de son désir de se rapprocher de lui, de cette sensation bizarre au centre de sa poitrine qui se gonflait lorsqu'il l'attirait près de lui, de son envie — son besoin — de le sentir contre elle.

— Je dois y aller, c'est tout.

Elle partit en trombe, referma la porte derrière elle et s'appuya contre le mur à l'extérieur, se laissant apaiser par le son de l'eau coulant à flots et des oiseaux gazouillant.

Dangereux. Oui, Gabriel était dangereux pour elle, mais il s'avérait maintenant que c'était pour des raisons bien différentes que ce qu'elle avait imaginé.

HUIT

Gabriel trouva le roi des Ténèbres dans les jardins de la Tour Noire. Les fae adoraient leurs espaces sauvages, même ceux qui n'habitaient ni dans la nature ni dans l'eau. Ils avaient tous besoin, semblait-il, de retrouver leurs espaces verts et leurs compagnons végétaux. Même les Seelie avaient besoin de la nature, bien qu'ils soient les fae plus éloignés de leurs racines. C'était ironique, car leur sang était considéré comme pur et ils formaient la lignée directe.

— Gabriel, fit le roi des Ténèbres en se détournant d'une magnifique orchidée rose et blanche. Vous ne seriez pas ici si vous n'aviez fait aucun progrès. Je comprends donc que vous avez progressé ?

Les oiseaux gloussaient au-dessus et autour d'eux. Le clair de lune s'infiltrait par le plafond de verre surplombant leurs têtes. L'endroit était chaud et humide, et l'air était parfumé par les plantes qui poussaient. Personne n'avait raison de dire que les Unseelie étaient synonymes de mort. Rien n'était plus faux.

Le roi des Ténèbres s'impatientait de plus en plus. Gabriel le décelait à sa posture et au ton de sa voix. Son impatience pouvait devenir dangereuse, et très rapidement.

— En effet, confirma-t-il. C'est plus long que je ne le voudrais, mais je suis en train de la gagner.

Du même coup, Aislinn était en train de le gagner. Elle s'était montrée corrosive au départ, légèrement trop honnête et même un peu pimbêche. Mais une fois dépassée cette façade revêche, vous trouviez de la douceur à l'intérieur.

Gabriel en voulait plus, plus de la vraie Aislinn.

Il pouvait encore la goûter sur ses lèvres et sentir la douceur de la peau soyeuse sous ses doigts. Il avait eu mal, physiquement mal, lorsqu'elle s'était enfuie après le dîner ; il ressentait toujours la douleur de son rejet au fond de lui. Jamais une femme n'avait été capable de lui résister. Jamais une femme ne l'avait repoussé de la sorte, la peur dans les yeux. Et, bien sûr, c'était la seule femme au monde qu'il voulait réellement.

Il fallait qu'elle soit à lui. Et ce désir n'avait maintenant plus rien à voir avec les ordres de son seigneur.

L'Univers avait le sens de l'humour, semblait-il.

Le roi des Ténèbres se pencha de nouveau sur sa fleur.

— Je n'aime pas qu'on me fasse attendre. Vous le savez bien.

— Elle a une volonté de fer et se remet d'une rupture difficile avec un dandy inutile de la Cour Seelie. De plus, elle possède un très bon instinct.

Il sourit et effleura une rose frémissant sous la douce brise qui traversait l'espace vert.

— Elle se méfie de moi. Il m'est nécessaire de travailler pour gagner sa confiance si je veux qu'elle réponde à mes désirs. Je n'ai jamais rencontré une femme aussi têtue.

Le roi des Ténèbres grogna quelques paroles inintelligibles.

— Parlez à… quel est son nom déjà ? Son amie ? Bella. Parlez à Bella et à Ronan. Cherchez à savoir s'ils peuvent vous aider à trouver ce qui la charmera tout en l'attirant vers la Noire. J'ai besoin qu'elle vienne ici volontairement et bientôt. J'ai besoin qu'elle soit hors de portée de la reine Été et sous mon emprise.

Sous mon emprise. Gabriel bougea nerveusement.

— Si vous me disiez précisément pourquoi vous voulez Aislinn ici, ce serait peut-être plus facile d'arriver à mes fins.

Le roi des Ténèbres se tourna vers Gabriel et le regarda en plissant les yeux.

— Je vous l'ai déjà dit, Gabriel. Elle fait partie de ma famille. Je suis certain que la magie qui coule dans ses veines a besoin d'être cultivée et formée. Sa magie est gaspillée là-bas. Ici, nous pouvons la préparer à prendre la place qui lui revient dans la hiérarchie de la Tour Noire. Je ne lui veux aucun mal.

Gabriel baissa la tête, regrettant d'avoir douté un seul instant des intentions de son roi.

— Je travaillerai aussi vite que possible. Ma semaine à la Rose tire déjà à sa fin de toute façon.

— Amenez-la ici rapidement. Je ne supporte plus de voir cette affaire en suspens. Faites votre travail, et revenez-nous, Gabriel. Je vous promets que vous serez récompensé.

Le roi se retourna vers son orchidée, ce qui signifiait clairement le congé de son sujet.

Après être allé cogner à leur appartement, Gabriel chercha Bella et Ronan dans l'une des aires de rassemblement principales. La Cour Unseelie n'observait pas un calendrier social aussi rigoureux que celui de la Cour Seelie, mais on y trouvait tout de même de nombreux lieux de rencontres.

Gabriel trouva Bella et Ronan assis près d'une chute décorative coulant du haut d'un mur de marbre noir. Ils discutaient avec Llewellyn, un Twyleth Teg grand et mince. Llewellyn jeta un regard à l'incube, salua le couple, puis quitta la pièce. Longtemps auparavant, Gabriel avait couché avec sa sœur, et Llewellyn lui tournait le dos depuis ce jour. Au contraire de sa sœur, Rhianwen.

— Jamais connu quelqu'un d'aussi rancunier, commenta Gabriel en s'asseyant sur une chaise.

Bella le sonda du regard et demanda :

— La reine Été a-t-elle déjà rejeté ta demande ? Je croyais que tu étais à la Tour Rose.

— Mon dossier est toujours à l'étude. Je devrais recevoir son verdict final après-demain.

Entretemps, il était censé convaincre Aislinn de venir avec lui à la Tour Noire. Il jura en son for intérieur.

Sous cette peur de l'échec se cachait le désir de ne pas devoir la laisser. L'éventualité de ne plus jamais revoir Aislinn ou lui parler lui pinçait cruellement le cœur, et il refusait d'en examiner les raisons.

— Pourquoi le roi des Ténèbres te permet-il d'aller et venir entre les deux cours ? N'est-il pas furieux que tu essaies de le quitter pour son domaine rival ? questionna Ronan.

— Le roi des Ténèbres et moi nous connaissons depuis des lunes. Nous avons une relation spéciale. Il ne prend pas ma désertion de manière personnelle.

Bella cligna des yeux, dubitative.

— Comme c'est curieux. Il ne me paraît pas être du genre à pardonner.

— Aucun roi ne l'est, pas vrai ? Comme je l'ai dit, nous avons une relation très particulière.

Bella accepta apparemment son explication boiteuse. Elle ne vivait pas à la Noire depuis assez longtemps pour voir la différence, mais Ronan le fixa d'un regard suspicieux.

— As-tu vu Aislinn ? demanda Bella.

Ah, elle était impatiente d'avoir des nouvelles de son amie.

Gabriel fit oui de la tête.

— Elle est ma guide. En fait, je passe beaucoup de temps avec elle cette semaine. Je commence à la connaître assez bien, quoiqu'elle ne se laisse pas facilement apprivoiser depuis que Kendal l'a larguée. Elle se sent un peu vulnérable et triste.

Il laissa échapper un petit rire.

— Elle n'aime pas beaucoup les hommes en ce moment.

— Kendal a rompu avec elle ? souffla Bella.

— Devant la reine et toute la cour. C'était assez humiliant pour elle, mais Kendal est un idiot. Il ne savait pas ce qu'il avait. Elle est bien mieux sans lui.

— J'en pense la même chose. Je ne l'ai jamais aimé. J'ai toujours su qu'il n'était pas assez bien pour elle.

— Ton intuition avait vu juste.

Il se pencha vers elle.

— Qu'est-ce que ton intuition te dit à mon sujet?

Elle écarquilla les yeux.

— Toi? Oh, non, Gabriel. Ne me demande pas ça.

Elle s'adossa à sa chaise, secouant résolument la tête de gauche à droite.

— Ce qu'il y a, Bella, c'est qu'elle me plaît. Elle me plaît beaucoup. Mais cette rupture lui a fait tant de mal qu'elle refuse de laisser un autre homme s'approcher d'elle.

Il ne mentait même pas. Ses sentiments étaient sincères. Même si les intentions derrière ses questions étaient légèrement moins honorables.

— Je suis désolée, Gabriel, mais il n'en est pas question.

Elle croisa les bras sur sa poitrine.

— La dernière chose dont Aislinn a besoin dans sa vie, c'est d'un incube comme toi. Tu coucheras avec elle, tu lui briseras le cœur en miettes, puis tu la laisseras tomber.

— J'en ai marre que tout le monde me condamne en raison de ma magie. Ce n'est pas parce que je suis incube que je suis incapable de vivre une vraie relation.

Bella souleva un sourcil.

— Ah, vraiment? Je ne suis pas ici depuis très long-temps, mais je connais ta réputation. À quand remonte ta dernière relation sérieuse?

Elle pensait l'avoir bien eu, mais elle se trompait.

— Caitlin Aoife Catriona O'Murchadha. Nous avons été ensemble pendant près de dix ans et nous nous sommes presque mariés. *Elle* m'a brisé le cœur, Bella, et m'a quitté pour son mari actuel.

— Mais il y a combien d'années de cette histoire?

Zut. Maintenant, elle l'avait bien eu.

— Il y a un bon moment.

Elle cligna des yeux lentement.

— Oui, il y a un *bon* moment. J'ai rencontré Caitlin. Elle est mariée au même homme depuis plus d'un siècle maintenant.

— C'est vrai. Nous sommes redevenus amis.

— Ça ne veut rien dire, Gabriel. Cette relation date d'il y a longtemps. Tu ne peux pas vraiment dire que tu as de bons antécédents à ton dossier.

— Je suis sélectif, et puis après ? rétorqua-t-il en écartant les mains. Pourquoi ne le dis-tu tout simplement pas : je ne suis pas assez bien pour elle ?

— Bella croit que personne n'est assez bien pour sa meilleure amie, Gabriel, intervint enfin Ronan. Ne le prends pas mal.

— Laissons donc Aislinn juger de ce qui en est. Laissons-la prendre ses propres décisions, conclut Gabriel en soutenant le regard de Bella. Aide-moi à mieux la connaître. Je ne désire que le meilleur pour elle. Tu peux me croire.

Gabriel croyait sincèrement que de venir à la Cour Unseelie était la meilleure chose qui pouvait arriver à sa guide. Elle était oppressée et étouffée à la Cour Seelie, et incapable d'utiliser sa magie, qu'il soupçonnait d'être puissante. Aislinn n'était probablement pas une nécromancienne à part entière (les vraies étaient rares), mais ses habiletés étaient uniques et méritaient d'être exploitées avec l'aide d'un mentor. C'est exactement ce que le roi des Ténèbres avait l'intention de faire. S'installer à la Noire signifierait pour Aislinn une existence plus riche.

Cependant, la reine Été avait une telle emprise sur son peuple, elle lui avait si bien lavé le cerveau, que sa sujette n'imaginerait jamais changer de cour de son plein gré.

Gabriel rassembla ses pensées, se pencha vers Bella, et s'éclaircit la voix.

— Je sais qu'Aislinn est plus que ce qu'elle paraît être. Je sais qu'elle garde un secret comme celui que tu cachais lorsque tu vivais à la Tour Rose.

Les yeux de Bella devinrent grands comme des soucoupes.

— Comment peux-tu être au courant ?

— Je suis très perspicace.

Il ne pouvait évidemment pas révéler son propre secret, c'est-à-dire qu'il était le seigneur de la Chasse sauvage.

— La façon dont je l'ai appris a peu d'importance, mais elle joue à un jeu dangereux. Si je l'ai deviné, d'autres peuvent le découvrir aussi. D'autres qui représentent une menace pour elle. Par ailleurs, elle possède un pouvoir qui ne convient pas à sa cour et elle a envie de le développer. Elle se sent isolée et esseulée dans la Rose ; elle croit que sa vie n'a aucun sens réel. C'est l'impression qu'elle me fait, en tout cas.

Il garda le silence un instant et dévisagea Bella.

— Ai-je raison ?

Bella se mordilla la lèvre inférieure, se demandant manifestement s'il était correct de parler de la vie de son amie avec Gabriel. Après avoir laissé échapper un long soupir, elle acquiesça :

— Tu as raison, Gabriel. Elle possède du sang unseelie et pas juste un peu. Je te le dis parce que tu le sais déjà. Elle n'est pas certaine d'où cette partie d'elle provient, mais elle suspecte la lignée de son père depuis qu'elle a trouvé un livre —

Bella referma la bouche d'un seul coup.

— Elle suspecte simplement le côté paternel de sa famille.

— Un livre?

— Écoute. Je ne vais pas déverser tous ses secrets. Elle t'en dira plus sur le livre si elle le désire.

— Très bien.

— Aussi, je crois que tu as raison, Gabriel. Elle prend un grand risque en cachant ce secret et je la soupçonne aussi d'avoir envie d'explorer sa magie. Tu devras aborder le sujet prudemment, par contre, car lorsque tu lui diras ce que tu sais, elle se sentira menacée.

Oui, il l'avait déjà remarqué.

— Malgré tout, continua Bella, c'est ce que vous avez en commun. Si tu te soucies vraiment d'Aislinn et que tu ne veux que le meilleur pour elle; si tu désires vraiment plus qu'une aventure sans lendemain, c'est par là que tu devrais commencer.

Bella aspira brusquement une bouffée d'air et s'étonna :

— Je ne peux pas croire que je suis en train de t'aider à la mettre de ton côté.

— Tu as ma parole la plus sincère que je ne ferai pas de mal à ton amie.

— Tant mieux, parce que tu connais ma magie, n'est-ce pas, Gabriel? Je ne suis pas quelqu'un qu'on s'amuse à mettre en boule.

Non, c'était bien vrai. Bella avait la capacité d'appeler la malédiction sur les gens. Tout ce qu'elle avait à faire, c'était de souhaiter que quelque chose de mauvais vous arrive et son souhait était exaucé. Son mari n'était pas dépourvu lui non plus dans le domaine de la magie. Ronan était sorcier de première classe, un mage possédant du sang de druide. Il avait un frère à la Cour Unseelie qui détenait une magie très similaire. Cependant, Niall était encore plus puissant, plus noir, et personne ne doutait du fait qu'il avait une touche de Phaendir en lui. La plupart des gens l'évitaient pour cette raison.

— Il y a autre chose que tu devrais savoir sur Aislinn, ajouta Bella, en jouant avec un pendentif en saphir niché dans le creux de sa gorge.

Elle afficha un grand sourire.

— Demain, c'est son anniversaire.

Aislinn ouvrit la porte, où on frappait avec insistance, pour trouver l'un des valets de la Tour Rose de l'autre côté. Il tenait une grande boîte blanche entourée d'un ruban rouge. Fronçant les sourcils, elle prit la boîte, remercia le valet, puis referma la porte. Une fois dans son salon, elle la posa sur la table à café et la fixa des yeux.

Il n'y avait que quelques personnes qui auraient pu lui envoyer un cadeau pour son anniversaire. En règle générale, les fae n'en faisaient pas tout un plat. Après tout, c'était une race qui vivait si longtemps que les célébrations d'anniversaires devenaient redondantes après un certain temps. Sa mère l'aurait peut-être fait, mais elle ne lui avait rien envoyé depuis plusieurs années. Bella l'aurait certainement fait. Elle lui avait offert un cadeau tous les ans au cours de leur amitié. Mais Bella était partie maintenant, le cadeau ne pouvait donc pas venir d'elle. Aislinn sentit les larmes lui piquer les yeux sous l'effet de la douleur perçante que le souvenir lui infligea. Carina aurait peut-être envoyé un présent, mais Aislinn en doutait. Kendal n'avait certainement rien envoyé. Et ses amis étaient plutôt superficiels.

Il ne restait qu'une possibilité.

Et il n'y avait qu'une seule façon de découvrir de qui venait le cadeau. Elle détacha le ruban et laissa le bout de velours allongé sur la table. Après avoir soulevé le dessus de la boîte et déplié le papier de soie, elle reconnut la robe de la boutique, la Valentino rouge foncé scandaleusement coûteuse, accompagnée d'une paire de chaussures assorties absolument superbes. Une carte avait été déposée dans la boîte.

Joyeux anniversaire à une femme qui est aussi belle à l'intérieur qu'à l'extérieur. J'espère te voir ce soir. Gabriel.

Ce soir. Aislinn plissa les sourcils. Il devait parler du bal. Elle tendit la main et toucha du bout des doigts l'étoffe luxueuse de la robe. Elle était absolument magnifique, et Aislinn ne l'aurait jamais achetée pour elle-même. Elle se sentait profondément touchée que Gabriel l'ait fait pour elle.

Elle n'avait pas prévu d'assister au bal ce soir. Elle avait réussi à ne pas tenir compte du premier baiser qu'ils avaient échangé, car Gabriel l'avait embrassée seulement pour énerver Kendal. Le deuxième baiser était impossible à oublier, parce qu'il l'avait embrassée par désir et par pur désir seulement.

Elle l'avait embrassé avec le même sentiment, et elle en aurait voulu encore.

Aislinn avait donc l'intention d'éviter Gabriel jusqu'à ce que la reine ait rendu sa décision sur la demande de l'incube. Si elle l'acceptait, le mandat d'Aislinn à titre de compagne seelie du demandeur serait terminé, et la vie reprendrait son cours normal. Si elle la refusait, Gabriel retournerait à la Cour Unseelie pour supplier son roi de lui laisser la vie et de lui accorder son ancien statut.

Aislinn savait qu'il lui manquerait. Elle s'inquiéterait même à son sujet.

Cependant, elle avait toutes les raisons de croire que la reine permettrait à Gabriel de rester, en supposant qu'il n'avait pas déjà crié sur tous les toits ce qu'il pensait vraiment des Seelie. Il était beaucoup trop coloré et flamboyant pour voir sa demande refusée. Gabriel était comme du bonbon pour la reine Été.

Et voilà qu'il était allé acheter ce présent coûteux pour l'anniversaire d'Aislinn. Ce qui l'inquiétait davantage, c'était qu'il la laissait de moins en moins indifférente. Elle l'aimait bien, en fait. Elle était attirée par lui, impossible de le nier. Le pire dans toute cette histoire ? Ce qui était vraiment le pire ? Elle commençait à s'*éprendre* de lui. Ses sentiments éclipsaient le bon jugement dont elle aurait dû faire preuve, ce bon jugement qui lui aurait ordonné de rester loin de lui en raison de son rêve prémonitoire. Même si Gabriel n'allait pas le faire intentionnellement, *d'une manière ou d'une autre*, il la mènerait vers la mort.

Comment pouvait-elle être aussi stupide ?

Elle avait l'impression que son QI était descendu dans le négatif depuis sa rencontre avec Gabriel, car malgré ce que son bon jugement lui disait, elle était en train de mettre cette robe, d'enfiler ces chaussures et de descendre vers la salle de bal.

Elle n'avait jamais eu beaucoup de volonté.

Gabriel regarda Aislinn avancer vers lui. Elle fendait la foule comme si elle séparait les eaux. La robe lui allait à merveille, moulant chacune de ses courbes sensuelles de si près qu'il en était jaloux. Si elle avait plongé un centimètre plus bas dans son dos, tous les hommes de la salle auraient affiché le plus grand sourire béat, au lieu d'être aguichés au maximum.

Elle avait remonté ses cheveux clairs sur le dessus de sa tête, dégageant sa nuque et ses jolies épaules. Les doigts de Gabriel brûlaient de caresser cette nuque et de défaire ses cheveux pour les laisser tomber sur ses épaules soyeuses. La couleur de la robe rehaussait ses yeux gris et son teint.

Le fait de savoir que c'était la robe qu'il avait achetée pour elle qui la recouvrait et qui moulait les courbes de son corps l'excitait follement. C'était érotique, la manière dont elle bougeait dans ce vêtement qu'il avait tenu dans ses mains le matin même. Comment cette pensée pouvait l'enticher à ce point était un mystère pour lui. Après tout, il avait offert de nombreuses robes à de nombreuses conquêtes. Pourtant, celle-ci était différente.

Tout ce qui touchait à Aislinn était différent.

Gabriel avait vu beaucoup de femmes dans sa vie, mais Aislinn était de loin la plus belle. De plus, sa beauté ne provenait pas uniquement de son apparence physique, mais aussi de son intelligence et de sa force de caractère. Elle venait de sa vivacité d'esprit et de sa grande compassion envers autrui. Bon sang, il adorait même son côté entêté et la façon dont elle parlait un peu trop franchement. Il aurait bien aimé faire autre chose que parler, d'ailleurs...

Au fond de son cœur, il désirait apprendre à la connaître encore mieux.

Pour la première fois depuis plus d'années qu'il ne pouvait les compter, il désirait une relation avec une femme. Mince, il voulait seulement Aislinn, peu importe comment il l'aurait, pourvu qu'elle soit à lui.

Un frisson lui parcourut l'échine, suivi d'une sensation de chaleur. Ce vague commencement de sentiments profonds lui foutait les jetons. Il fronça les sourcils. Il n'était tout de même pas un sociopathe ; il avait éprouvé des sentiments sincères pour toutes les femmes avec qui il avait eu une relation. Il se souciait réellement de Caitlin, à l'époque.

Mais cette fois, c'était différent. La connexion était plus forte, ou quelque chose du genre. Honnêtement, il n'était pas encore certain de ce que c'était. Il savait seulement qu'il se trouvait en terrain inconnu, et que d'observer Aislinn marcher dans sa direction en ce moment le rendait heureux.

— Bonsoir, dit-elle, le regardant en souriant.

Tous ceux qui se trouvaient autour d'eux semblaient les observer en murmurant. Gabriel était sûr qu'ils admiraient Aislinn. Elle était canon tous les soirs, mais elle était encore plus frappante ce soir.

Et ce soir, elle était à lui. *À lui*. Il n'était pas question qu'elle lui échappe ce soir.

Sans dire un mot, il l'attira dans ses bras et la souleva contre lui. Le geste était purement instinctif et complètement impulsif. Elle laissa échapper un petit cri de surprise, mais le laissa toutefois la serrer contre son lui.

— Gabriel, Kendal n'est pas ici ce soir. Tu n'as pas à jouer la comédie pour lui.

— Qui joue la comédie ? gronda-t-il. Tu as la mémoire courte. J'ai essayé la même chose l'autre soir, mais tu t'es enfuie à toutes jambes, si je me souviens bien.

— Je sais. Je suis désolée, vraiment désolée.

— Je veux bien te pardonner, mais tu devras me donner quelque chose en échange.

Aislinn rougit légèrement et se lécha les lèvres. Gabriel absorbait chacun de ses mouvements.

— Je trouverai peut-être quelque chose pour me faire pardonner.

— Ce soir ?

— Nous verrons.

Elle regarda autour d'eux.

— Tout le monde nous zieute, Gabriel.

— Il y a d'autres gens dans la salle ? Je ne vois personne d'autre que toi.

Elle inclina légèrement la tête, lui offrant un sourire.

— Merci pour la robe.

— Joyeux anniversaire.

Il la fit tourner sur la musique et la serra, le dos contre son torse. D'un mouvement agile, il fit apparaître un collier de sa poche et le passa au cou de sa compagne, l'attachant sur sa nuque.

Elle se retourna, effleurant le pendentif en saphir de la main.

— Je connais ce collier. Il appartient à Bella.

— Elle m'a demandé de te le donner pour ton anniversaire.

Elle leva les yeux sur lui, des larmes mouillant son regard.

— Merci.

Elle frotta le dessus de la pierre précieuse du bout de l'index.

— Ça me réchauffe le cœur d'avoir quelque chose d'elle. Elle me manque.

Il la prit dans ses bras et ils commencèrent à danser.

— Je sais. Tu lui manques aussi.

— Mais comment l'as-tu obtenu ? demanda-t-elle, l'air perplexe. Je ne comprends pas. Te l'a-t-elle donné avant que tu viennes ici présenter ta demande ?

Gabriel ouvrit la bouche dans l'intention de mentir. Pour dire que oui, c'était exactement ainsi qu'il en était venu à posséder le collier, mais une chose très curieuse survint. En regardant dans les yeux d'Aislinn, il devint complètement et totalement incapable de prononcer le mensonge.

Ah, ce frisson de peur, froid et chaud à la fois, suivi d'un sentiment de satisfaction, était maintenant de retour. Mais qu'est-ce qui lui arrivait ?

— Bella me l'a donné hier soir, Aislinn, annonça-t-il.

Aislinn ne put s'empêcher de sursauter de surprise.

Il marqua une pause, puis continua :

— Je peux retourner à la Cour Unseelie quand bon me semble et je l'ai fait quelques fois déjà, depuis que j'ai déposé ma demande auprès de la reine Été.

— Comment est-ce possible ?

— J'espère un jour avoir la chance de te le dire.

Elle secoua la tête, déconcertée.

— Pourquoi ne peux-tu pas me le dire maintenant ?

— Disons seulement que j'ai une bonne relation avec mon roi.

— Assez forte pour résister à ta tentative de défection ?

Théoriquement, c'était possible. Le roi des Ténèbres n'était pas aussi orgueilleux que la reine Été. Ronan était passé de l'Unseelie à la Seelie, puis il était rentré à la maison, quoiqu'il ait été le seul à jamais faire une chose pareille. Mais la situation était alors différente pour plusieurs raisons, dont Bella.

Il avait surtout été pardonné en raison du morceau de la *bosca fadbh*.

C'était un objet très ancien que Ronan avait volé pour le Phaendir.

Il avait acheté la vie de Bella et sa propre liberté en le donnant à la reine Été. Le morceau de la *bosca fadbh*, lorsque combiné aux deux autres morceaux et utilisé simultanément avec un sort du Livre de l'union, avait le pouvoir de briser le mur invisible qui gardait les fae prisonniers dans Piefferburg. Essayer d'obtenir les autres morceaux représentait une entreprise ambitieuse, il va sans dire, mais Gabriel avait la certitude que les deux cours aspiraient à ce but. Elles se faisaient peut-être même concurrence.

Les Seelie, les Unseelie, la reine Été et le roi des Ténèbres pouvaient se faire la guerre, se détester les uns les autres, mais il y avait une chose qui les unifiait : tous les fae détestaient le Phaendir et la plupart d'entre eux désiraient sortir de Piefferburg. Presque tout le monde souhaitait vivre librement dans le grand monde de nouveau.

L'ennemi de mon ennemi est mon ami.

Gabriel tenait de première main que la reine Été et le roi des Ténèbres mijotaient déjà de combiner leurs forces pour piéger le Phaendir. Ce n'était qu'une question de temps.

Alors, lorsque Ronan et Bella s'étaient pointés sur les marches de la Tour Noire, des réfugiés de la Cour Seelie sans nulle part où aller, le roi des Ténèbres s'était bien amusé, mais il n'y avait aucun doute que les amoureux trouveraient foyer sous son toit.

Ils avaient besoin de Ronan.

Ils auraient besoin de Bella aussi, et de Gabriel, de même que de beaucoup d'autres, s'ils décidaient de mettre en œuvre un plan pour s'approprier la *bosca fadbh* et le Livre de l'union.

— Je crois que ma relation avec mon roi est assez solide pour résister à une tentative de défection, en effet.

Elle lui lança un regard tranchant.

— *Mon* roi.

Elle s'immobilisa, fit un pas vers l'arrière, et cligna des yeux.

— Tu n'as aucune intention de rester ici, n'est-ce pas ? Peu importe la décision de la reine.

Il balaya du regard la foule de fae dansant et bavardant autour d'eux.

— Pouvons-nous en parler plus tard ?

Elle pressa les lèvres et hocha sèchement la tête.

— Bien.

Il lui prit la main et la fit tournoyer en déroulant son bras, la fit tourner sur elle-même, puis la ramena dos contre lui.

Elle éclata de rire, ce qui était le son le plus joli qu'il aurait pu imaginer.

— Tu es un bon danseur.

— Merci.

Il fixa ses yeux d'un regard pénétrant, qui traduisait tout ce qu'il avait envie de lui faire.

— C'est la deuxième chose dans laquelle j'excelle.

Elle avala sa salive et détourna le regard.

— Oui, j'imagine bien ce qui est la première, répondit-elle de son ton sec caractéristique.

— Je serais tout à fait ravi de te le montrer.

— À l'heure qu'il est, tu dois bien savoir que je ne suis pas si facile.

— Les choses faciles ne valent généralement pas le coup, ma belle.

— Et toi, Gabriel, tu respires le danger.

— Pas autant que tu le crois. De toute façon, un peu de danger et d'aventure te ferait du bien. Le bon genre, bien sûr… *Mon* genre d'aventure.

Il avait grondé les mots tout en la tenant serrée contre lui. Bons dieux, il la voulait si fort. Avoir son corps pressé contre le sien, ses hanches contre les siennes, ses seins contre sa poitrine, ça le rendait fou.

Elle arrêta de danser et s'écarta de lui, frémissante. Ressentait-elle la même chose?

— Je crois que j'ai besoin d'un verre.

Une silhouette familière capta le regard de Gabriel.

— On dirait que Kendal a décidé de venir, finalement.

Il était accompagné de sa poule du moment.

— Correction : je crois que j'ai besoin de sortir d'ici.

Quelle bonne idée.

— Alors, partons.

NEUF

Elle le fit monter à son appartement avec l'intention de le séduire.

Il n'allait pas rester à la Rose. Elle l'avait entendu dans sa voix et l'avait lu sur son visage. Gabriel prêtait toujours allégeance au roi des Ténèbres. La motivation qui l'avait d'abord poussé à venir à la Rose demeurait un mystère pour elle. Dès le lendemain, la reine Été inviterait probablement Gabriel à rester, à moins, bien sûr, qu'elle ait perçu son mépris envers le peuple seelie.

Et il refuserait de rester.

Il serait parti avant la fin de la journée, de retour à la tour qu'il avait d'abord abandonnée, et Aislinn ne le reverrait plus jamais. Elle se disait qu'il avait sûrement déjà rendu visite au roi des Ténèbres pour lui demander refuge. C'était probablement de cette façon qu'il avait obtenu le pendentif de Bella. Le matin même, elle avait songé à quel point Gabriel lui manquerait s'il quittait la Cour Seelie. Maintenant que c'était devenu une réalité, elle mesurait à quel point c'était vrai.

Oui, c'était un coureur de jupons. Manifestement, il adorait les femmes et en avait séduit des masses au cours de sa vie. Pourtant, il n'était ni cruel, ni misogyne, ni dégoûtant dans ce domaine. Autant il semblait aimer leur faire l'amour, autant il semblait les respecter, et même les vénérer. Oui, il était extrêmement arrogant. Mais il était par ailleurs vif d'esprit et intelligent, attentionné à sa manière, terriblement perspicace, et pas aussi égocentrique qu'elle ne l'avait cru au départ. Elle avait du plaisir à lui parler et lorsqu'elle n'était pas en sa compagnie, elle ressentait son absence.

Aislinn eut même le cœur un peu lourd en réalisant qu'elle allait perdre un autre ami en faveur de la Cour Unseelie.

— La reine Été sera furieuse lorsque tu déclineras son invitation à rester.

Gabriel se détourna de la fenêtre, par laquelle il observait la Place Piefferburg. Aislinn s'approcha de lui. La nuit était tombée depuis un bon moment, et le ciel était maintenant parsemé d'étoiles brillantes. De l'autre côté de la place, la Tour Noire piquait vers le haut.

Il se retourna vers la fenêtre pour contempler la place.

— Comment sais-tu que j'ai l'intention de décliner son invitation?

— Je le sais, c'est tout.

Il ne dit rien pendant un long moment, lui confirmant qu'elle avait raison.

— Si je restais, ce serait pour toi.

S'il avait prononcé ces mots au début de la semaine, Aislinn aurait été convaincue que ce n'était que pour la draguer. Mais en cet instant, elle avait l'impression qu'il était sincère.

— Mais tu ne resteras pas.

— Mon cœur est à la Cour Unseelie, Aislinn. Je le sais maintenant mieux que jamais.

— Tu n'aimes pas la Rose parce que l'essentiel de nos vies se résume aux rencontres sociales.

— Aislinn, cet endroit n'a aucune magie et la magie est au cœur de ce que nous sommes.

Sa voix était empreinte de passion.

— Je suis surpris de voir que tant de Tuatha Dé Seelie sont heureux de vivre ici.

— Entre ces murs, la magie est le domaine de la reine Été. Pas le nôtre.

— Et c'est faux.

Il se retourna pour la regarder en face.

— La magie est dans notre âme, Aislinn. C'est ce qui nous habite. Si on nous la prend, nous ne sommes plus que de simples humains ; il n'y a plus rien pour nous différencier ou faire de nous des êtres spéciaux. Si on nous prend nos forces, nous dépérissons et mourons lentement en tant que peuple. Surtout maintenant. Ce n'est pas le moment de nous affaiblir.

Elle posa les yeux sur son visage.

— Tu veux dire face au Phaendir.

— C'est l'une des choses sur lesquelles le roi des Ténèbres ne s'entend vraiment pas avec la reine Été. Elle veille à ce que son peuple soit dorloté et diverti alors qu'elle devrait les préparer à se battre.

Aislinn secoua la tête, regarda au loin par la fenêtre, puis croisa les bras.

— C'est faux de dire que la reine Été veut que nous restions faibles.

— Elle est vaniteuse, Aislinn. Elle craint que quelqu'un dans sa propre cour soit plus puissant qu'elle. Aucune femme n'a le droit d'être aussi belle qu'elle. Elle désire désespérément être le centre de l'attention, celle qu'on adore. Par-dessus tout, elle désire être celle dont vous avez tous besoin.

Aislinn craignit soudain d'entendre cogner à la porte et qu'un garde Impérial viendrait s'emparer de Gabriel pour avoir exprimé l'hérésie contre la reine.

Elle pouffa de rire.

— Autrement dit, Caoilainn Elspeth Muirgheal, la descendante directe de la monarchie pure des Tuatha Dé Danann, manque de confiance en elle.

— Oui, c'est exactement ce que je dis.

Aislinn secoua la tête, sans toutefois nier ce que Gabriel venait d'affirmer. Ce qu'il avait dit était vrai. Seulement, ce n'était pas le genre de vérité qu'on voulait regarder en face, en général.

Gabriel haussa les épaules.

— À la Noire, la magie est valorisée dès la naissance. L'éducation formelle débute à cinq ans et la magie est enseignée au même titre que l'alphabet et les nombres. L'apprentissage du vieux maejian est requis, et nous devons le parler couramment. Nous sommes tous encouragés à développer nos dons et à les perfectionner, à apprendre à les maîtriser à tout prix. Évidemment, comme les Unseelie peuvent utiliser leur magie pour blesser ou pour tuer, la Tour Noire n'est pas un endroit sûr, mais c'est un endroit intéressant.

Il lui lança un sourire éblouissant.

— On ne s'y ennuie jamais.

— J'imagine bien.

— Tu ne peux pas, chérie. Tu ne peux pas l'imaginer. C'est si différent d'ici.

Il fit une pause avant de continuer :

— Je crois que tu aimerais bien. Je crois que tu y serais à ta place, que tu serais comblée. Tu y trouverais le but et le sens qui font défaut à ta vie, ici. Je crois que tu t'y sentirais moins seule.

Elle baissa les yeux sur la place publique. Se joindre à la Cour Unseelie ? Elle possédait une magie qui pouvait tuer, si elle était vraiment une nécromancienne… mais vivre à la Tour Noire ? C'était inconcevable. Par contre, si elle était nécromancienne, il était impératif qu'elle apprenne à utiliser sa magie, qu'elle la comprenne et qu'elle parvienne à la maîtriser.

Gabriel venait d'ouvrir une voie qu'elle n'aurait jamais cru emprunter.

Elle fronça les sourcils.

— Tu crois que je ne suis pas à ma place, ici ?

— Non.

Sa réponse était venue aussi vite que l'éclair.

— Je crois qu'instinctivement, tu as fait de ton mieux pour t'intégrer afin de te protéger, mais ce n'est pas ton monde, Aislinn. Ta magie est trop puissante, et tu te fais du tort à essayer de l'étouffer. Tu as un secret, un secret noir, comme celui que gardait Bella. Je peux le sentir.

Une semaine plus tôt, elle aurait peut-être été offensée par l'idée que la Cour Seelie soit n'importe quoi sauf la perfection, mais plus maintenant. Elle garda le silence pendant un long moment.

— Comment sais-tu toutes ces choses à mon sujet?

Il la tourna vers lui et lui souleva le menton pour la forcer à le regarder dans les yeux.

— Je t'observe. Tu m'intéresses. Je veux savoir qui tu es sous toutes tes facettes. Alors j'écoute, je regarde, et j'essaie de tout capter.

— Tu es très perspicace.

— C'est seulement parce que je souhaite te connaître à l'intérieur comme à l'extérieur, Aislinn.

Un frisson la parcourut. Les yeux de Gabriel étaient d'un bleu riche et chaud et sa voix était comme un velours sombre et ondulant. Elle le croyait.

Elle sentit le monde bouger sous ses pieds. *Elle lui faisait confiance.* Son intuition lui hurlait de lui faire confiance. Peut-être que ce n'était pas le cas avant ce jour, mais quelque chose avait changé entre eux, et pas seulement du côté d'Aislinn. Gabriel avait commencé à se soucier sincèrement d'elle à un certain moment, et tout avait changé depuis.

Comme ce serait agréable d'avoir quelqu'un à qui se confier, à qui parler. Quelqu'un qui comprendrait qui elle était sous les robes de bal et les bijoux scintillants. Bella était la seule personne qui connaissait la vraie Aislinn. Comme il était étrange que Gabriel puisse aussi voir sa vraie nature, alors qu'elle l'avait tant détesté les premiers jours.

Gabriel Cionaodh Marcus Mac Braire était un être bien plus complexe qu'il ne le laissait paraître.

— Et je ne veux pas dire seulement sexuellement, ajouta Gabriel, d'une voix aussi douce et réconfortante que le chocolat chaud, et probablement aussi mauvaise pour la santé d'Aislinn.

— Au cas où tu te le demandais, sourit-il.

Il ne lui avait pas traversé l'esprit que son jeu de mots puisse faire allusion au sexe, mais maintenant c'était bien ce à quoi elle pensait. Une vague de chaleur inonda son corps. Des images envahirent sa tête. Elle l'avait emmené ici dans l'intention de coucher avec lui et elle n'était généralement pas timide au lit. Les fae, enfin, ceux qui connaissaient une longue existence, étaient rarement gênés par les rapports intimes. Toutefois, Aislinn était soudainement pleine de pudeur en face de Gabriel.

Elle se détacha de la fenêtre et se rendit au salon.

— Aislinn ? demanda Gabriel, toujours debout près du rideau.

Elle se retourna et lança sans prévenir :

— As-tu déjà connu des nécromanciens ?

Il tressaillit, puis se figea complètement.

— Non. La nécromancie est un talent très rare. Il ne s'est jamais manifesté à Piefferburg, à ce que je sache. On le trouve dans la lignée maternelle du roi des Ténèbres. À l'école, nous apprenons à connaître les nécromanciennes célèbres, entre autres.

Il s'arrêta de parler un instant, puis se tourna vers la fenêtre dans un geste qui paraissait presque trop nonchalant.

— Pourquoi me poses-tu cette question ?

Elle plissa les yeux, tâchant d'interpréter son étrange message corporel.

— Je suis curieuse d'en apprendre davantage à ce sujet.

Elle n'allait rien révéler de plus avant qu'il n'en dise davantage.

— Je te dirai tout ce que tu veux savoir.

Elle alla leur verser à boire. Gabriel aimait son whisky pur. Elle avait envie d'un verre de vin rouge.

— Alors, choisis un personnage connu et dis-moi tout sur lui.

Toujours devant la fenêtre, Gabriel prononça sans tarder :

— Brigid Fada Erinne O'Dubhuir. Elle était…

— Une femme ?

La main d'Aislinn se crispa sur la bouteille de whiskey.

— Oui. Les nécromanciens sont habituellement des femmes. Tu ne le savais pas ?

— Non.

Les mains d'Aislinn tremblaient-elles ?

Il alla la rejoindre et prit le verre de sa main. Ses doigts l'effleurèrent doucement et cette caresse lui donna chaud.

— C'est un fait fondamental. J'ai du mal à croire que la reine Été vous surprotège tous à ce point.

Une tornade de réfutation défensive s'éleva dans la gorge d'Aislinn, mais elle se contenta de la ravaler. Il avait raison. C'était inutile de le nier. Elle se rabattit sur une gorgée de vin.

— Brigid Fada Erinne O'Dubhuir était la mère du roi des Ténèbres. Elle a dirigé les Unseelie avant que son fils accède au trône. Elle était très puissante, crainte de tous, et elle était l'alliée du seigneur de la Chasse sauvage. Il était son compagnon, en fait.

Aislinn s'enfonça dans son fauteuil, les doigts fermement enroulés autour de sa coupe de vin.

— Elle pouvait donc diriger les sluagh ?

Il fit oui de la tête et s'installa sur le canapé.

— Le seigneur de la Chasse sauvage pouvait les faire venir, mais c'était Brigid qui les dirigeait et qui les commandait. En tant que chef des Ténèbres, elle détenait l'amulette qui lui permettait également de diriger et de commander l'armée de gobelins. Elle était invincible.

Gabriel afficha ce sourire narquois qu'Aislinn s'habituait à trouver sur son visage.

— Enfin, c'est ce que tout le monde croyait. La nécromancie est l'une des habiletés les plus craintes ; c'est le pouvoir de diriger les morts.

Il sourit tristement contre le rebord de son verre.

— Tout le monde a peur des morts, peur de mourir. Une personne qui vit un lien étroit avec ce changement de vie ultime et qui l'accepte est terrifiante, même pour les fae les plus puissants.

— Et pour toi ?

— La mort viendra tous nous chercher.

Il plongea les yeux dans son verre.

— Ça ne me fait pas peur.

— Qu'est-il arrivé à cette nécromancienne ?

— Quelqu'un a tué Brigid Fada Erinne O'Dubhuir dans son sommeil. Quelqu'un en qui elle avait confiance et qui pouvait entrer chez elle sans mettre la puce à l'oreille des gardes. Le seigneur de la Chasse sauvage a été trouvé coupable du crime et exécuté. On dit qu'il était jaloux de son pouvoir. La nécromancie n'est pas une voie facile à suivre.

Aislinn pinça les lèvres, les yeux rivés sur le plancher.

Chaque fibre de son être voulait lui révéler son secret. Elle voulait tant lui faire confiance et elle sentait maintenant que c'était possible.

Gabriel avala le reste de son whiskey.

— Aislinn, je sais que tu veux me dire quelque chose. Tu peux arrêter de faire semblant que toutes les réponses aux questions de la vie se trouvent sur le bout de ces magnifiques chaussures que je t'ai offertes, et me parler. Je t'ai déjà dit que je sais que tu n'es pas tout à fait celle que tu laisses paraître, alors pourquoi ne pas t'ouvrir, simplement?

Elle plongea dans le vif du sujet.

— Je crois que j'ai du sang unseelie. Non. Je *sais* que j'en ai.

Elle leva les yeux vers lui, et remarqua qu'il n'avait pas l'air étonné. Bien sûr, pourquoi le serait-il? Il était Unseelie, lui aussi.

— Je ne sais pas trop d'où il vient. Ma famille est connue pour posséder le sang des Tuatha Dé Seelie de souche, mais le pouvoir qui m'habite… est très noir.

Elle avala difficilement.

— J'ai l'impression d'avoir beaucoup d'Unseelie dans mon ADN.

Gabriel poussa un rire attendri.

— Ça va, tu n'as pas à le dire comme si tu avais un ADN de *gnome*. Ce n'est vraiment pas si grave.

— C'est juste que je me pose des questions sur mes ancêtres. Comment pourraient-ils posséder du sang unseelie? Je me demande qui s'est aventuré de l'autre côté, qui a menti, comment c'est arrivé.

— Les Seelie et les Unseelie se mêlent plus que tu ne pourrais l'imaginer. La Rose considère plus la chose comme un secret honteux que la Noire. Dis-moi pourquoi tu crois posséder du sang unseelie, Aislinn. Quelle sorte de magie noire détiens-tu?

Elle se pencha vers l'avant, l'excitation se déployant dans sa poitrine.

— Les âmes viennent à moi. Je peux les voir, leur parler. Parfois, je me réveille au milieu de la nuit, et elles sont à côté de mon lit, désirant désespérément trouver quelqu'un, n'importe qui, qui reconnaît leur existence avant que la Chasse sauvage ne vienne les recueillir.

Maintenant qu'elle avait commencé, elle ne pouvait plus s'arrêter. Elle se lécha les lèvres avant de poursuivre, incapable de le regarder en parlant. Elle déposa son verre sur une table d'appoint et bondit sur ses pieds pour faire les cent pas.

— Tout a commencé lorsque j'étais petite. Je n'en ai jamais parlé à personne, sauf à Bella, mais pas à ma mère ni même à mon père. C'est devenu difficile au fur et à mesure que je grandissais, car je n'ai jamais reçu de formation et je ne disposais d'aucun moyen de maîtriser mon don.

— Ce n'est pas un don inhabituel chez les Unseelie.

Elle lui jeta un regard incrédule.

— Je croyais que tu avais dit que c'était un talent rare.

— La *nécromancie* est un talent rare, Aislinn ; être sensible aux âmes ne l'est pas. La nécromancie est le don de faire venir les âmes du Monde des Ténèbres et de les diriger, de leur faire faire ce que l'on veut.

Elle s'immobilisa et le dévisagea.

— Mais je peux les faire venir.

Il sursauta.

— Vraiment ?

— J'ai trouvé un...

Elle s'interrompit et reformula sa phrase, incertaine de pouvoir lui parler du livre.

— Il existe un sort. J'ai prononcé les mots il y a quelques jours et une âme est apparue. Je l'ai fait spontanément, sans réfléchir.

Elle ne voulait pas révéler qui était l'âme venue la voir.

— Sous ton ordre ?

— J'espère que non.

Aislinn s'était d'abord sentie euphorique, mais la pensée lui serrait maintenant la poitrine, l'horrifiait.

— Je ne sais pas. L'âme a disparu presque aussitôt qu'elle est venue. Je n'essaierais jamais d'appeler et de diriger une âme. Je dirais que c'est… impoli.

Gabriel cligna des yeux, puis lui offrit un sourire aguicheur qui lui donna des papillons dans l'estomac.

— Si c'est vraiment ce que tu crois, tu ferais une bonne nécromancienne.

— Alors, quel est ton verdict ? lui demanda-t-elle en posant les yeux sur lui tout en se mordillant la lèvre inférieure.

Elle se sentait soudainement comme un humain attendant le diagnostic final de son médecin sur un problème de santé grave.

Gabriel posa son verre et se leva. Il marcha vers elle.

— Je crois que tu as du sang unseelie, et je crois qu'il est possible que tu sois une nécromancienne.

— Que dois-je faire de mon don ?

— Que veux-tu faire de ton don ? Tu as deux options, Aislinn. Tu peux rester ici, cacher ton habileté pour le reste de tes jours et tenter de la garder secrète. Tu pourras faire les boutiques, aller au bal et papoter sur les dernières rumeurs dans les couloirs. Ou tu peux prendre un risque, changer tout ce que tu connais et venir à la Cour Unseelie pour être libre, développer tes pouvoirs et trouver un sens à ta vie.

Être libre. Elle n'y avait jamais songé dans ces termes. Son expression traduisait probablement son ahurissement. Elle fallait de toute évidence qu'elle réfléchisse. Elle devait déterminer quels étaient ses objectifs et établir ses priorités. Elle devait également faire la paix avec les faussetés dont on l'avait gavée au sujet de la Tour Noire et des êtres qui y vivaient.

— Tu sais ce que je crois aussi? suggéra Gabriel d'une voix basse.

Il s'approcha d'elle et plaça derrière son oreille une mèche de cheveux tombée de sa coiffure.

— Je crois que tu es forte, intelligente et puissante. Je crois que tu es plus courageuse que tu ne le crois, et que tu prendras la décision qui te servira le mieux.

— J'espère que tu as raison.

— J'ai foi en toi, Aislinn. Si tu restes ici ou si tu choisis de partir, tout ira bien pour toi.

Il se pencha vers elle et l'embrassa. Cette fois, son baiser était doux, tendre; des qualités qu'elle n'avait jamais imaginées chez l'incube. Il fit glisser ses lèvres sur les siennes, et elle sentit les poils de sa nuque se soulever, de même que la chair de poule couvrir ses bras et ses jambes. Elle enroula les doigts dans le chandail de Gabriel, par-dessus ses larges épaules, et s'y accrocha comme si sa vie en dépendait.

Bon sang, ses baisers lui faisaient des choses que le toucher d'aucun homme ne lui avait jamais faites. Était-ce sa magie qui l'envoûtait? Elle croyait que non. Elle espérait que non. Elle avait d'abord cru être immunisée contre son pouvoir; c'est même ce qui lui avait déplu chez lui. Mais était-ce maintenant possible que ses pouvoirs naturels de séduction exercent leur effet sur elle ?

Oui, peut-être.

Peu importe, elle s'en fichait.

Gabriel interrompit leur baiser et posa son front sur celui d'Aislinn.

— Je te verrai demain, Aislinn. Tu seras là pour entendre le verdict de la reine, n'est-ce pas ?

Sa voix était grave et rugueuse.

— Bien sûr que je serai là. Je suis ta guide.

Elle passa la langue sur ses lèvres.

— Tu parles comme si tu t'apprêtais à partir.

Il s'écarta d'elle.

— Oui, je vais partir.

Les épaules de Gabriel se dérobèrent à ses doigts au moment où il recula, puis Aislinn sentit la chaleur s'éloigner avec lui. Soudainement, son appartement était légèrement plus froid et lui paraissait plus vide. Elle tendit la main pour lui toucher le bras au moment où il lui tourna le dos.

— Ne pars pas.

Il se retourna.

— Aislinn, je sais ce qui arrivera si je reste.

Un éclair traversa son regard, comme la foudre qui éclate.

— Ce ne serait pas correct. Plus je reste longtemps, plus je te veux. Je dois partir maintenant avant de faire quelque chose que je regretterai.

Une colère subite se diffusa dans les veines d'Aislinn.

— Que tu regretteras ? Tu regretterais de passer la nuit avec moi ?

— Pas dit de cette manière, non.

Il renversa la tête vers l'arrière et émit un grognement.

— Bons dieux, ce n'est pas ce que tu crois. Je le regretterais pour d'autres raisons.

Il hésita, puis plongea son regard dans le sien.

— Je regretterais de ne plus jamais pouvoir te toucher.

— Mais c'est pour cette raison que je veux que tu restes. Je sais que tu partiras demain, alors donne-moi au moins une nuit, Gabriel.

Il secoua la tête.

— Pas comme ça, Aislinn.

Sa voix était maintenant encore plus rauque.

— Ne me tente pas.

— Je ne comprends pas. Je croyais que tu voulais…

Il tendit les bras et l'attira contre lui.

— Aislinn, je ne peux pas. Je te désire, mais ce n'est pas une bonne idée. Pas maintenant.

À la sensation du corps de Gabriel pressé contre le sien, Aislinn eut le souffle coupé. Elle sentait bien qu'il était excité.

— Je ne comprends pas.

— Moi non plus.

Alors là, la colère lui chauffa la tête.

— Arrête d'être mystérieux et parle-moi.

— Peut-être que je te goûterai avant de partir, Aislinn, murmura-t-il. Juste pour prendre ta saveur et la garder sur ma langue. Quelque chose que je peux rapporter à la Tour Noire. Quelque chose que je peux garder avec moi un moment pour savourer mes souvenirs.

Toute sa colère la quitta d'un souffle, exactement comme sa capacité de penser et de parler. La manière dont il la regardait, l'intensité de ses mots, la voix basse avec laquelle il les prononçait… tout se combinait pour produire la chose la plus romantique et la plus aphrodisiaque qu'un homme lui ait jamais dit.

Il la fit reculer vers le canapé et l'embrassa de nouveau. Cette fois, ce n'était pas doux et ce n'était pas du tout tendre. Ce baiser rappelait à l'esprit la peau nue et les draps froissés, les corps unis dans la passion.

Les doigts de Gabriel glissèrent le long de son dos nu, jusqu'à la lisière de l'étoffe délimitant le haut de ses fesses.

— Tout ce à quoi je suis capable de penser depuis que j'ai acheté cette robe pour toi, c'est de te la retirer.

— Alors, vas-y, je ne m'en plaindrai pas, murmura-t-elle, sa main errant vers la cravate qu'il portait pour la desserrer.

Deux petits gestes subtils, et la robe tomba de ses épaules pour devenir une flaque rouge sang très coûteuse autour de ses pieds.

Elle portait la lingerie fine qu'il lui avait achetée.

Il recula un peu afin de pouvoir mieux l'admirer. Ses yeux parcoururent sa silhouette, brûlants, affamés.

— Tu es magnifique, murmura-t-il. Tu es la plus belle chose que j'aie jamais vue.

Elle leva un sourcil.

— Assez belle pour te convaincre de passer la nuit ?

Elle retira ses chaussures de joyeux coups de pieds, enjamba la robe, et l'étendit sur le bras d'un fauteuil tout près. Elle n'avait jamais possédé quoi que ce soit d'aussi splendide que cette robe. Elle était particulièrement précieuse à ses yeux, car c'était Gabriel qui la lui avait offerte.

Aislinn marcha ensuite vers lui, certaine qu'il adorait regarder son corps si peu couvert, puis elle lui retira sa cravate. Elle défit soigneusement les boutons de sa chemise et sortit les pans de son pantalon, tandis qu'il emmêlait ses doigts dans sa chevelure attachée, la libérant pour qu'elle tombe sur ses épaules.

Elle lui retira sa chemise en la faisant glisser le long de ses bras, et savoura pendant un moment la vue de son torse nu. C'était la beauté mâle dans toute sa splendeur pour n'importe quelle femme : fort et musclé, les épaules larges, des abdominaux bien taillés. Le genre de corps qui donne à une femme le sentiment d'être en sécurité. Lorsque Gabriel l'entoura de ses bras, Aislinn sentit qu'aucun danger ne pouvait l'atteindre. Tout en l'admirant, elle passa les paumes de ses mains sur ce torse puissant. La peau de Gabriel était chaude. Comme la soie recouvrant l'acier. Une fine couche de poils tapissait son torse et se rassemblait en une fine ligne décorant son abdomen et disparaissant sous la taille de son pantalon.

Aislinn avait vraiment envie de suivre cette trace.

Gabriel agrippa son déshabillé et serra la soie entre ses poings. Avec un grognement vorace, il l'attira vers lui, la colla contre tout cet incroyable torse mâle, puis tira lentement le tissu vers le haut. La soie ondula sur la peau d'Aislinn, montant peu à peu, de plus en plus haut. La caresse de l'étoffe, combinée au regard de Gabriel, faisait réagir son corps. Ses mamelons se durcirent et son sexe s'échauffa. Le simple geste de la déshabiller était comme des préliminaires. Enfin, il fit glisser la soie encore plus haut, par-dessus sa tête, et laissa tomber le vêtement sur le plancher. Elle était debout devant lui, avec pour seuls vêtements l'air et la lumière.

Gabriel émit un gémissement rauque, à la fois admiratif et tourmenté, et posa les lèvres sur les siennes, la poussant vers l'arrière pour la faire basculer sur le canapé. Il s'agenouilla ensuite entre ses cuisses, lui caressant les seins d'une main tout en lui écartant les lèvres de sa langue, qu'il enfonça dans sa bouche comme un poignard velouté. Les mamelons d'Aislinn se dressèrent sous les larges paumes qui les touchaient, et Gabriel les cajola, explorant chaque crête et vallée de ses mains de maître.

Elle remua sur le canapé, le plaisir parcourant son corps pour venir s'attarder entre ses cuisses, comme une soif urgente à étancher. Elle gémit contre la bouche de Gabriel, et il se redressa à demi pour lui soutenir la nuque d'une main et plonger l'autre plus bas, la laissant doucement traîner sur le ventre d'Aislinn, jusqu'entre ses cuisses, là où elle voulait tant qu'il la touche. Il trouva tous les endroits secrets et sensibles de son anatomie et les caressa si habilement qu'elle eut du mal à se retenir de ronronner comme un chat.

Il trouva son clitoris gorgé de sang et le titilla jusqu'à ce que le bouton rose gonfle sous son pouce. Il baissa la tête, et sa bouche chaude et mouillée se referma sur un mamelon, puis sur l'autre. Il leur donna autant d'attention à l'un qu'à l'autre, et les lécha jusqu'à ce qu'ils deviennent durs et roses. Aislinn n'était plus que désir passionné et soif de lui.

Ses mains vagabondaient sur les épaules et le dos de Gabriel, mais, chaque fois qu'elle essayait de défaire son pantalon, il l'arrêtait. Elle poussa finalement un soupir de mécontentement, auquel il répondit d'un *shhh* pour la faire taire. Il la tira brusquement vers lui, de sorte que ses fesses retombent sur le bord du canapé, puis la recouvrit de son corps puissant. Il posa sa bouche sur la sienne et glissa à nouveau une main entre ses cuisses. Du coup, elle oublia ce qui l'avait frustrée un instant plus tôt.

Il l'embrassa avec force, en imitant de sa langue le mouvement de va-et-vient de ses doigts enfoncés dans son sexe. Au rythme de son mouvement, le tissu du pantalon lui râpait l'intérieur des jambes, lui rappelant que Gabriel était toujours à moitié vêtu.

— Vas-y, murmura-t-il contre ses lèvres, ses doigts s'enfonçant assidûment en elle. Jouis pour moi ma belle. Je veux t'entendre crier.

Il trouva son point G, profondément enfoui dans son sexe, et le pétrit.

Le plaisir s'éleva en elle et s'intensifia avec la force d'une locomotive qui fonce à toute allure vers sa destination. Il savait exactement comment et où la toucher, quelle pression appliquer, comment la caresser. Il voulait la faire jouir, c'était assez clair. Il voulait que ce soit rapide et fort.

L'orgasme éclata en elle avec une puissance qu'elle ne se souvenait pas d'avoir jamais connue. Il déferla comme une vague, inondant chaque parcelle de son être et de son esprit, alors que ses orteils se tordaient et que son sexe se contractait sur les doigts de Gabriel. Elle arqua le dos et laissa échapper un cri de plaisir. Elle ne pouvait rien faire, ne pouvait penser à rien. Elle pouvait seulement *ressentir* et s'accrocher solidement à cette sensation qui ne semblait pas vouloir la quitter.

— Oui, c'est ça, ma belle. Bonne fille, susurra-t-il.

Le cou d'Aislinn se cambra sous l'effet des vagues de plaisir se déchaînant d'un bout à l'autre de son corps, et sa tête heurta le canapé en dessous. Gabriel en profita pour lui mordiller délicatement la gorge et les seins, et lui chuchoter de vilaines choses, doucement, de manière presque inaudible, tout en malaxant son sexe pour prolonger son orgasme aussi longtemps que possible.

Le plaisir s'estompa, et Aislinn retomba lourdement sur le canapé, écrasée par l'orgasme qui venait de la submerger.

— Grands dieux, souffla-t-elle.

Elle tendit les bras vers lui, désirant plus, le désirant lui, nu, son corps contre le sien, soudé au sien. Mais Gabriel se redressa et la cueillit dans ses bras, pour ensuite la soulever et la déposer sur la douceur du tapis. Puis il posa un baiser sur sa tempe.

— Gabriel...

Elle se sentait si détendue, à présent, toute la tension avait été vidée de son corps par la caresse de ses mains. Ses membres lui semblaient aussi souples et légers que la soie qu'elle avait portée dans la soirée.

— Shhh, regarde, Aislinn, dit-il en pointant la fenêtre.

Les étoiles étaient particulièrement brillantes, cette nuit-là.

— La Chasse sauvage va bientôt s'envoler.

Elle se blottit contre lui, se délectant de la douceur et de l'odeur de sa peau et de la sensation de bien-être qui venait après l'orgasme. C'était si bon de sentir le corps de Gabriel contre le sien, même s'il était toujours partiellement habillé. Le son de sa respiration la calmait et la force de son corps lui procurait un sentiment de sécurité.

Elle sombra bientôt dans le sommeil. Lorsqu'elle se réveilla, elle était dans son lit, couverte de ses draps et de sa couette moelleuse. Sa robe et son déshabilléavaient été soigneusement étendus sur le dossier d'une chaise de sa chambre, aux pieds de laquelle reposaient ses chaussures.

Gabriel n'était nulle part en vue. Si le corps d'Aislinn n'avait pas encore ressenti le délicieux frisson laissé par leur rencontre, elle aurait cru avoir tout rêvé.

DIX

Gabriel baissa la tête en signe de respect.

— Merci de votre gracieuse invitation, reine Caoilainn, mais je dois la décliner. La Cour Seelie ne me convient pas et j'ai l'intention de retourner à la Tour Noire.

Il parlait d'un ton insouciant. Ne voyait-il pas le danger dans lequel il se jetait?

Aislinn crut pendant un moment que la tête de la reine Été allait exploser. Sa Majesté fixa Gabriel du regard, son visage virant au rouge et ses yeux luisants semblant vouloir sortir de leur orbite. Ses doigts se serrèrent sur les têtes des dragons décorant les appuie-bras en quartz rosede son trône. Le tatouage doré et argenté du jonc qui lui procurait le pouvoir revenant au monarque Seelie, s'illumina un instant. Son corps en entier, malgré son apparence gracile, parut vibrer de rage. La salle du trône se remplit de la force de son émotion, et un sifflement retentit dans les oreilles d'Aislinn.

— Vous osez nous rejeter, ma cour et moi ? beugla la reine.

Même les centaines de gardes, alignés le long des murs, sursautèrent sous l'éclat de sa voix. Le bruit de leurs armures s'entrechoquant résonna à la suite de leur sursaut.

— *Vous*, Unseelie dégénéré, vous devriez plutôt me baiser les pieds pour vous avoir laissé entrer dans la Tour Rose. *Gardes !*

Les gardes Impériaux bougèrenttous en même temps, leurs bottes claquantsur le plancher de marbre. Chaque poil de la nuque d'Aislinn se raidit sous l'effet de ce martèlement horrifiant. Ils avaient tous la main sur leur sabre. Des images du corps sans tête de Gabriel s'effondrant par terre, une mare de sang coulant de son cou, assaillirent son imagination. Ce ne serait pas la première fois qu'Aislinn verrait ce genre de scène. C'était toujours horrible, mais ce serait insoutenable s'il s'agissait de Gabriel.

— Non !

Le mot avait jailli de sa gorge avant qu'elle ne puisse l'arrêter.

— Non, je vous en prie, laissez-le simplement partir.

Le regard de la reine Été se jeta sur Aislinn comme une chouette qui vient de découvrir une souris juteuse dans le champ.

— M'avez-vous dit *non* ? À moi, Caoilainn Elspeth Muirgheal ? Vous attendez-vous à ce que je vous obéisse, mademoiselle Finvarra ?

L'estomac d'Aislinn sembla soudainement rempli d'une gélatine froide.

— Si vous lui faites du mal, je quitterai la Tour Rose pour toujours.

Ce n'était qu'un semblant de menace, mais c'était la seule qu'elle pouvait faire.

La reine poussa un rire ; un éclat de voix aux notes aussi fausses que forcées.

— Est-ce censé m'effrayer ? Pourquoi me soucierais-je d'où vous allez, Aislinn ?

En effet ; la reine se fichait bien de savoir où ses sujets allaient, car ils n'étaient, à ses yeux, que de simples marionnettes. Elle avait toujours veillé à ce que son peuple ne développe pas sa magie. Par conséquent, il lui était en réalité tout à fait inutile. Il était ici uniquement pour peupler l'édifice, la vénérer et maintenir la tradition mythique et historique de la grande Cour Seelie. Aislinn le réalisait maintenant mieux que jamais. Peut-être l'avait-elle toujours su inconsciemment, mais il avait fallu que Gabriel lui ouvre les yeux. La vérité avait un goût amer et lui tournait à présent l'estomac à l'envers.

— Qu'est-ce qui m'arrêterait de vous empêcher, l'un ou l'autre, de quitter cette pièce ? En vie, je veux dire, continua la reine, en s'adressant à Gabriel.

La voix de Gabriel s'éleva, grave et nette, entre les murs de la salle de trône :

— Si vous nous faites du mal, à Aislinn ou à moi, vous aurez une guerre sur les bras. Le roi des Ténèbres nous a réclamés tous les deux.

Aislinn tressaillit et tourna la tête vers Gabriel, prise de panique. Il ne lui avait jamais rien dit de tel ! Il avait suggéré que le roi des Ténèbres l'accueillerait sans problème, mais il n'avait jamais dévoilé que le souverain Unseelie la *réclamait*. Il ne lui avait même jamais dit avoir parlé à son roi en son nom.

Lui avait-il parlé de son sang unseelie ? De son habileté ? Était-ce la raison pour laquelle il était parti la nuit précédente ? Était-ce pour cette raison qu'il n'avait pas voulu lui faire l'amour ? Y avait-il un lien quelconque entre son refus et ce qu'il venait d'affirmer ?

Peut-être croyait-il que la reine Été avait vraiment l'intention de faire du mal à Aislinn, et bluffait-il pour la sortir de cette situation. Dans un cas comme dans l'autre, le résultat serait le même : elle devrait quitter la Tour Rose. Bien qu'Aislinn ait envisagé cette éventualité, elle ne voulait pas être forcée de prendre une telle décision. Pas de cette manière, en tout cas.

Bons dieux.

Pendant un instant, toutes ses pensées quittèrent son esprit. Il n'était plus qu'une page blanche, vide : *tabula rasa*. Elle cligna bêtement des yeux, essayant de mesurer la taille du changement que sa vie venait de subir et se demanda si elle allait changer pour le mieux… ou pour le pire. Que serait-il bientôt inscrit sur cette page vierge ?

Gabriel prit la parole de nouveau.

— Nous appartenons tous les deux au roi des Ténèbres. Si vous nous faites du tort, ce sera à vos risques et périls.

La reine les regarda durement tous les deux, les yeux mi-clos, les jointures maintenant blanches, tant elle serrait les appuie-bras. Les gardes avaient arrêté de bouger au moment où Aislinn avait crié «non», après quoi la reine lui avait accordé son attention. Mais leurs mains étaient toujours refermées sur la poignée de leur sabre. La gelée froide dans l'estomac d'Aislinn remua et lui donna la nausée.

— Le roi des Ténèbres ne peut avoir Aislinn Christiana Guenièvre Finvarra. Elle m'appartient ! hurla la reine en perdant complètement son sang-froid.

Aislinn tressauta en entendant la revendication de Caoilainn. Un instant plus tôt, Sa Majesté avait exprimé son indifférence par rapport à l'éventuel départ d'Aislinn, puis l'avait menacée de la tuer. Ah. La logique trancha sa panique confuse. La reine la réclamait dans le seul but de contrarier le roi des Ténèbres. Aislinn n'était qu'un pion dans leurs éternelles querelles.

La chef seelie pointa l'index vers Gabriel.

— Vous ! Partez de la Tour Rose avant que je décide qu'une guerre ne ferait que m'amuser. Gardes, faites-les sortir. Veillez à ce qu'Aislinn Christiana Guenièvre Finvarra retourne à ses appartements, et à ce que l'incube unseelie quitte la tour.

Cinq gardes vêtus de rose et de doré les menèrent à l'extérieur de la salle du trône, leurs armures cliquetant au rythme de leurs pas.

Le couloir était envahi par les curieux, y compris l'équipe de tournage de *Faelébrités*, mais Aislinn les ignora. Elle saisit la main de Gabriel, alors que les gardes les pressaient de traverser le couloir parmi les regards curieux et le bourdonnement des commérages.

— Le roi des Ténèbres sait-il vraiment qui je suis ? demanda-t-elle.

Gabriel tourna la tête pour jeter un coup d'œil furtif sur les gardes, puis répondit d'une voix étouffée :

— Viens à la Tour Noire. Pas maintenant, mais plus tard, lorsque tu le pourras. Retrouve-moi là-bas.

Elle avala difficilement sa salive et balaya du regard les murs qui l'entouraient. Elle avait passé toute sa vie dans cet endroit, et il renfermait tous ces gens avec qui elle avait grandi, toutes ces odeurs et ces textures, ainsi que tous ces bruits familiers.

— C'est une grosse décision à prendre.

— C'est la *bonne* décision à prendre.

— Gabriel, je ne sais pas. Je ne peux pas partir sur un coup de tête.

— Oui, tu peux. N'aie pas peur.

Il l'attira par l'avant-bras tout en marchant, et l'embrassa. Puis il enfouit le nez dans ses cheveux et inspira, comme s'il essayait de se remplir de son odeur pour l'emporter avec lui.

— Tu sais où me trouver. Tu ne seras pas seule.

Il baissa la tête pour lui donner un dernier long baiser. Il tourna ensuite les talons et s'éloigna dans le couloir avec les gardes derrière lui… sortant de la vie d'Aislinn pour toujours. La tristesse gonfla dans sa poitrine, tandis qu'elle le regardait disparaître de son champ de vision.

Autour d'elle, les Seelie qui les avaient suivis le long du couloir murmuraient. La commentatrice de *Faelébrités* lui brandit un micro au visage et lui posa une question qu'elle n'entendit pas vraiment, car ses oreilles bourdonnaient. Elle avança en poussant le micro de côté, laissant la foule derrière elle pour monter à son appartement aussi vite qu'elle le put, les larmes brouillant sa vision.

Elle se sentit vide et froide. Elle avait perdu quelque chose d'important, quelque chose d'unique et de spécial qu'elle ne retrouverait jamais et dont elle se souviendrait toujours. Peut-être était-ce la chance d'explorer sa propre magie.

Peut-être était-ce Gabriel.

Gabriel traversa la Place Piefferburg en plein jour, sans subterfuge, pour la première fois depuis une semaine. Il n'avait pas réussi à emmener Aislinn à la Cour Unseelie et devait maintenant faire face au courroux du roi des Ténèbres.

Ce n'était pourtant pas pour cette raison qu'un glaçon se formait au centre de sa poitrine. Ce glaçon, c'était la perte d'Aislinn. Tout d'elle lui manquerait : son odeur, sa présence, le son de sa voix et la douceur de sa peau.

Il l'avait vu dans ses yeux : elle ne viendrait pas à la Noire. Le roi des Ténèbres serait furieux d'apprendre qu'il n'avait pas utilisé sa magie sexuelle pour l'enchanter et la posséder. L'incube aurait pu le faire lorsqu'Aislinn s'était rapprochée de lui. La nuit précédente avait été l'occasion parfaite. Il aurait pu l'ensorceler grâce à un obscur sort de désir, si fort qu'elle l'aurait suivi n'importe où. L'idée lui avait effleuré l'esprit, mais il n'avait pas été capable de passer à l'acte.

Depuis qu'il avait rencontréAislinn, il avait acquis une conscience beaucoup trop embêtante.

Il la respectait profondément. Aussi, il n'avait pas eu la force de lui voler son choix. Il n'avait pas été capable de la manipuler à son gré, même si ne pas le faire signifiait mettre sa propre vie en danger.

Au bout du compte, c'était mieux ainsi.

Il subirait les foudres du souverain Unseelie, mais il avait bien agi auprès d'Aislinn. C'était tout ce qui comptait.

La seule chose de triste dans cette histoire, c'était qu'Aislinn n'avait pas bien agi envers elle-même, en se gardant de prendre un risque.

Un vent froid ouvrit la veste de Gabriel, le glaçant jusqu'à la moelle. Il la referma, remonta son col et passa devant la statue de Jules Piefferburg, aujourd'hui tachée de fruits pourris. Un dernier coup d'œil vers la Tour Rose lui offrit la silhouette d'Aislinn derrière sa fenêtre, le regardant partir. Seule. Elle était destinée à passer sa vie seule.

Il détourna résolument le regard et fonça droit devant, en direction de la Tour Noire. Il repoussa le souvenir d'Aislinn et tenta de reformer son armure. Un mystérieux sortilège l'avait touché dans la Tour Rose, le rendant faible et vulnérable. Il ne pouvait s'exposer ainsi aux Unseelie ; ils sentiraient sa fragilité et l'exploiteraient.

Pendantquelques jours, Aislinn l'avait transformé en l'homme qu'il aurait pu être si sa mère n'avait pas péri lorsqu'il était petit ; s'il n'avait pas été abandonné dans les rues de la ville de Piefferburg naissante ; si son père n'avait pas été l'homme qu'il était.

Si.

Mais maintenant qu'Aislinn était sortie de sa vie, tout ce passé retombait sur lui comme une vague se brisant sur un rocher. Il l'accepta. Il en avait besoin. Il avait besoin de la force que ses expériences lui avaient apportée, du caractère impitoyable qu'il avait dû bâtir. Il aurait besoin de toute cette force pour avouer au roi des Ténèbres qu'il avait échoué.

Bella tenta de l'attraper dès qu'il se faufila à l'intérieur de la Tour Noire, mais il agita la main comme pour lui dire de le laisser tranquille. Niall Quinn, le frère de Ronan, l'observait depuis un coin du grand hall d'entrée, un sourire entendu plaqué sur le visage. Aeric posa un seul regard sur la mine lugubre de Gabriel et se recula immédiatement.

Hinkley s'empressa de l'aborder :

— Le roi des Ténèbres exige votre présence sans tarder.

— Oui, je l'aurais deviné, répondit l'incube d'une voix traînante.

— Il est d'une humeur épouvantable.

Gabriel emprunta le couloir menant à la chambre de son roi, Hinkley sur les talons.

— Il n'est pas le seul.

Le roi était *vraiment* de mauvais poil, ce qui n'augurait rien de bon pour Gabriel.

Il était assis à son bureau, un énorme meuble en chêne aux pattes gravées d'images de satyres. Le roi des Ténèbres ne siégeait pas sur un trône entouré de centaines de gardes décorés de rose et de doré, comme le faisait la reine Été, mais il n'en était pas moins imposant. Sa réputation ne laissait personne indifférent.

La reine Été n'était pas la seule à avoir crié «Qu'on lui coupe la tête!» de temps à autre.

Barthe rôdait dans un coin, près du bâton de combat de son maître, que ce dernier avait posé contre le mur. Deux gobelins montaient la garde dans l'autre coin. Ils étaient beaucoup plus redoutables qu'un joli Tuatha Dé Seelie armé d'un sabre. Alors qu'un garde Tuatha Dé Seelie vous décapiterait, un gobelin vous digérerait. Ni l'une ni l'autre de ces morts ne faisaient envie à Gabriel, mais quelque chose lui disait qu'il aurait risqué les deux d'ici la fin de la journée.

— Où est-elle? gronda le roi en se levant derrière son bureau.

Sa chevelure multicolore était retenue sur sa nuque ce jour-là, les pointes rouges touchant le milieu de son dos. L'ossature de son visage était dégagée,ce qui mettait en évidence ses traits durs. Le tatouage du médaillon enfoncé sous sa peau était visible par l'ouverture du col de sa chemise.

— Je n'ai pas réussi à attirer Aislinn Christiana Guenièvre Finvarra vers la Noire, mon seigneur.

Il n'y aurait pas d'échange détendu cette fois, et Gabriel ne pourrait pas se vautrer dans un fauteuil, les pieds posés sur le bureau. Il devait faire preuve de respect envers son roi, car il lui apportait une grande déception.

Le roi des Ténèbres garda le silence un instant, et la température de la pièce s'abaissa de plusieurs degrés. On ne l'appelait pas « Ténèbres » sans raison. Cette chute de température annonçait dangereusement sa colère.

— Comment est-ce possible que vous ayez échoué, Gabriel ? Aidez-moi à comprendre.

— Elle était immunisée contre mes charmes, mon seigneur.

Inutile de lui dire qu'à un certain moment, elle avait faibli, mais qu'il n'avait simplement pas voulu la manipuler.

— J'ai obtenu un renseignement secret à son sujet et j'ai tenté de l'utiliser à mon avantage, en essayant de la convaincre qu'elle améliorerait sa vie si elle développait sa magie noire, mais —

— Magie noire ? Elle sait qu'elle a un don ?

Le roi pâlit et se figea.

Gabriel fronça les sourcils, ignorant en quoi ce fait était un problème.

— Elle m'a dit être en contact avec des âmes qui sont sur le point de partir, et elle croit qu'elle en a accidentellement fait venir une vers elle, une fois. Elle croit qu'elle pourrait être une nécromancienne, mais rien ne me confirme cette possibilité. Elle désire développer son habileté, donc je l'ai encouragée à venir ici si elle le pouvait. Puisque mon pouvoir d'incube n'opérait pas sur elle, j'ai utilisé cette stratégie. J'ai échoué.

Le roi tourna le dos à Gabriel, et son corps se tendit.

— J'ai besoin qu'elle soit ici, Gabriel. Sa présence m'est essentielle pour conserver mon trône. Ce n'est pas qu'un petit jeu ridicule auquel je joue avec la reine Été. Aislinn *est* une nécromancienne. C'est une question de vie ou de mort pour moi.

Sa voix dégageait une note lugubre qui rendit Gabriel nerveux, pas pour lui-même… mais pour Aislinn.

— Que voulez-vous dire ?

— Ce que je veux dire, c'est que cette femme doit venir ici de plein gré pour que je puisse assurer ma place sur le trône. Il est vital qu'on me la livre. Encore plus maintenant qu'elle a conscience de ce qu'elle est.

Le roi des Ténèbres se retourna.

— Si vous ne pouvez me l'amener, je trouverai quelqu'un d'autre qui en sera capable.

Ses mots étaient sinistres, et le ton sur lequel il les avait prononcés, encore plus funèbre.

— Qu'elle vienne de plein gré… ou non.

La peur explosa en Gabriel et se manifesta par une grande colère. Il craignait pour Aislinn, mais était soudainement soulagé d'avoir failli à la tâche. Soulagé de la savoir en sécurité derrière ses murs de quartz rose.

Le roi continua :

— Si elle ne vient pas vers moi volontairement, je risquerai simplement une guerre contre la reine Été et je forcerai Aislinn à quitter sa tour. J'utiliserai l'armée de gobelins s'il le faut.

Gabriel fit un pas menaçant vers son roi et rugit :

— Que lui voulez-vous ?

Les deux gobelins se raidirent devant l'agressivité de Gabriel et Barthe émit un grognement. Personne ne parlait au roi des Ténèbres de cette manière, pas même Gabriel.

Le monarque unseelie l'examina d'un regard perçant.

— Vous seriez-vous entiché d'elle, incube ? gronda-t-il. Manifestement, vous êtes devenu un obstacle à mon projet, plutôt qu'un appui.

Il secoua la tête en signe de réprobation.

— Je suis déçu de vous, Gabriel.

L'incube fit un autre pas vers son seigneur, posa les mains sur le bureau de chêne et se pencha vers l'avant.

— Vous comptez lui faire du mal, n'est-ce pas ?

Le roi des Ténèbres fit claquer son poignet à l'intention de Barthe et des gobelins.

— Je sais que vous allez contrecarrer mon plan.

Les gobelins gris filiformes flanquèrent Gabriel, grognant et montrant les dents. Barthe arriva derrière lui.

— Je croyais que *vous*, entre tous les hommes, ne vous laisseriez pas envoûter par ses charmes.

Il agita la tête de gauche à droite.

— Quel dommage.

Gabriel s'écarta des gobelins à reculons, mais ceux-ci l'arrêtèrent de leur prise infrangible en une fraction de seconde, leurs griffes s'enfonçant dans sa chair. Il lutta contre eux, et les créatures resserrèrent leur prise, lui infligeant ainsi une douleur lancinante le long des bras. Encore un peu et ils lui casseraient les os en deux. Ce qui ne serait pas difficile pour les gobelins ; ils étaient grands et minces, mais forts comme des bœufs.

— Levez la main sur elle et je jure devant les dieux que je…

— Que ferez-vous, joli garçon ? se moqua le roi. Vous n'êtes pas en position de faire des menaces, incube. Votre magie ne vous sert à rien d'autre que baiser.

Erreur. Il était le seigneur de la Chasse sauvage. Il avait plus de pouvoir que n'importe quel fae de la Cour Unseelie, sauf s'il y avait eu une nécromancienne. Il avait le pouvoir de faire venir les sluagh, l'armée de morts non pardonnés… il ne lui manquait que l'habileté de les diriger. Alors qu'Aislinn en était capable. *Dieux.*

Tout s'éclaira dans son esprit.

Danu, mais qu'est-ce qu'il avait fait ?

— Vous avez tué votre mère, n'est-ce pas ? cria Gabriel. Ce n'est pas son compagnon qui l'a assassinée. C'est son fils ! Vous avez tué votre propre mère dans son lit pour accéder au trône unseelie, avant de faire passer le seigneur de la Chasse sauvage pour le coupable et de l'exécuter.

Le roi des Ténèbres ignora son accusation.

— Emmenez-le ; retenez-le avec du fer enchanté jusqu'à ce que ce soit terminé. Je ne veux pas vous perdre, Gabriel. Je vous veux simplement hors de mon chemin pendant quelque temps. Vous finirez par comprendre que ce que je fais est pour le mieux.

Barthe l'amena vers la porte avec l'aide des gobelins. Gabriel se débattit aussi fort qu'il le put, tous les muscles de son corps se tendant vers l'avant, vers le roi des Ténèbres. Gabriel voulait lui arracher la tête.

— Si vous faites du mal à Aislinn, rugit Gabriel en combattant de toutes ses forces, je trouverai le moyen de vous démolir. Si vous...

— Oh, Gabriel. Arrêtez. Je *vais* lui faire du mal, dit le roi des Ténèbres en souriant, révélant des dents blanches et tranchantes.

— Mais juste un peu.

Gabriel s'arracha de la prise des gobelins et réussit à leur porter un coup. En pivotant de l'autre côté, il frappa de nouveau. Les deux gobelins titubèrent vers l'arrière en poussant un cri strident.

Barthe empoigna Gabriel par les épaules en rugissant de colère et lui administra un coup de tête. La douleur explosa dans la tête de l'incube, suivie de la noirceur totale.

ONZE

Aislinn était assise sur son lit, les couvertures enroulées autour des chevilles et les bras croisés sur les genoux. La robe Valentino était suspendue à un cintre près de sa penderie. La pluie battait contre la fenêtre de sa chambre, tombant de nuages aussi sombres que son humeur. Une semaine s'était écoulée depuis le départ de Gabriel, et le sentiment de perte profonde qu'elle ressentait ne s'était pas le moindrement dissipé.

La reine se montrait particulièrement froide envers sa sujette rebelle. Aislinn s'attendait à subir ce traitement pendant les cinquante prochaines années, minimum. Tous les Seelie avaient un commentaire à faire à son sujet, surtout Kendal. Ils croyaient tous qu'elle et Gabriel avaient été amants.

Et puis après ? Elle voulait se souvenir de Gabriel comme d'un amant.

Toute la cour avançait que l'incube l'avait utilisée, puis abandonnée, exactement comme Kendal. Deux semaines

plus tôt, les rumeurs l'auraient dérangée, mais plus maintenant. Elle avait maintenant des problèmes bien plus importants à régler.

Même si elle n'avait pas couché avec Gabriel, Aislinn
n'avait jamais connu un homme qui lui faisait un tel effet.
Elle n'avait jamais connu un homme qui puisse lui manquer
à ce point.

Elle regarda par la fenêtre tout en jouant avec le pendentif en saphir de Bella. Si elle n'était pas si lâche, elle se
lèverait sans tarder et partirait. Elle quitterait cet endroit
sans regarder en arrière et recommencerait sa vie ailleurs,
là où on l'accepterait, là où elle pourrait développer sa magie
et exprimer sa vraie nature. Elle pourrait apprendre à utiliser ses pouvoirs noirs. Elle pourrait être avec Bella et
Ronan.

Elle pourrait être avec Gabriel.

Qu'y avait-il de si terrible à quitter ce qu'elle connaissait
depuis toujours ?

Il était temps de déployer ses ailes, de découvrir autre
chose, non ?

Le moment était venu de laisser sa peur derrière elle et
d'emprunter de nouveaux chemins.

Oui, il était temps.

Qu'y avait-il ici pour elle de toute façon ? Sa mère, l'une
des personnes les plus froides qu'elle ait connues ; une
femme qui ne se souciait réellement que d'une seule chose :
l'ascension de sa fille au sein de la cour. Comme la popula-
rité d'Aislinn au sein de la cour était officiellement sur une
pente descendante en ce moment, sa mère se moquait probablement de la savoir morte ou vivante. Il y avait bien
Carina, mais Aislinn avait toujours été beaucoup plus

proche de Bella. Carina lui manquerait, bien sûr, mais leur amitié était plutôt superficielle, nourrie par le magasinage et les commérages.

Elle sentit un grand vide l'envahir. Dieux que son père lui manquait. Ses pensées vagabondèrent jusqu'au livre dans le coffre. Elle brûlait d'envie de le sortir, de prononcer les mots, de l'appeler.

Mais c'était un désir égoïste. Elle ne devait pas y penser. Son père était… là où il était, et elle ne devait pas le faire venir à elle. Il était là où il était censé être, occupé à faire ce que les âmes devaient faire dans le Monde des Ténèbres. Ce ne serait pas correct de le faire venir.

Ou peut-être que ce serait correct ?

Ce qui était le plus frustrant, c'était qu'elle ne connaissait tout simplement pas la réponse et qu'elle n'avait personne à qui poser la question. Personne à la Rose à qui se confier. Dans cette tour, elle ne pourrait jamais être la personne qu'elle était censée être. Elle ne réaliserait jamais pleinement son potentiel magique, et elle ne trouverait jamais un plus grand sens à sa vie. Elle serait toujours différente.

Dans la Noire, elle trouverait peut-être sa place.

Jamais cette pensée ne lui avait traversé l'esprit avant sa rencontre avec Gabriel. Il avait complètement changé sa vie.

Elle ne prit donc que peu de temps à aboutir à la décision avec laquelle elle avait jonglé toute la semaine. Malgré tout, même en sachant au fond d'elle-même qu'elle allait finir par partir, cette décision lui semblait impulsive. Téméraire.

Le vide dans son cœur laissa place à une boule de plomb, et elle mit quelques affaires dans un sac. Son argent était dans un compte bancaire à Piefferburg. Elle en disposerait

toujours et pourrait s'acheter de nouveaux articles et vêtements, une fois réinstallée. Elle ne prit donc que les objets
précieux et ceux qui avaient pour elle une valeur sentimen-
tale. Des bijoux, la robe et le déshabillé offerts par Gabriel,
des photos et le livre.

Elle rédigea un mot à Carina, dans l'intention de le
glisser sous sa porte avant de partir. Inutile de donner aux
gens une raison de s'inquiéter. De plus, malgré son mécontentement actuel envers Aislinn, la reine Été ne s'insurge-
rait pas contre la Cour Unseelie parce que sa sujette défiait
sa volonté en la quittant pour la Noire. Le message destiné à
Carina n'était qu'une façon détournée de rassurer la reine :
Aislinn désirait qu'elle sache qu'on ne l'avait pas enlevée.
Personne n'avait besoin d'une guerre de fae.

Après avoir posé un dernier long regard sur son
ancienne vie, Aislinn referma la porte de son appartement
et marcha le long du couloir, en route vers une nouvelle
existence.

Gideon se concentrait sur une petite zone du mur de garde
invisible qui encerclait Piefferburg. Un tout petit morceau,
pas assez grand pour qu'aucun Phaendir ne puisse le remarquer. Collectivement, les Phaendir maintenaient en place ce
filet de garde magique dans une partie obscure de leur subconscient, comme un essaim spirituel. Le filet, une étendue
uniforme et sans couture, constituait la barrière emprison-
nant les fae. Depuis la création de Piefferburg, leur pouvoir,
transmis de père en fils, s'était révélé infaillible.

Jamais un enfant de sexe féminin n'était né d'un accou-
plement entre un Phaendir et une humaine ou une fae
femme, et ce, depuis l'apparition des druides sur la surface

de la Terre. Pas de malheureux mélange de gènes ou de sang impur, non plus. Le sang phaendir coulait, unique et fort, éclipsant l'ADN faible des humains et des fae.

C'est ce qui avait été décrété par le seul et véritable Dieu, Labrai ; un symbole parmi tant d'autres confirmant que le Phaendir était le peuple spécial. Le peuple choisi.

Les seules exceptions, c'était les deux garçons qui avaient été engendrés par un Phaendir et une fae de la nature : Ronan et Niall Quinn. Personne ne savait pourquoi ces deux hommes incarnaient un mélange si curieux de fae et de druide. Aucun Phaendir ne voulait examiner ce phénomène de trop près. Ils détestaient que les deux mages possèdent certaines habiletés dépassant les pouvoirs caractéristiques des Phaendir. Ces habiletés ne les rendaient-elles pas supérieurs aux druides, d'une certaine façon ?

Gideon était le seul qui désirait examiner la chose de plus près. D'un peu trop près. S'il n'en tenait qu'à lui, il les tuerait tous les deux pour mettre fin à cette lignée génétique corrompue, avant que l'un ou l'autre n'ait l'occasion de procréer.

Il se pencha pour considérer son travail. Oui, une petite déchirure savamment réparée passerait inaperçue. Du moins, c'était ce qu'il espérait. Gideon savait qu'il prenait un risque, mais aux grands maux les grands remèdes. L'espace était suffisamment large pour laisser passer un homme. Un homme à la fois. Si les choses allaient de mal en pis, et il fallait s'y attendre, il enverrait plus d'un homme chercher le livre.

Mais il n'irait pas lui-même.

Il n'entrerait jamais dans Piefferburg ; il enverrait plutôt ses fidèles frères. Des hommes en qui il pouvait avoir confiance et qui lui étaient loyaux. Des hommes qui soutenaient le Droit chemin, c'est-à-dire *sa* vision de l'avenir du Phaendir. Des hommes qui croyaient aussi que frère Maddoc gâtait les fae en rendant leur existence beaucoup trop confortable. Des hommes qui croyaient, tout comme lui, que les fae ne devraient tout simplement pas *exister*, confortablement ou non.

Gideon savait qu'il enverrait peut-être ses frères vers leur mort. N'importe quel Phaendir découvert sur le territoire de Piefferburg serait démembré et éventuellement digéré, s'ils se trouvaient un ou plusieurs gobelins dans les environs. Mais le jeu en valait la chandelle. Pour prendre les rênes du Phaendir, Gideon devait faire passer Maddoc pour un incompétent. Or, trouver le Livre de l'union avant son directeur ferait parfaitement l'affaire. Gideon prendrait la place de Maddoc, instituerait le Droit chemin, et récolterait même la fille, Emily.

Il balaya du regard le mur de garde, du bas vers le haut, puis en sens inverse, en usant de son second sens de la vue pour détecter ce qui se trouvait de l'autre côté, derrière la zone de brouillard. Cette région des Terres frontalières de Piefferburg était pratiquement inhabitée. À quelques lieux s'allongeaient des cours d'eau saumâtres tranquilles où vivaient des fae de l'eau.

Gideon ressentit le pouvoir tirer sur son corps, tandis qu'il recousait le dernier morceau du trou, assez lâchement en prévision d'une utilisation future. À l'aide de quelques mots prononcés en vieux maejian, il brisa d'un coup les bouts de fil dépassant du nœud, puis il recula.

Si les druides placés sous son autorité lui obéissaient, il n'aurait pas à l'utiliser. Dans le cas contraire, il était certain de s'en sortir vainqueur.

Labrai l'aimait plus que tous ses pairs. Il l'aiderait à mener son projet à bien.

Ce fut lorsqu'elle dépassa la statue de Piefferburg, dans cet entre-deux de la place publique, que les choses commencèrent à s'assombrir. Ses pas chancelèrent légèrement sur le pavé après qu'elle eut passé ce repère. Elle avait peut-être jeté un regard en arrière une fois ou deux, se maudissant de ne pas être plus forte ou plus courageuse. Elle ne s'était pourtant pas arrêtée, pas même lorsqu'elle avait croisé un groupe de fae noirs, une bande de créatures métissées d'apparence presque humaine qui l'avaient observée, ricanant au passage de sa silhouette encapuchonnée agrippée à sa valise. Pas même lorsqu'elle avait aperçu un kobold dépenaillé couvert de vieux papiers journaux, qui sommeillait appuyé contre un mur, ni lorsqu'elle avait remarqué une belle et redoutable Hu Hsien, une Chinoise pouvant prendre la forme d'un renard aux crocs empoisonnés, qui sirotait une boisson sur la terrasse d'un café nocturne.

Dieux, avait-elle bien fait de partir ?

Si elle retournait maintenant à la Rose, elle pourrait reprendre la note laissée chez Carina ce matin et personne ne saurait jamais qu'elle avait essayé de partir. Les choses pourraient redevenir ce qu'elles étaient la veille… pareilles à ce qu'elles étaient trois semaines plus tôt, cinq ans plus tôt… vingt ans plus tôt…

Elle poursuivit son chemin.

La Tour Noire reluisante se dressa dangereusement au-dessus d'elle, alors qu'elle atteignait les portes principales. Derrière elle, la Tour Rose brillait sous la lueur de la lune, là où les nuages de pluie s'étaient dissipés. Elle semblait être à des kilomètres.

De grands gobelins gris gardaient les portes doubles en bois massif de la Tour Noire. Il y en avait un de chaque côté. Les pas d'Aislinn chancelèrent une fois de plus et sa fréquence cardiaque monta en flèche. Elle en avait déjà vu, bien sûr, mais jamais de si près. Les gobelins résidaient à Ville des Gobelins, loin du reste des fae, car leur culture était si étrangère. Ils restaient généralement à l'écart, sauf s'ils étaient appelés au combat par le roi des Ténèbres. Les gobelins étaient alors impitoyables : des meurtriers sanguinaires qui dévoraient leurs ennemis pendant que ceux-ci les suppliaient de les épargner.

Elle s'approcha, et ils la considérèrent avec curiosité par la mince fente de leurs yeux porcins. Malgré leur tendance vers l'innommable au combat, lorsqu'on leur donnait un ensemble de règles auxquelles ils croyaient, ils les défendaient coûte que coûte. Ils étaient également très fidèles. C'était pour ces raisons qu'ils faisaient de bons gardes, pour autant que leur seigneur soit en mesure de les inspirer et de susciter leur loyauté, ce que le roi des Ténèbres réussissait à faire depuis des siècles.

Aislinn s'arrêta devant eux et serra la poignée de sa valise jusqu'à ce que le sang cesse de circuler dans sa main.

— Mon nom est Aislinn Christiana Guenièvre Finvarra, je viens de la Cour Seelie et je souhaite demander une audience avec le roi des Ténèbres.

Carina mettait la penderie d'Aislinn sens dessus dessous, poussant de côté les boîtes de chaussures qui tombaient de leurs étagères et tirant sur les vêtements suspendus aux tringles.

— Où est-il? Où l'as-tu caché, Aislinn?

Bon sang, elle avait attendu trop longtemps avant d'agir. Le livre n'était nulle part. Aislinn ne l'avait peut-être jamais eu, et ils avaient tous eu tort de croire le contraire.

Non, ils ne se trompaient jamais. Le livre devait être ici, quelque part.

Elle vida les tiroirs, puis regarda sous le lit et partout dans l'immense salle de bain.

Rien.

Carina poussa un grognement de frustration et se laissa glisser le long du mur de la salle de bain, en face de l'énorme bain à remous. Aislinn ne l'aurait sûrement pas mis dans un coffre. Aislinn n'avait aucune idée de la valeur du livre, donc elle n'aurait pas pris la peine de le mettre sous clé. « *Danu* », pensa Carina, ils auraient sa peau si elle ne pouvait le leur livrer. C'était la seule tâche qu'on lui avait confiée, et elle avait réussi à tout bousiller.

Pire, ils auraient la peau de Drem.

Au petit matin, dès qu'elle avait trouvé le message au pied de sa porte, elle avait su qu'il n'y avait aucun espoir de trouver le livre. Elle avait fouillé l'appartement d'Aislinn trois fois, sans succès. Pourquoi trouverait-elle le livre cette fois? Aislinn était partie, emportant avec elle les espoirs de Carina.

Carina s'était liée d'amitié avec Aislinn près de deux ans auparavant. Déjà, se rapprocher d'elle avait été tout un défi. Aislinn était plus introvertie qu'extravertie; elle ne parlait pas beaucoup. Elle ne parlait pas beaucoup de sa vie, en tout cas. Par ailleurs, elle avait Bella, qui était sa confidente par excellence. Un titre que Carina avait tenté de s'approprier.

Lorsque Bella avait été bannie de la Rose, Carina avait cru avoir enfin toutes les chances de son côté. Mais sa personnalité était à l'opposé de celle d'Aislinn : Carina était exubérante alors que sa copine était forte et posée ; elle parlait sans détour alors qu'Aislinn était honnête tout en étant prévenante, elle était superficielle et centrée sur elle-même, tandis que son amie faisait preuve de compassion envers les autres.

Carina était consciente de ses propres défauts, de même que de ses forces. Aislinn et elle n'avaient jamais été en parfait accord ; il n'y avait jamais eu de véritable lien entre elles. Carina n'avait jamais réussi à se rapprocher suffisamment d'Aislinn pour arriver à connaître tous ses secrets… y compris le secret du livre qu'ils croyaient tous en sa possession.

Elle avait mal évalué la situation. Si elle avait su alors ce qu'elle savait aujourd'hui, elle aurait évité les subtilités pour passer directement aux ruses perfides. Mais il était trop tard pour changer de stratégie. Elle n'avait plus de temps devant elle.

Qu'allaient-ils lui faire ? Qu'allaient-ils faire à Drem ?

Une larme roulant sur sa joue, Carina se releva et marcha jusqu'à la fenêtre du salon. La Tour Noire brillait de mille feux, gracieuse et imposante sous le soleil matinal éblouissant. Aislinn était derrière ses murs, à la recherche de Gabriel sans aucun doute.

Jamais de toute sa vie Carina n'aurait cru qu'Aislinn pourrait déguerpir vers la Cour Unseelie. À quoi avait-elle pensé ? Elle possédait tout ce qu'un Tuatha Dé Sidhe pur sang désirait : un bel appartement, un statut social enviable, de l'argent. Pourquoi laisser tomber toutes ces choses pour aller vivre parmi les monstres ? Cette histoire n'avait tout simplement aucun sens. Ce n'était pas comme si Aislinn avait du sang unseelie en elle. Toute sa magie était blanche, inoffensive.

Comment pourraient-ils tenir Carina responsable du comportement écervelé, complètement imprévisible, d'Aislinn ? Comment aurait-elle pu savoir que Gabriel déclinerait l'invitation de la reine Été ? C'était du jamais vu ! Encore plus inouï était le fait que l'incube ait réussi à garder la tête intacte.

Les yeux toujours rivés sur la Tour Noire, Carina sortit son téléphone portable de la poche de son jean et composa le numéro masqué, ce numéro magique qu'elle avait tant voulu ne jamais devoir appeler.

— Bonjour ? osa-t-elle après qu'on ait pris la ligne.

Silence à l'autre bout du fil. Seulement une respiration. Puis, finalement :

— Pourquoi m'appelez-vous ?

La voix était grave, grinçant d'une magie qui lui glaçait l'échine et lui donnait envie de faire dans sa culotte. Elle ne connaissait pas son nom. Elle savait seulement qu'il était très haut placé dans l'organisation du Phaendir, mais pas tout à fait au sommet.

Elle se mouilla les lèvres et s'arma de détermination.

— Aislinn est partie. J'ai fouillé son appartement et... le livre n'y est pas.

Elle s'arrêta de parler le temps de rassembler son courage.

— Elle ne l'a peut-être jamais eu en sa possession.

— Elle l'a.

— Elle est allée à la Noire. Peut-être l'a-t-elle emporté. Silence.

La magie générée depuis l'autre bout de la ligne lui picota les doigts et les oreilles. Un léger bruit d'interférence lui remplit la tête. Le souffle de Carina se bloqua douloureusement dans sa gorge lorsqu'elle se demanda si sa fin était venue.

— Mon-monsieur ?

— Je vous donne une dernière chance de réparer cette erreur. Trouvez le livre.

Clic. La ligne était morte.

Elle baissa le bras, portable en main, s'émerveillant du fait que ce n'était que la ligne qui était morte, et non elle-même. Drem ! Ils avaient menacé sa vie. C'est de cette manière qu'ils l'avaient coincée dans cette histoire. En resserrant la main sur son portable, elle sortit de l'appartement en courant pour retrouver son foyer. Le cœur dans la gorge, elle se jeta dans les bras de son mari.

— Oh, merci. *Danu*, merci, sanglota-t-elle, le visage enfoui dans le creux du cou de Drem.

Elle le serra très fort, assez fort pour que personne ne puisse jamais le lui enlever.

— Que se passe-t-il, mon amour ? murmura Drem à son oreille.

Il caressa ses cheveux et posa un baiser sur sa tête, la tenant contre de lui.

— Ça va. Je vais bien. Je suis ici.

Elle frémissait et tremblait, incapable de prononcer un seul mot de plus. Ses larmes mouillaient la chemise de son mari tandis qu'elle y restait agrippée.

Il la repoussa au bout de ses bras pour examiner son visage.

— Carina, dis-moi ce qui ne va pas.

— Je-je t'aime, Drem.

Elle s'essuya les joues et s'efforça de sourire.

— Je veux que tu saches que je t'aime plus que n'importe qui dans ce monde et que je ferais n'importe quoi pour toi. *N'importe quoi.*

— D'accord.

Il avait l'air déconcerté.

Elle fondit dans ses bras et ils s'effondrèrent sur la moquette, s'accrochant l'un à l'autre comme s'ils étaient soudainement emportés par une mer dangereuse.

Parce qu'ils l'étaient.

Oh oui, ils étaient en danger.

Le roi des Ténèbres était un très bel homme. Pâle comme une lune hivernale, certes, mais il avait les traits ciselés et harmonieux. Sa chevelure était frappante en raison de sa longueur et de son dégradé de couleurs, commençant par un blond argenté aux racines et se terminant par un rouge sang aux pointes. Incroyable, comme il paraissait seulement dans la trentaine. Les Sídhe constituaient une race de fae vivant très longtemps, mais ils vieillissaient néanmoins. Aux dires de tous, le roi des Ténèbres était l'un des fae les plus âgés des environs. Seules quelques rares fae de la nature étaient aussi âgées que lui. L'amulette des Ténèbres lui avait procuré l'immortalité, bloquant son âge au moment où il se l'était passée au cou.

Sa créature, Barthe, était une bête unseelie comme Aislinn n'en avait jamais rencontré. Elle ne pouvait détourner les yeux de la chose gigantesque qui se tenait, protectrice, auprès de son maître. L'ogre semblait porter en lui une sérénité lui permettant de rester parfaitement immobile et silencieux, mais Aislinn ne doutait pas une seule seconde qu'il se révélerait rapide et meurtrier si l'objet de sa protection était menacé.

Pourtant, Aodh Críostóir Ruadhán O'Dubhuir savait très bien se défendre. On racontait que lorsque le Phaendir l'avait pris au piège pour le jeter dans Piefferburg, il s'était battu si violemment qu'il avait tué cinquante de leurs hommes, leur extirpant leurs ressources magiques. Le Phaendir avait pris un mois à se remettre de l'incident. Le roi des Ténèbres, tout comme la reine Été, possédait de nombreux pouvoirs magiques, tous plus meurtriers les uns que les autres. Aodh n'avait d'égale que la reine Été, et pour cette raison, les deux chefs demeuraient des ennemis immortels, confinés dans une guerre froide éternelle.

Aislinn ne l'avait jamais rencontré en personne, ne l'avait jamais même aperçu au loin, même si elle avait vécu toute sa vie de l'autre côté de la place publique. Contrairement au roi des Ténèbres et à Gabriel, elle était née à Piefferburg. Par ailleurs, elle mourrait probablement à Piefferburg. À cette idée, elle avait le cœur lourd, mais c'était quelque chose qu'elle avait accepté à regret depuis longtemps.

En ce moment, l'homme en question la dévisageait, assis au fond de son salon. Elle avait été surprise d'être amenée à la salle de séjour du roi par le majordome de la Tour Noire, Hinkley, au lieu de la salle du trône. Apparemment, le roi des Ténèbres ne s'encombrait pas de cérémonies futiles.

Heureusement pour Aislinn, il n'y avait pas de gobelins chez lui. Ces créatures lui donnaient carrément la chair de poule.

Elle n'avait pas eu la chance de croiser Bella ou Ronan et elle regrettait amèrement ne pas avoir demandé à voir Gabriel avant de rencontrer le roi.

Il y avait quelque chose chez le roi des Ténèbres qui la rendait nerveuse, sans qu'elle soit capable de mettre le doigt dessus. Son intuition lui disait qu'il cachait quelque chose. Bien sûr, elle était probablement aussi nerveuse parce qu'elle venait de chambarder sa propre vie.

— Je suis si heureux que vous ayez décidé de venir vers nous, Aislinn. Gabriel m'a beaucoup parlé de vous.

Le farfadet serviteur du roi des Ténèbres arriva avec un plateau pour offrir une boisson à l'invitée. Aislinn tint pour acquis que la flûte qu'on lui présentait était remplie d'eau pétillante et elle la prit avec plaisir.

— Je crois qu'avec vos habiletés, vous serez un réel atout pour la tour.

La main d'Aislinn se resserra sur la coupe.

— Gabriel vous a-t-il parlé de mes… origines ?

— Lorsqu'il est venu me demander de lui pardonner sa transgression, il m'a parlé de vous. Il a dit qu'il ne fallait pas se fier aux apparences, que vos pouvoirs sont plus grands qu'ils n'y paraissent et que je devrais vous considérer comme un atout pour la Cour Unseelie si vous décidiez de quitter la Rose.

Le roi sourit, sans qu'Aislinn se sente rassurée.

— Et vous voici.

— Et me voici.

— Je sais que vous ne vous sentez pas dans votre élément, Aislinn. Je sais bien que des faussetés sur nous circulent à la Tour Rose.

Il écarta les mains.

— Je me moque bien de la manière dont la reine Été dirige son peuple. Les Seelie, la plupart d'entre eux du moins, me seraient inutiles. Cependant, il est évident que ces mensonges puissent rendre nerveuse une Unseelie égarée lorsqu'elle visite la Noire pour la première fois. Ce qui est plutôt gênant.

— Une Unseelie égarée?

Il agita la main en désignant la flûte qu'Aislinn tenait.

— Je vous en prie, buvez, Aislinn. Détendez-vous. Par «Unseelie égarée», j'entends les personnes comme vous. Des Unseelie qui sont nés dans la Rose et qu'on élève en leur faisant croire qu'ils sont Seelie. Des Unseelie qui doivent masquer leur don noir.

Aislinn s'étouffa en prenant une gorgée d'eau, puis toussa. C'était la première fois qu'on parlait d'elle comme d'une Unseelie.

— Nous sommes heureux que vous soyez parmi nous, Aislinn. Vos dons seront bien vus entre ces murs.

Il s'arrêta de parler et sourit dangereusement.

— En fait, j'étais impatient de vous voir arriver.

Elle cligna des yeux, car sa vision s'embrouillait légèrement. C'était peut-être la fatigue et le stress.

— Que voulez-vous dire?

Elle déposa son verre et porta la main à son front. Un atroce martèlement avait commencé à lui battre les tempes.

— Et vous êtes venue de plein gré par-dessus le marché ! J'avais peur d'avoir à envoyer un personnage répugnant pour vous chercher. On dirait que Gabriel n'a pas échoué à sa mission, après tout. Il vous a simplement fait venir ici d'une manière peu orthodoxe pour lui… au moyen de l'honnêteté, du moins, en grande partie, et sans utiliser le sexe de surcroît.

Aislinn redressa la tête subitement.

— Vous avez envoyé Gabriel me mentir et me séduire, afin que je le suive jusqu'ici ?

— En réalité, je l'ai envoyé pour qu'il vous baise, vous drogue de désir et vous appâte jusqu'ici. Il a failli à la tâche.

Aislinn fut traversée par une onde de stupéfaction.

— Pourquoi ?

Le roi des Ténèbres fit quelques pas vers elle, ses pâles sourcils s'élevant vers la naissance de ses cheveux.

— Pourquoi ?

Aislinn avala une bouffée d'air au moment où la douleur assaillit son estomac. Elle roula sur le canapé et tomba à genoux, les mains appuyées sur le tapis moelleux. En levant les yeux vers son verre posé sur la table basse, elle comprit ce qui lui arrivait.

Danu, il l'avait empoisonnée. Sa vision s'assombrit, jusqu'à ce que tout devienne noir.

Le roi des Ténèbres se pencha vers elle et montra les dents.

— Parce que le sang unseelie qui coule dans tes veines est le mien… *ma fille.*

DOUZE

Gabriel était assis sur un banc de fer enchanté, dans une cellule de fer enchanté, avec aux poignets des menottes de fer enchanté. Il tentait de soulager l'atroce mal de tête que lui avait donné Barthe en lui faisant perdre connaissance d'un coup de sa grosse caboche dure. Plusieurs jours s'étaient écoulés depuis le choc, mais le souvenir était toujours vif, tout comme la contusion que le coup lui avait laissée. Gabriel était étonné de ne pas avoir le crâne fendu. Les raclées que lui avaient flanquées ses ravisseurs, une fois qu'il était revenu à lui dans sa cellule, auraient tué un humain. Or, il en était tombé dans les pommes et était resté inconscient pendant plus d'un jour complet.

Le mal des fers, une affection que les fae contractaient au contact prolongé du métal enchanté, se manifestait depuis un bon moment. Gabriel était en sueur, même si ses extrémités étaient glacées et qu'il ne cessait de grelotter. Par ailleurs, ses blessures guériraient plus lentement avec le fer touchant sa peau.

Sa magie était anéantie par tout ce métal. Ses pouvoirs d'incube, complètement neutralisés. D'ordinaire, son don ne lui aurait pas servi dans cet endroit lugubre, mais il se trouvait que sa cellule était gardée par une femme.

Oh, l'ironie du sort.

De plus, Gabriel n'avait aucun moyen de faire venir les sluagh depuis sa cellule. À la place, il était enveloppé de fer enchanté, sa magie ne lui était d'aucun secours, et il craignait pour la vie d'Aislinn.

Environ une semaine s'était écoulée depuis son emprisonnement.

Lorsque le roi des Ténèbres désirait quelque chose, il l'obtenait. Ce n'était qu'une question de temps avant qu'ils ne trouvent Aislinn et qu'ils la fassent venir à la Tour Noire, de gré ou de force.

Manifestement, Aislinn était la descendante directe du roi des Ténèbres ; *sa fille*. Puisque Aodh avait affirmé qu'elle était à la fois une nécromancienne et une parente, elle avait dû hériter des pouvoirs magiques de la lignée maternelle de son père biologique. Ce qui ne pouvait signifier qu'une chose : Aislinn était la petite-fille de Brigid Fada Erinne O'Dubhuir.

Le roi des Ténèbres appréhendait la force d'Aislinn. Elle était l'héritière du trône unseelie, et il savait qu'il ne pourrait jamais l'empêcher de lui arracher son siège si elle décidait que c'était ce qu'elle voulait. Pour Sa Majesté, la seule manière d'assurer son règne était de tuer Aislinn. Il devait la faire disparaître avant qu'elle n'apprenne à exercer son puissant pouvoir.

La porte de la cellule s'ouvrit et la dernière personne que Gabriel avait envie de voir apparut.

— Gabriel.

Le détenu cracha par terre, près du pied chaussé du roi des Ténèbres, manquant de peu le bâton de combat au pommeau de cristal qu'Aodh utilisait en guise de canne.

Silence.

— Je préférerais que vous me laissiez pourrir en paix, ironisa Gabriel de sa voix éraillée par le mal des fers.

Il ne se donna même pas la peine de lever les yeux.

Les chaussures du roi reculèrent et se mirent à faire les cent pas de l'autre côté de la cellule.

— Allons, Gabriel. Je ne vous veux pas ici plus que vous voulez vous-même y être.

Le prisonnier leva les yeux et planta son regard dans celui du roi des Ténèbres.

— Si vous faites du mal à Aislinn, je trouverai le moyen de vous détruire. Vous pouvez en être certain.

— Oui, vous l'avez déjà mentionné, mais je n'arrive pas à comprendre comment vous seriez capable de tenir votre promesse, répondit le roi, son regard glissant sur le fer enchanté.

— Je crois que nous avons pris le meilleur de vous-même, ajouta-t-il.

— Je trouverai un moyen, siffla Gabriel entre les dents.

— J'ai fait ce que j'avais à faire. Vous devriez comprendre mieux que quiconque qu'il faut parfois faire des choses répugnantes pour survivre. Je sais tout de votre adolescence passée dans les ruelles de Piefferburg.

Gabriel n'avait rien entendu, hormis le temps que le roi avait utilisé : « J'ai fait ce que j'avais à faire ». Temps passé. Aislinn, *au passé*.

Sans même s'en rendre compte, Gabriel bondit vers le roi des Ténèbres. Les menottes le tirèrent brutalement vers l'arrière lorsqu'il atteignit le bout de la chaîne, comme un chien en laisse.

— Qu'est-ce que vous lui avez fait, Aodh ? Je jure devant les dieux que si vous lui avez fait du mal, je vous le ferai payer.

Le roi cligna des yeux innocemment en le dévisageant.

— Et vous recommencez avec vos menaces impossibles. Gabriel, comme je l'ai dit, j'ai fait ce que j'avais à faire. Il n'y a rien d'autre à ajouter. Allons, je vous prie de me pardonner. Laissons le temps arranger les choses. J'ai besoin que vous repreniez votre place à la tête de la Chasse sauvage. Je suis désolé que vous vous soyez attaché de la sorte à cette femme. C'est … malheureux.

— Cette femme ? rugit Gabriel. C'est *votre fille*. C'est *votre sang*.

Il refusait de parler d'elle au passé. Il tira sur ses chaînes, ce qui produisit un bruit sec et métallique. Chaque centimètre de son corps palpitait.

— Si jamais je sors d'ici vivant, je vous jetterai en bas de ce trône que vous adorez tant.

— J'ai l'intention de garder mon trône, aboya le roi des Ténèbres. La femme est venue à la Noire de plein gré. Je dois vous en remercier. Elle ne serait jamais venue si ce n'avait été du rôle que vous avez joué.

Gabriel ferma les yeux pour absorber une nausée soudaine. *Dieux, non.*

Le roi soupira et se tourna vers la porte.

— Je vous donne une semaine pour retrouver la raison. Aeric vous remplace en attendant, mais si vous n'avez pas changé d'avis lorsque je reviendrai, je devrai rendre permanent son poste temporaire, et vous comprenez ce que cela signifie.

Gabriel bouillait, les yeux fixés sur la porte refermée, sa poitrine s'élevant et s'abaissant rapidement sous le coup de la rage. La rage était saine, meilleure que le désespoir et le chagrin qui avaient commencé à grignoter les rebords de son esprit. S'il se laissait aller au désespoir et au chagrin, il deviendrait réellement impuissant, mais la rage était un outil qu'il pouvait utiliser. Il l'avait appris, enfant, et c'était une leçon qu'il n'avait jamais oubliée.

Aislinn était morte et c'était sa faute.

Il avait placé sa confiance au mauvais endroit. C'était aussi une leçon qu'il avait apprise alors qu'il était encore un gamin : ne jamais faire confiance à qui que ce soit. Pourtant, il avait fait confiance au roi des Ténèbres, croyant qu'il ne ferait pas de mal à Aislinn. Quel homme naïf et stupide il faisait. C'était sa faute si Aislinn était tombée dans la gueule du loup ; sa faute si l'une des étoiles les plus brillantes de Piefferburg s'était éteinte pour toujours.

Cet étrange sentiment, qu'il avait identifié comme étant la culpabilité, s'était à présent complètement éclipsé, noyé par une sensation qu'il n'avait pas ressentie depuis son enfance : le deuil. Comme une blessure ouverte au milieu de sa poitrine qui lui ferait mal pour le reste de sa vie.

Sa vie qui, heureusement, s'achèverait bientôt.

Partir à la dérive.

Les poignets endoloris de Gabriel l'empêchaient de dormir la nuit, presque autant que son incapacité à trouver un moyen de s'échapper. Sa bouche était sèche, sa tête lui élançait, et son corps se vidait continuellement de son énergie en raison du fer enchanté sur sa peau.

En changeant de position sur le mince matelas du lit, il laissa ses bras pendre au bout des chaînes qui les retenaient au-dessus de sa tête. Il avait les bras engourdis, mais c'était sans importance. Le dangereux désespoir l'avait envahi à force de grignoter son esprit, et il s'était faufilé jusque dans la moelle de ses os. Il s'était également accumulé au fond de sa gorge, comme une baie vénéneuse que Gabriel n'arrivait pas à avaler tout à fait.

Aislinn était morte, et les choses ne redeviendraient jamais comme avant. Que le mal des fers soit entrée par tous les pores de son corps n'avait plus d'importance, pas plus que le fait qu'il ne sentait pas la traînée de sang qui serpentait le long de ses bras depuis ses poignets.

Pendant la plus grande partie de la nuit, il avait som-nolé, oscillant entre le sommeil et la conscience, l'odeur du sang et de son corps malpropre lui collant aux narines. Aux premières lueurs de l'aube, il entendit les bruits d'une bagarre dans le couloir.

Des voix s'élevaient, criaient.

Il ne fit aucun mouvement pour s'asseoir. Il n'avait aucun moyen de se redresser sans subir une douleur atroce et, de toute façon, il ne s'agissait probablement que d'un pri-sonnier révolté. Ses paupières s'appesantirent, et il souhaita la meilleure des chances au détenu survolté. Qu'il rende la vie dure à ses gardiens de prison.

Partir à la dérive.

— Gabriel.

Le détenu s'efforça d'ouvrir ses paupières trop lourdes pour trouver Aeric qui le regardait. En se passant la langue sur les lèvres, il le considéra sans bouger. Ce devait être une hallucination. Il avait finalement perdu la raison. C'était impossible pour qui que ce soit de s'introduire dans la prison. Sauf, peut-être, pour Ronan ou son frère Niall, mais c'était bien Aeric qui avait, en ce moment, les yeux posés sur lui.

— Lève-toi, Gabriel. Nous te sortons d'ici, sourit Aeric, en agitant une clé du bout des doigts.

Gabriel grimaça et referma les yeux.

— Va-t'en.

Tout ce qu'il voulait, c'était rêver à la douce Aislinn aux cheveux blond argenté et aux yeux gris, aux délicieuses courbes qu'il prendrait le temps d'explorer pendant que les soupirs et les murmures de son amante lui empliraient les oreilles. Dans ses rêves, Aislinn était chaude et en vie, elle riait et dansait. Elle était heureuse et amoureuse de lui. Dans ses rêves, il s'y était pris autrement et elle avait survécu à la démence du roi des Ténèbres. Les clochettes tintaient joyeusement et le bonheur régnait. Ils étaient ensemble.

Il aimait se perdre dans ses rêves.

Au-dessus de lui, l'hallucination d'Aeric grondait, son léger accent irlandais s'épaississant inopinément.

— Tu te lèves, ou je t'y forcerai, même si je dois t'arracher un bras. Nous risquons notre vie pour te sortir de ce trou. Ne me laisse pas tomber, mec, ou je te fous une raclée.

— Nous?

Il ouvrit les yeux et découvrit sa bande dans une image embrouillée.

Ils étaient tous venus. Melia se tenait derrière Aeric et Aelfdane gardait la porte de la cellule. Ah, et il y avait Ronan, debout près de Bran. Et c'était Niall, dans l'autre coin? Peut-être que ce n'était pas une hallucination, après tout.

Aeric le souleva brutalement pour qu'il s'assoie et il lui retira les menottes. Gabriel grogna sous l'effet de la sensation pénible.

— Tu ne croyais tout de même pas que nous allions te laisser ici sans rien faire? Je n'aspire pas à diriger la Chasse, mon ami. Ça, c'est ton boulot.

La douleur élança dans ses bras, jusqu'au bout de ses doigts, au moment où le sang fusa de nouveau dans ses veines. Il ferma les poings plusieurs fois et grinça des dents. La douleur était bonne; il la préférait à l'engourdissement amer qui l'avait pris en otage.

— Aislinn, souffla-t-il. Le roi des Ténèbres l'a tuée et c'est ma faute. Laissez-moi ici, je vous en prie.

— Elle est toujours en vie, annonça Ronan. Il l'a jetée au cachot.

Le soulagement envahit Gabriel, si vite et si fort que sa tête se mit à tourner. Si Aislinn était toujours vivante, il avait la chance de la retrouver, de la sortir de ce bourbier et de réparer le mal qu'il lui avait fait subir.

De nombreuses questions lui traversèrent l'esprit, mais elles devraient attendre. Il ne pouvait l'aider s'il restait enfermé ici. Il se leva et tangua d'un côté, manquant de peu de s'effondrer.

— Foutons le camp d'ici.

— Voilà le Gabriel que je connais et que j'aime.

Aeric se tourna vers la porte et lança un sourire par-dessus son épaule.

— De manière purement platonique, bien sûr.

— Tu n'es pas mon genre non plus, mon p'tit chou, rétorqua Gabriel d'une voix écorchée.

Il fit un pas en avant et ses genoux cédèrent presque. Le fer enchanté l'avait gravement affaibli.

— Hé, ho, fais gaffe le costaud, fit Ronan, l'attrapant d'un côté tandis que Bran le saisissait de l'autre.

Gabriel le fusilla du regard.

— Toi et Bella devez jurer de garder secret que je suis le seigneur de la Chasse et que ces fae sont ma bande, pigé ?

Ronan acquiesça d'un vif hochement de tête.

— Partons d'ici tout de suite avant qu'ils nous découvrent.

Ils suivirent tous Aeric et Aelfdane à l'extérieur de la cellule. Le couloir était vide, à l'exception d'un garde étendu par terre, vêtu de l'armure noire et argentée de la Garde des Ténèbres. Si l'homme était mort ou inconscient, Gabriel ne pouvait le deviner. Ils atteignirent le bout du couloir et trouvèrent d'autres corps allongés et couverts de sang. Aeric et la bande les avaient liquidés efficacement, ce qui n'était pas tout à fait surprenant. Ensemble, ils disposaient d'une panoplie de moyens de défense — et d'offense — magiques.

Ils arrivèrent au bout du couloir et parvinrent à passer les portes principales de la prison avant que l'alarme ne se déclenche. Elle ne faisait aucun bruit, mais son signal était magique. Elle frémissait dans les molécules de leur organisme alors qu'ils enfilaient un autre couloir. Au moment où ils tournaient un coin, des gardes émergèrent, hurlant et dégainant leurs sabres.

La bande se retourna, pour découvrir une horde de gobelins surgissant du coin opposé.

— Oh, merde, nous sommes piégés.

Aeric avait vu en plein dans le mille.

Gabriel vacilla sur ses jambes, se rattrapa de nouveau en s'appuyant contre le mur et lança une série de jurons entremêlés de vieux maejian. Ses doigts lui démangeaient tant il aurait voulu avoir une arme.

— Il faut tous les abattre. C'est notre seule chance de sortir d'ici.

Ils n'avaient, en effet, aucun autre choix.

Gabriel cibla d'emblée l'un des gardes des Ténèbres, convoitant à la fois une arme et une dissolution immédiate du mal des fers. Faisant appel à une force et à un sens de l'équilibre provenant de réserves inconnues, il s'élança vers la bataille grâce à une soudaine poussée d'adrénaline. En saisissant le sabre de son adversaire, il utilisa le haut de son corps et toute sa force pour jeter l'homme contre un mur. Sabre en main, il se retourna pour accueillir un nouvel attaquant, alors que le chaos explosait au milieu du couloir.

Gabriel, sa bande, Niall et Ronan livrèrent bataille, fauchant les rangs de la Garde des Ténèbres un à un et abattant les gobelins sur leur chemin. Les fae étaient munis d'une détermination qui faisait défaut à leurs adversaires ;

une détermination qui les rendait plus forts que l'ennemi. Les sabres s'abattaient pendant que les mages et Melia murmuraient des sortilèges en vieux maejian, permettant aux autres d'atteindre leurs cibles à tous les coups. Ainsi, la bande prit le dessus de la bataille.

Lorsque le dernier des gobelins fut tombé, la Garde des Ténèbres jonchant le sol depuis un bon moment, les fae coururent vers l'escalier de la tour, sachant que les renforts ne tarderaient pas à arriver. Ils descendirent l'escalier de pierre en colimaçon qui les mènerait à la Place Piefferburg.

Gabriel s'arrêta sur un palier. Ses mécanismes de réflexion embrouillés par la magie s'enclenchaient enfin un peu plus vigoureusement. Avec fracas, il laissa tomber son sabre ensanglanté sur la pierre.

— Non! Je ne peux pas quitter la Tour Noire. Pas tant qu'Aislinn est toujours ici, en vie.

Aeric et Bran se retournèrent brusquement, bouches bées.

— La Garde des Ténèbres en entier te pourchasse, lui rappela Melia de sa douce voix mélodieuse.

Ses cheveux rouge vif tombaient, emmêlés, autour de ses épaules, et du sang marquait ses joues et ses vêtements.

— Le roi enverra l'armée de gobelins pour qu'elle lui ramène ta tête. Tu dois quitter la Tour Noire si tu veux vivre et continuer à te battre, Gabriel. Nous trouverons une solution plus tard.

— *Non*.

Le mot avait fait écho jusqu'au haut de l'escalier. Gabriel s'affaissa contre le mur de roc froid et irrégulier et secoua la tête pour chasser le brouillard de son esprit. La furie du combat, alimentée par l'adrénaline qui l'avait tout récemment submergé, retombait rapidement, et le mal des fers reprenait son emprise sur lui.

— Je ne partirai pas sans elle.

Il marqua une pause et agita la tête une fois de plus.

— Je ne vivrai pas sans elle.

Aeric se pencha sur son visage, ses yeux bruns plissés.

— Qui es-tu et qu'as-tu fait de Gabriel Cionaodh Marcus Mac Braire?

— Non, il a raison, dit Ronan. S'il quitte la Tour Noire, il ne pourra plus jamais y revenir pour aider Aislinn. C'est ce que tu veux faire, n'est-ce pas?

Gabriel cligna des yeux, car il voyait deux Ronans devant lui. Il essaya de les fusionner en un seul mage.

— Ouais. C'est la seule chose qui m'importe.

Melia leva les yeux au ciel.

— Très bien, mais je veux que tu le saches, tu n'es qu'un idiot, Gabriel.

Elle tourna les talons pour continuer à descendre.

— Venez avec moi.

— Où allons-nous?

Malgré son projet ambitieux de sauver Aislinn, Gabriel n'était plus certain du nombre de marches qu'il pourrait encore monter sans s'écrouler pour de bon.

Aelfdane le tira par le bras pour le remettre sur ses pieds.

— Melia a participé à la conception et à la construction de cette tour. Par conséquent, elle sait mieux que nous tous où aller en ce moment.

Ensemble, ils descendirent deux autres étages. Une fois qu'ils furent tous rendus sur le palier, Melia toucha à quelque chose à l'arrière d'une statue unseelie installée dans une alcôve. Une partie du mur bougea vers l'intérieur, puis glissa sur le côté, découvrant un passage secret.

Juste à temps, d'ailleurs, car au-dessus d'eux retentissait le martèlement des bottes des gardes qui beuglaient en descendant l'escalier.

Une fois le mur refermé derrière eux, la noirceur du tunnel étroit enveloppa les fae. Bran prononça un sortilège en vieux maejian et la lumière prit vie autour d'eux. Ils se trouvaient sur un minuscule palier avec un escalier qui s'étendait au-dessus et en dessous d'eux. Melia entreprit de monter, et tout le monde la suivit.

Gabriel détestait suivre la direction opposée à celle des cachots. Chacune des fibres de son être poussait vers le bas, et non vers le haut.

Mais le bon sens triompha. Il devait se terrer dès maintenant et prendre un peu de temps, pas plus que nécessaire, pour retrouver ses forces. Avoir été enveloppé de fer enchanté pendant près de deux semaines avec si peu de nourriture et si peu d'eau l'avait presque achevé. Deux ou trois autres jours et il y aurait sans doute perdu la vie. Il devait être fort pour Aislinn. S'il y allait maintenant, impulsivement, mû par son corps, son cœur et son esprit épuisés, tout serait perdu. Il ne pouvait compter sur l'adrénaline et la volonté pour le pousser encore plus loin. Physiquement, il était vidé. Il mourrait et Aislinn aussi.

Pour une fois, il devait être raisonnable. Pour une fois, il devait faire confiance aux autres. Il détestait ce sentiment. Même si c'était à sa bande qu'il confiait la vie d'Aislinn. Il était prêt à mettre sa propre vie entre leurs mains, mais pas celle d'Aislinn. Personne n'était assez bon pour avoir la vie d'Aislinn entre les mains.

Et lui, encore moins.

Pauvre femme, il était tout ce qu'elle avait.

Ses muscles protestant contre chaque mouvement, il chancela de nouveau, rebondissant sur les murs rudes et froids de chaque côté de lui. Chaque levée du pied était un combat, mais il lutta contre le mal des fers qui s'attardait dans son sang et s'efforça de grimper plus haut. De temps à autre, il sentait Aelfdane et Aeric qui le poussaient légèrement vers l'avant ou le retenaient pour ne pas qu'il tombe.

Ils aboutirent finalement sur un autre petit palier, celui-là surmonté d'une porte en bois. La lumière de Bran révéla qu'elle était recouverte d'une toile d'araignée aux enchevêtrements complexes. Melia poussa la porte. Dans un grincement de désuétude et de gonds secs, l'ouverture dévoila une grande pièce dotée d'un foyer, d'un lit de camp et de quelques boîtes.

Ce serait leur nid pendant quelques heures.

Gabriel fit un pas à l'intérieur de la pièce, puis s'effondra au sol.

TREIZE

Aislinn bougea inconfortablement contre la dalle sur laquelle elle était allongée, le tissu de son pull lui écorchant la peau. Des chaînes de fer enchanté serpentaient sur son corps, la maintenant en place.

Il faisait froid.

L'air de cet endroit, sans qu'elle sache où elle se trouvait, lui transperçait le corps de part en part. Les premiers jours, elle n'avait fait que frissonner. Elle était à présent trop faible pour frissonner. Elle n'avait pas assez d'énergie pour faire quoi que ce soit, même manger ou boire. Elle n'avait même plus assez d'énergie pour être terrifiée comme l'aurait été une personne saine d'esprit. Et peut-être que cette absence de peur signifiait qu'elle n'était tout simplement plus… saine, justement.

Le mal des fers l'enveloppait dans un brouillard ; tout ce qu'elle pouvait faire, c'était dormir, se réveiller, bouger un peu, puis se rendormir. Elle entendait parfois des voix fortes qui parlaient autour d'elle. De temps à autre, elle entendait des cris ou des gémissements au loin. Elle ne savait pas trop si c'était elle ou quelqu'un d'autre qui criait et gémissait, mais une analyse attentive lui avait presque assuré que les bruits provenaient de l'extérieur de sa tête. Le fait de savoir qu'elle n'était pas complètement seule dans sa misère était comme un étrange réconfort, sentiment qu'elle ne voulait cependant pas examiner de trop près.

Ainsi, son rêve prémonitoire se réalisait.

Il n'y avait pas de mains menaçantes et envahissantes. Pas de fontaine de Jouvence dans l'entre-deux séparant la vie et la mort. Peut-être était-ce à venir. Mais elle allait certainement trouver la mort dans cet endroit, exactement comme son rêve le lui avait dévoilé.

Et Gabriel l'avait menée jusqu'ici.

Les voix autour d'elle lui avaient fourni quelques indices, qui expliquaient en partie son malheur. Elle avait retenu quatre faits intéressants. Un, elle était en fait la fille du roi des Ténèbres, qui avait eu une aventure illicite avec sa mère, une Tuatha Dé Seelie pur sang. Deux, Gabriel avait été placé dans la Tour Rose pour l'inciter à venir vers le côté noir de son propre gré. Il avait bien fait son travail. Rigolait-il en ce moment même, quelque part dans la Tour Noire? Trois, le roi des Ténèbres avait l'intention de la tuer. Quatre, le roi des Ténèbres n'avait pas simplement l'intention de la tuer, il voulait anéantir son âme, la démembrer par la magie et la jeter aux quatre vents.

De là venait le décalage entre l'intention et le geste. C'était pour cette raison qu'elle n'était pas encore morte.

Apparemment, elle était, effectivement, une puissante nécromancienne.

Apparemment, elle était la fille de son père. La pensée fit monter dans sa gorge un rire amer comme de la bile. Une sensation de brûlure qui la fit tout de même sourire. Puis, elle roula sur le côté et eut un haut-le-coeur.

Puisqu'elle était une puissante nécromancienne, elle avait la capacité de revenir sur terre et de hanter le roi des Ténèbres pour le reste de sa vie immortelle. Chose que, si elle savait comment s'y prendre, elle ferait sans aucune hésitation. C'était la raison pour laquelle le roi recherchait des moyens magiques de détruire son âme.

Bien entendu, Aislinn ne savait pas comment faire quoi que ce soit en tant que nécromancienne, surtout pas comment revenir du monde des morts pour hanter quelqu'un. D'ailleurs, jusqu'à maintenant, elle n'avait souhaité aucun mal au roi des Ténèbres. Elle n'avait pas la moindre idée de la raison pour laquelle il la voulait morte. Croyait-il qu'elle risquait de lui voler son trône ?

Elle n'en voulait pourtant pas. Si jamais elle le voyait, ce trône, elle cracherait dessus. Peu importe, de toute façon elle ne le verrait jamais. Elle n'aurait jamais la chance de cracher dessus. À la place, elle serait morte, son âme anéantie pour l'éternité.

Il était temps.

Grâce à quelques heures de repos et un peu de nourriture et d'eau, Gabriel se sentait cent fois mieux.

Pendant qu'il se reposait, Ronan lui avait psalmodié des paroles maejiannes et soufflé au visage quelque chose à l'odeur âcre qui empêcherait d'éventuels sorts de dépistage de s'accrocher à lui. Aux dires du mage, depuis qu'il s'était enfui avec Bella dans la ville pour échapper à la Garde Impériale, il avait travaillé sans relâche afin de mettre au point un moyen de bloquer les sorts de dépistage. Gabriel était donc maintenant protégé contre ce type de sortilège. Aislinn le serait également, avec l'aide du mage.

Ronan, Aelfdane, Niall et Aeric étaient restés avec Gabriel. Bran et Melia étaient partis en éclaireurs une heure plus tôt. Gabriel se redressa pour s'asseoir, puis combattit un vague début de haut-le-cœur.

D'accord, peut-être se sentait-il seulement deux ou trois fois mieux, pas cent fois mieux.

Il devrait s'en contenter. Il ne pouvait laisser Aislinn enfermée plus longtemps dans le cachot, exposée aux sévices des hommes du roi des Ténèbres. Il se donna un élan, cette fois pour se lever complètement.

De l'autre côté de la pièce, Aeric l'applaudit en restant appuyé contre le mur.

— Bravo, je vois que tu es certainement en état de porter une rescapée depuis les profondeurs du donjon de la Tour Noire. Devrais-je les appeler maintenant pour leur annoncer ta venue ou préfères-tu les surprendre ?

En guise de réponse, Gabriel poussa un grognement. Ses genoux cédèrent, et il appuya la main contre le mur pour éviter de retomber sur son lit de camp.

— Je n'ai pas d'autre choix. C'est un miracle qu'elle soit toujours en vie. Qui sait si elle respirera encore dans une heure ?

Aelfdane le regarda de ses yeux rendus bleu clair par la lueur que produisait la myriade de chandelles allumées dans la pièce vide.

— Pourquoi est-ce si important pour toi de la sauver ?

Gabriel ferma les yeux et posa la tête contre le mur.

— Parce que je suis responsable de sa situation. Je lui ai dit de venir chez les Unseelie. Si je ne l'avais pas convaincue, elle n'aurait jamais abandonné la Rose.

Il ouvrit les yeux et trouva le regard de Ronan.

— Je lui ai dit qu'elle serait en sécurité, ici.

Il avala difficilement.

— C'est mon devoir de réparer mon erreur.

Ronan remua la tête de gauche à droite.

— C'est en partie la culpabilité, je te l'accorde, Gabriel. Mais c'est plus que ça. Tu aimes Aislinn, n'est-ce pas ?

— Gabriel ? couina Aeric. Gabriel en amour ?

— Pourquoi ça te paraît si impossible ? demanda Gabriel en levant les yeux pour rencontrer le regard de son plus vieil ami.

Sa voix avait retenti comme un râlement grave, assourdi par le mal des fers.

— Ça me paraît impossible parce que je te connais depuis deux cents ans. Ton attachement envers une femme dure seulement jusqu'à ce que vous ayez défait le lit, peut-être jusqu'au lever du soleil, si elle est assez jolie.

— Je sais reconnaître l'amour lorsque je le vois, répondit Ronan, un petit sourire aux lèvres. Tu l'as peut-être dupée, mais tu es toi-même tombé amoureux d'elle en cours de route.

Gabriel ne savait trop ce qu'était le nœud qui s'était formé dans sa poitrine. Était-ce l'amour ? Comment pourrait-il reconnaître l'amour s'il n'avait jamais aimé personne — pas vraiment aimé, sincèrement et profondément — depuis que sa mère était morte ? Quelque 358 années auparavant. Même pour un Sídhe, c'était long.

La culpabilité, oui, c'était une émotion nouvelle. Maintenant, il savait *que c'était terriblement déplaisant*. La culpabilité était sans contredit présente dans le nœud, entremêlée à d'autres pulsions ou désirs étranges ; des besoins fous, en réalité. Besoin de l'odeur des cheveux d'Aislinn et de sa peau contre la sienne. Du son de sa voix, chuchotant, riant, se fâchant. Peu importe. Il avait simplement besoin de sa présence. Il n'y avait rien à y faire.

Le roi des Ténèbres n'allait pas l'avoir.

Aislinn était à lui, il devait la sauver, la protéger. Il devait l'embrasser, lui parler et la border sous les draps et couvertures de son lit. Il refusait de concevoir l'idée de ses yeux gris froids et inanimés, de sa voix réduite au silence, de sa peau meurtrie et tachée de sang. Non.

L'idée même de devoir recueillir son âme pour l'aider à traverser de l'autre côté, hors de sa vie pour toujours, le rendait fou. Il ne pouvait avoir de telles pensées et voir de telles images et espérer de ne pas perdre la tête.

— Je ne vais pas rester ici à débattre avec vous de ma capacité à aimer, gronda Gabriel. Je vais aller chercher la femme de ma vie, frotter le nez du roi dans sa propre merde et ficher le camp d'ici.

— Ah ouais, il est vraiment amoureux. Tu as raison, Ronan, ricana Aelfdane.

Gabriel avança au centre de la petite pièce et tourna la tête pour darder sur Aelfdane un regard lourd d'avertissements.

— Est-ce que quelqu'un sait pourquoi le roi prend autant de temps à la tuer ?

— La seule chose que j'ai apprise de l'un de mes amis qui est gardien au cachot, répondit Aeric, c'est qu'Aislinn y est enchaînée avec du fer enchanté depuis près d'une semaine, pendant qu'ils discutent de méthodes pour lui enlever la vie.

— Ils discutent de méthodes pour lui enlever la vie ? reprit Aelfdane. Dans quel but ? La mort, c'est la mort.

— Ils ne veulent pas seulement la tuer. Ils veulent détruire son âme, afin qu'il n'en reste pas assez pour que la Chasse sauvage puisse la recueillir. La détruire si minutieusement pour qu'aucun de ses restes ne puisse être transporté au Monde des Ténèbres. C'est un destin que ne mérite aucun fae. Pire que la mort elle-même. Il la prive de l'après-vie en tuant son âme.

— Pourquoi veulent-ils lui faire une chose pareille ? demanda Aelfdane, déconcerté. Quelle menace peut-elle bien représenter, pour qu'il veuille la détruire jusque dans son âme ?

Aeric haussa les épaules.

— C'est tout ce que mon ami sait. La femme reste en vie jusqu'à ce qu'ils trouvent un moyen de la détruire complètement. Le roi des Ténèbres la craint énormément.

— Je sais pourquoi, fit Gabriel.

Il se passa la main dans les cheveux et leur dit ce qu'il savait sur Aislinn, ses origines et son don de la nécromancie.

— Les nécromanciennes peuvent revenir du Monde des Ténèbres à leur gré pour harceler leur assassin. Vous pouvez avoir la certitude que Brigid Fada Erinne O'Dubhuir, la mère d'Aodh, l'a hanté tout son soûl. C'est probablement de cette manière qu'il a appris la leçon.

Toute la pièce se retrouva dans un silence abasourdi après que Gabriel eut terminé de parler.

— Es-tu en train de dire qu'Aodh a tué sa propre mère ? osa enfin demander Aelfdane.

— C'est exactement ce que je dis, confirma Gabriel.

La porte s'ouvrit dans un grincement, et tous les hommes se raidirent pour se préparer à ce qui allait apparaître. Ce n'était que Melia et Bran.

Melia salua Gabriel de la tête et alla retrouver son homme.

— C'est bien de te voir debout. Tu te sens mieux ?

— Oublie ça. Qu'avez-vous trouvé ?

Il chancela jusqu'à la porte et se félicita silencieusement lorsqu'il y parvint.

— Ce n'est rien, Gab. J'adore prendre des risques pour toi.

Gabriel ferma les yeux un instant.

— Je suis reconnaissant de tout ce que vous avez fait pour moi. Je ne pourrai jamais assez vous remercier de m'avoir aidé de la sorte et je ne pourrai jamais vous rendre la pareille. Merci.

— Gabriel dit merci et admet presque qu'il est tombé amoureux dans une seule et même journée. Je crois que la fin du monde approche, commenta Aeric.

Bran ignora toute la bande.

— Nous avons de bonnes nouvelles. Nous avons passé la dernière heure à répandre une rumeur comme quoi on t'avait vu traverser la Place Piefferburg en t'enfuyant vers le *ceantar dubh*. Il y a environ vingt minutes, une importante dépêche de la Garde des Ténèbres a été aperçue dans ce quartier de la ville. Je crois que la ruse a fonctionné. Le roi croit peut-être que tu as quitté la Tour Noire et que tu cherches à t'échapper pour protéger ta vie, en laissant Aislinn derrière.

— Il n'a aucune raison de croire que tu resterais pour elle. Ce n'est pas exactement ton genre, ajouta Melia.

— C'est vrai, un comportement si altruiste serait difficilement prévisible chez toi. Ta réputation joue en ta faveur en ce moment, appuya Bran.

Gabriel grogna à leur intention.

La voix de Melia s'adoucit.

— Mais il y a aussi une mauvaise nouvelle.

L'incube se raidit.

— Dis-moi.

— Selon l'ami d'Aeric, ils ont trouvé une façon d'utiliser la magie qui dispersera son âme pour l'éternité. Tu n'as plus beaucoup de temps devant toi.

Gabriel tangua vers la porte, son énergie restaurée par une soudaine poussée d'adrénaline.

Aeric l'arrêta en posant la main sur sa poitrine.

— Tu ne vas nulle part sans nous.

— Non, dit Gabriel en secouant la tête. Merci, mon ami, mais c'est quelque chose que je dois faire seul. De toute façon, toi et le reste de la bande devez rester pour mener la Chasse sauvage en mon absence. Je ne peux risquer votre vie à tous.

— Tu as besoin d'un plan, suggéra Ronan en s'approchant de lui.

— Mais j'ai un plan, gronda Gabriel en soulevant son sabre ensanglanté, que quelqu'un avait posé contre le mur au bord de la porte. M'infiltrer, massacrer tout le monde et sortir Aislinn de là.

Ronan remua la tête de manière saccadée.

— Ce n'est pas un bon plan. Tu connais un sort quelconque ?

Gabriel le regarda.

— Ma magie est innée : le sexe et la mort. Je ne suis pas un mage comme toi ou Niall.

— Tu peux tout de même lancer des sorts rudimentaires. J'en ai déjà conçu un pour empêcher qu'on détecte l'endroit où tu te trouves, mais Aislinn aura besoin d'être protégée aussi.

Il inséra un petit sac et un bout de papier dans la poche de Gabriel.

— J'ai autre chose pour toi, et je crois que tu aimeras. Lorsque tu arriveras au cachot, prononce ces mots : *Tae soelle en bailian. Soot mael hai illium.* J'ai tout mis en place pour toi en bas. Ça t'aidera, tu verras.

Ronan énonça le sort en vieux maejian trois fois, faisant répéter Gabriel jusqu'à ce qu'il ait mémorisé les mots.

— Voilà, maintenant, tu es fin prêt, enfin, pour les circonstances, conclut Ronan, en secouant la tête. Aislinn est la grande amie de ma femme et tu es son seul espoir. Nous ferons tout ce qui est en notre pouvoir pour t'aider. Si tu as besoin de nous joindre, utilise ceci.

Il pressa un petit disque dans le creux de la main de Gabriel.

— Mouille-le et tiens-le en l'air. Niall et moi saurons où te trouver.

— Bonne chance, offrit Melia, en montant sur la pointe des pieds pour poser un baiser sur sa joue.

Elle avait les yeux brouillés par les larmes.

— Si les dieux le veulent, tu nous reviendras un jour.

Aeric lui fit une accolade et lui donna une tape d'encouragement dans le dos.

— Si tu as besoin de moi, appelle. Tu sais comment. D'ici là, je m'occupe de la Chasse sauvage pour toi.

— Merci, mec.

Puis Gabriel s'élança vers la sortie et manqua de tomber dans l'escalier. Que les dieux lui viennent en aide, surtout pour Aislinn. Il était un peu trop mal en point pour jouer les héros et elle en méritait un vrai.

Il descendit jusqu'au bas de l'étroit escalier en colimaçon, dans les profondeurs de la Tour Noire. L'un des avantages venant avec son grand âge, c'était qu'il était encore enfant à l'époque de la création de Piefferburg et qu'il vivait à la Tour Noire depuis l'âge de dix-huit ans. Aussi, il connaissait bien les lieux et il arrivait même à s'orienter dans ce passage secret, en regardant furtivement par les fentes du mur de roc. Elles étaient juste assez larges pour laisser passer une flèche, mais elles lui permettaient de reconnaître certaines parties de la ville.

Il savait qu'il se trouvait dans la partie nord et que s'il continuait à descendre, il finirait par trouver l'entrée arrière des cachots, exactement ce qu'il cherchait.

Enfin, un peu de chance.

Bientôt, les fentes disparurent, et avec elles la faible lueur dont il disposait. Des rats couraient dans le noir, leur piétinement accompagnant le grattement de griffes de créatures surnaturelles encore moins appétissantes. Gabriel leva les bras de chaque côté pour laisser ses doigts glisser sur le roc brut et froid, puis il posa les pieds lentement sur chaque marche pour descendre plus bas, dans la noirceur totale. Il ne serait d'aucune utilité à Aislinn s'il trébuchait maintenant, cassait son cou de 365 ans et se faisait gruger jusqu'aux os par les horribles petites créatures qui habitaient les lieux.

Il trouva l'un des interrupteurs à déclenchement de secours dont lui avait parlé Melia, et tira dessus. Une partie du mur s'ouvrit, et la lumière l'aveugla un instant. Lorsque ses pupilles s'y furent adaptées, il découvrit deux gardes des Ténèbres vêtus de noir et d'argent, qui le regardaient d'un air stupéfait.

Gabriel tendit les bras, les saisit chacun par une épaule et cogna leurs têtes l'une contre l'autre. Les gardes s'écrasèrent sur le sol, et l'incube enjamba leurs corps, assez satisfait de sa performance... pour se retrouver devant vingt autres gardes des Ténèbres qui le dévisageaient.

Aislinn était étendue sur le côté, les yeux grands ouverts, le souffle court. Sans cligner des yeux, elle observait l'eau ruisseler le long du mur de pierre bosselé, à deux mètres de son visage. Ce serait peut-être la dernière chose qu'elle verrait. L'odeur de moisi, du vieux sang et de la sueur seraient aussi sans doute les derniers parfums qu'elle respirerait. Dommage, elle aurait préféré quelque chose d'agréable, comme la cannelle ou le miel.

Les mages noirs avaient tournoyé autour d'elle toute la journée, comme une nuée de corbeaux, marmonnant entre eux. Leur activité dégageait ce jour-là une note d'urgence, contrairement aux jours précédents. Il était arrivé quelque chose. Peut-être avaient-ils trouvé la solution à leur problème : un moyen de détruire son âme.

Elle avait hâte de trouver une fin à son malheur, bien qu'une partie d'elle souhaitait encore rester en vie. Ce n'était plus qu'une toute petite voix par contre, enfouie sous les couches du fer enchanté posé sur sa peau glacée, du roc rude sur lequel elle était allongée et de la douleur diffuse qui régnait sans relâche dans sa tête et ses membres.

Des images de son enfance défilaient de temps à autre dans son esprit, comme si son subconscient passait en revue des souvenirs et les relâchait avant qu'elle ne tombe dans la noirceur éternelle. Mais pas le Monde des Ténèbres. On lui refusait même ce droit.

Elle pouvait voir son père dans son esprit. Son vrai père. Il lançait en l'air des boules bleu pâle et rose clair à l'occasion de son septième anniversaire. Elle se souvenait maintenant des conversations tendues menées à voix basse par ses parents dans la cuisine ou derrière la porte close de leur chambre. Son père avait-il appris qu'elle ne portait pas son ADN ? Se disputaient-ils au sujet de l'infidélité de sa mère ? Aislinn ne le saurait jamais. Tant de questions mourraient avec elle d'ici la fin de la journée.

C'était sans doute le plus dur à avaler.

Des bruits de bataille parvinrent aux oreilles d'Aislinn. Ils venaient de loin, de l'autre côté du sous-sol humide. La révolte d'un prisonnier, peut-être. Il y en avait toujours un qui se rebellait de temps en temps. Par contre, celui-là semblait faire la vie dure à ses opposants. Les mages noirs interrompirent leurs marmonnements et leurs préparatifs de sortilèges funestes. Leurs têtes encapuchonnées se relevèrent subitement, leurs visages se tournant vers la source des cris.

Quelque part au loin, un homme hurlait d'étranges paroles en vieux maejian.

— *Tae soelle en bailian ! Soot mael hai illium !*

Les paroles magiques étaient imprégnées d'un sort. Elles se resserrèrent comme une corde autour de sa gorge. Aislinn écarquilla soudainement les yeux et avala une bouffée d'air. Terrifiée, elle combattit la sensation, son corps se convulsant sous l'effet de la peur.

Oh, Danu, pas tout de suite ! Je ne suis pas encore prête !

Les mages se raidirent, pris de panique, et crièrent des mots ficelés de magie en direction du cachot, mais il était trop tard pour contre-attaquer. Même dans son délire empoisonné de fer enchanté, Aislinn le devinait.

Elle ne savait pas qui c'était, mais de toute évidence, ce sorcier mystérieux avait pris les mages par surprise. Un par un, s'agrippant au fil invisible qui serrait leur gorge, ils tombèrent sur le sol crasseux de la fosse.

Elle fut la seule à rester vivante. Les magies se faisaient la guerre pour s'approprier son corps, mais les ficelles du premier sort restaient accrochées autour de son cou, se resserrant petit à petit. Sa volonté de vivre déterra chaque petit morceau d'énergie qu'elle ignorait encore posséder, et elle lutta.

Puis le visage de l'incube apparut devant ses yeux. Ses lèvres menteuses, traîtresses, formèrent son prénom, mais elle ne put rien entendre, car le flot de la mort coulait bruyamment dans ses oreilles. Comme c'était injuste : la dernière chose qu'elle voyait avant de mourir était ce visage.

Une rage dévorante, parfaite, fut la dernière émotion qu'elle ressentit avant que chaque lumière habitant son être ne s'éteigne.

QUATORZE

Gabriel s'affaissa contre un mur à l'autre bout de la pièce et se laissa choir sur le sol, enfouissant une main dans ses longs cheveux sales entortillés. Aislinn était allongée sur le lit.Les rayons de lune qui effleuraient son corps semblaient décolorer sa chevelure, la rendant encore plus pâle que d'habitude.

Le sort que Ronan avait fourni à Gabriel avait endormi tous les occupants du donjon. Le mage avait mis en place les rouages de la magie et donné à Gabriel les mots qui les activeraient. Il avait même attrapé les mages personnels du roi des Ténèbres avant qu'ils n'aient le temps de contre-attaquer. Malheureusement, son sort avait également endormi Aislinn.

C'était peut-être mieux ainsi. L'expression qui avait marqué son visage, lorsqu'elle avait vu Gabriel, n'avait pas été très amicale. Son sentiment, combiné avec le délire causé par le mal des fers, l'aurait probablement poussée à lutter contre son sauveur si elle avait été consciente. Il imaginait qu'elle croyait que tout ce qu'il avait dit et fait à la Rose avait été un mensonge. Il ne pouvait la blâmer. Il lui avait effectivement menti. Il avait eu l'intention de lui causer du tort. Du moins, au début.

Ne sachant pas pendant combien de temps tout le monde resterait endormi, ni si quelqu'un de l'extérieur entrerait dans le donjon et sonnerait l'alarme, il avait arraché les chaînes de fer enchanté d'Aislinn dès qu'il avait trouvé la clé et l'avait soulevée dans ses bras. Son corps était léger comme une plume après avoir été négligé et maltraité pendant près d'une semaine. Elle était si froide qu'il en avait été stupéfié. Il s'était même demandé pendant un moment si elle avait glissé dans la mort plutôt que dans le sommeil.

Sortir de la Tour Noire n'avait pas été une partie de plaisir. Il avait soufflé le sort d'antidépistage sur le visage de sa rescapée et prononcé sans perdre une seconde les mots servant à l'activer. Puis, il s'était faufilé à l'extérieur par les endroits obscurs, avait marché à pas de loup, retenu son souffle, et prié les dieux et la déesse Danu de les mener à bon port.

Une fois à l'extérieur, il avait transporté Aislinn jusqu'à un endroit sûr, loin de la Tour Noire. Il avait voyagé à pied, en empruntant les ruelles et les chemins sombres, heureux que le jour ne se soit pas encore levé et que presque personne ne soit sorti, hormis la Garde. Il était à présent exténué, car il en avait fait bien plus que ce son corps intoxiqué de fer pouvait supporter. Ses bras brûlaient de l'avoir portée, car même si elle était légère et qu'il était fort, il avait franchi une grande distance sans même s'arrêter pour reprendre son souffle. La seule chose qui l'avait gardé sur ses pieds, la seule chose qui l'avait poussé à avancer, c'était sa volonté.

Il pouvait maintenant respirer à fond. Il pouvait maintenant se reposer. Ils étaient en sécurité, du moins pour le moment.

Des yeux, il détailla le corps de sa protégée dans la lumière de la lune. Il l'avait recouverte de toutes les couvertures qu'il avait pu trouver. Ses cheveux blond argenté, sales et enchevêtrés, pendaient sur le côté du matelas, les pointes traînant sur le plancher. Son visage ressemblait encore à celui d'une statue, la lumière illuminant ses traits maculés de saleté. Malgré la crasse et le stress de son séjour dans le cachot, elle avait l'air serein, comme si elle pouvait sentir, mystérieusement, qu'elle était maintenant hors de danger.

Hors de danger comme on pouvait l'être si on était poursuivi par l'homme le plus puissant de tout Piefferburg et par chaque membre de sa Garde des Ténèbres et de son armée de gobelins.

Mais Gabriel n'était pas prêt à faire face à cette réalité. À la place, il posa la tête contre le mur et ferma les yeux.

Aislinn se réveilla lentement, enveloppée de chaleur et de douceur.

Après un moment de désorientation, ses souvenirs revinrent par bribes, accompagnés de la douleur et de la sensation du mal des fers. Elle cligna des yeux, se réveillant un peu mieux, et son regard s'attarda sur un grand éclat de soleil couleur crème au milieu d'un plafond orné d'une moulure. Ce n'était plus le cachot. Elle se redressa, grimaçant de douleur, et les couvertures tombèrent autour de sa taille. Des couvertures douces et luxueuses.

En faisant le tour de la pièce du regard, elle cligna de nouveau des yeux. Un rayon de soleil étincelait depuis la fente de rideaux bleu sarcelle qui couvraient une grande fenêtre surplombant une aire boisée.

Non, il n'y avait aucun doute, elle n'était plus dans le cachot. Cette pièce s'apparentait plutôt à la Tour Rose.

Le lit bas et moderne sur lequel on l'avait posée trônait au centre d'une grande chambre à coucher. Des fenêtres couvraient toute la hauteur de la pièce et étaient masquées par des rideaux, dont certains étaient entrouverts. Une porte ouvrait sur ce qui semblait être une penderie spacieuse. Une autre porte donnait sur une salle de bain. Sa chair lui démangea lorsqu'elle songea à la possibilité de prendre une douche.

Une cheminée en pierre occupait presque tout le mur en face du lit. Le plancher était en bois, poli de manière à refléter chaque parcelle de lumière et couvert de carpettes ici et là. Des meubles modernes agencés au style du lit décoraient la chambre. Tout avait été choisi dans des nuances réconfortantes de vert.

Et Gabriel Cionaodh Marcus Mac Braire gisait contre un mur, profondément endormi.

La mine hargneuse, elle s'élança dans sa direction, pour se retrouver aussitôt étalée sur le plancher. Dans son état empoisonné par le fer, son corps ne pouvait coopérer pour exaucer son souhait le plus cher ; celui de traverser la pièce et de l'étrangler pour lui avoir menti, l'avoir dupée, et lui avoir — presque — brisé le cœur.

Les yeux de Gabriel s'ouvrirent tranquillement et s'ajustèrent pour mieux la voir, à moins de deux mètres de lui.

Elle s'obligea à se redresser, élimina la distance qui les séparait et se jeta sur lui.

— *Toi* ! grinça-t-elle du peu de voix qu'il lui restait. Toi ! Tu savais que le roi des Ténèbres voulait ma mort et tu as tenté de me jeter dans ses bras.

Elle ricana avant de continuer.

— Tu as fait du bon boulot, Gabriel. J'ai cru à tous tes mensonges.

Il la força à s'aplatir sur le dos, après quoi elle lui balança des coups de pied et se débattit avec toute l'énergie qu'il lui restait — très peu —, puis il lui coinça les poignets contre le plancher de chaque côté de sa tête. Son regard s'accrocha au sien et, pour la première fois, Aislinn se détacha de sa rage et regarda Gabriel, elle le regarda pour vrai. Il était aussi sale qu'elle, blessé et amaigri. Et il puait autant qu'elle, comme s'il avait été jeté au cachot et maltraité.

— Je suis désolé. Je ne savais pas qu'il avait l'intention de te tuer, dit Gabriel d'une voix éraillée. Je le jure. Je te supplie de me pardonner.

Elle se figea, sondant ses yeux d'un air interrogateur.

— Que veux-tu dire, tu ne le savais pas ? Tu es venu à la Rose en sachant tout, en sachant que j'étais la bâtarde du roi des Ténèbres et qu'il avait besoin que je vienne vers lui sans y être forcée, pour ne pas briser son entente avec la reine Été. Tu le savais !

Elle avait hurlé ces trois derniers mots.

— Tu m'as leurrée. Tu m'as menti en sachant que le roi des Ténèbres prévoyait anéantir chaque parcelle de mon être, et même jusqu'à mon âme ! Tu savais tout !

Gabriel jura en vieux maejian, libéra les poignets d'Aislinn, et recula. En heurtant le mur, il s'affaissa sur le plancher et enfonça une main dans ses cheveux poisseux et emmêlés.

243

— Je ne le savais pas, Aislinn. Je ne savais pas tout. Tout ce que je savais, c'était qu'il m'avait donné l'ordre de te séduire pour que tu me suives à la Tour Noire. Je n'ai jamais pensé qu'il avait l'intention de te faire du mal.

Elle se redressa pour s'asseoir.

— Oh, donc tu m'as seulement leurrée pour me séduire et réorganiser ma vie en entier. Lorsque je suis arrivée à la Tour Noire, en poursuivant ton amour artificiel, *exactement ce que tu avais prévu*, qu'est-ce que tu m'aurais dit si je t'avais trouvé ? « Va te faire voir ? » « Mon travail est terminé ? » Ah, oui, tu as raison, c'est beaucoup mieux.

Gabriel secoua la tête.

— Je suis désolé de ce que j'ai fait, Aislinn, mais ne te méprends pas en croyant que je ne me soucie pas de toi.

— Te soucier ? De moi ? cracha-t-elle en se penchant vers lui. Ça voudrait dire que tu es capable de sentiments, incube. Je sais bien que ce n'est pas le cas.

Il soupira et appuya sa tête sur le mur.

Le regard d'Aislinn passa du visage gris de Gabriel à son corps. Il ne portait ni chemise ni chaussures ; seulement un pantalon noir ample et déchiré. Il était encore plus sale qu'elle et portait les traces révélatrices du mal des fers, ce qui la fit réfléchir.

— Que t'est-il arrivé ?

Il laissa échapper un rire sec, qui résonna comme un aboiement.

— Lorsque j'ai appris que le roi des Ténèbres avait l'intention de te faire du mal, je me suis opposé. Il m'a jeté en prison dans le but de briser ma volonté. Ou pour me mettre hors de son chemin, peut-être. Ma ban— mes amis m'ont libéré et, à mon tour, je t'ai libérée du cachot. Tu t'en souviens? Tu as vu mon visage juste avant que le sort de Ronan te fasse perdre connaissance.

Aislinn demeura silencieuse. Oui, elle se souvenait d'avoir vu son visage, lorsque le sort empreint de magie avait bourdonné dans ses oreilles. En avalant difficilement, elle lutta pour contenir ses émotions.

— Merci de m'avoir sortie de là.

Gabriel ne dit mot, restant simplement appuyé contre le mur, les yeux fermés. Au bout d'un moment, il répondit :

— Ne me remercie pas, Aislinn. Je n'ai fait que réparer mon erreur.

— Où sommes-nous?

Il pencha la tête vers l'avant et la regarda.

— Nous sommes aux abords du *ceantar láir*, à la limite des Terres frontalières. La personne qui possédait cette maison est décédée récemment et elle n'avait pas d'héritiers. La propriété appartient dorénavant à la ville de Piefferburg. Nous ne devrions pas être dérangés ici, du moins, pour un bout de temps.

— Nous sommes chez une personne morte?

Il fit oui de la tête.

— Nous sommes chez une personne morte, nous sommes reconnaissants de ne pas être morts nous-mêmes et nous planifions de rester en vie dans un avenir prévisible, d'accord?

Il marqua une pause et avala sa salive. Les muscles de son cou bougèrent. Ses pupilles se dilatèrent légèrement.

— Donc, tu es la fille du roi des Ténèbres?

Ce n'était pas une question. Elle confirma ses paroles d'un hochement de tête.

— Semble-t-il.

— Dieux.

— Ne me dis pas que tu ne le savais pas.

— Je ne le savais pas. Il m'avait dit que tu étais une parente éloignée perdue de vue depuis longtemps. Je n'ai pas fait le rapprochement avant ce jour où je suis allé le voir en revenant à la Noire, après avoir décliné l'invitation de la reine.

Elle leva les yeux au ciel.

— C'est la vérité, Aislinn. Je le jure.

Il jura à nouveau.

— Tu ne lui ressembles pas du tout, sauf pour ce qui est de la couleur de tes cheveux.

— Pourquoi veut-il me tuer ? Me considère-t-il comme une —

— Menace. Oui. Je sais maintenant qu'il a tué sa mère ; ta grand-mère. Tu te souviens de l'histoire que je t'ai racontée à propos de Brigid ?

Aislinn hocha la tête.

— Ce n'est pas son compagnon qui l'a tuée, c'est son fils. Aodh voulait son trône et n'avait pas envie d'attendre son tour. Dorénavant, il craint que tu essaies de lui voler son règne.

— Il ne voulait pas que me tuer. Il voulait détruire chacune des fibres de mon être. M'assassiner n'était pas assez pour lui.

Gabriel agita la tête d'avant en arrière.

— Parce que tu es une nécromancienne.

— Il avait peur que je le dérange en revenant le hanter, renâcla-t-elle.

246

— Je suis certain que ta grand-mère continue de peser lourd sur sa conscience.

— Cet homme n'a pas de conscience.

— Le roi des Ténèbres a foutrement peur de toi, Aislinn. Tu es l'héritière du trône unseelie, il te revient de plein droit.

Gabriel sourit froidement.

— Il a raison d'avoir peur de toi, car tu es puissante.

— Non, c'est ridicule, opposa-t-elle en secouant la tête. Je ne peux…

Un soupir angoissé s'échappa de sa gorge.

— Je ne suis *pas* puissante, Gabriel. Je ne suis qu'une simple Sídhe Seelie. C'est tout.

Il glissa si vite vers elle qu'elle sursauta. Il saisit son menton et la força à lever les yeux vers lui.

— Tu es une nécromancienne, Aislinn, et je suis le seigneur de la Chasse sauvage. Nous irions bien ensemble, tu ne crois pas ? Nous ferions une équipe du tonnerre. Et nous ferions mieux de faire une équipe du tonnerre, car nous avons tous les deux pour ennemi l'homme le plus puissant de Piefferburg.

Elle aspira une bouffée d'air.

— Tu es le seigneur de la Chasse sauvage ?

C'était logique, maintenant, la maison qu'il avait choisie. Bien sûr, il connaissait un endroit nouvellement « vacant », dans lequel la mettre en sécurité. Elle arracha ses mains aux siennes et se dégagea de lui.

— As-tu d'autres révélations à me faire ?

Il la fit tomber par terre en moins d'une seconde, le dos sur le plancher, coincée sous lui.

— J'en ai peut-être d'autres, grogna-t-il près de son visage.

— Lâche-moi!

— Pas avant que tu comprennes une ou deux choses fondamentales. Premièrement, tu ne pourras pas te débarrasser de moi, *princesse*. Deuxièmement, nous ferions mieux de trouver un moyen de bien nous entendre, car le roi des Ténèbres veut ta peau.

Il retroussa les lèvres pour montrer les dents.

— Et il ne l'aura que s'il réussit d'abord à me passer sur le corps.

Aislinn arrêta de bouger, le regard fixé sur le visage de Gabriel. Ses yeux demeurèrent accrochés aux siens un moment, puis ils glissèrent vers ses lèvres et s'y posèrent un moment. Pendant un instant de folie, elle se demanda s'il allait l'embrasser. Et elle se demanda ce qu'elle ferait, le cas échéant. Après tout, il l'avait trompée, lui avait menti, avait fait de son mieux pour la séduire et la convaincre de s'intégrer à la Noire. Mais voilà qu'il était venu à son secours dans le cachot et qu'il avait juré de sacrifier sa propre vie pour préserver la sienne. Elle ne savait plus exactement ce qu'elle ressentait à son égard.

Gabriel était un véritable paradoxe.

Gabriel tourna ses yeux vers le bas, et elle devint douloureusement consciente de sa tenue, ou de l'absence de celle-ci. Elle était pieds nus, vêtue d'une légère chemise qui laissait deviner le bout de ses seins à travers le tissu. Les yeux de Gabriel lui firent savoir qu'il les avait bien remarqués, et qu'il se plaisait à les regarder.

Le cœur d'Aislinn s'emballa et son sang rugit jusqu'à sa tête, alors qu'elle luttait contre la réaction qu'il faisait naître en elle. Ses émotions avaient beau s'agiter dans un tumulte et elle pouvait bien lui en vouloir à mort, son corps le désirait. Il n'y avait aucun doute là-dessus.

Apparemment, il la désirait aussi.

Les yeux de Gabriel s'attardèrent encore un long moment sur ses lèvres, puis il s'écarta d'elle pour lui permettre de s'asseoir. Il bascula vers l'arrière en s'appuyant sur les talons.

— L'arrière de cette maison donne sur les Terres frontalières. Le bois nous entoure. Nous ne serons dérangés par aucun voisin. Je vais remplir deux sacs avec des vêtements, des fournitures et des armes, et je vais les mettre dans un endroit facilement accessible, au cas où nous aurions à nous enfuir. D'accord ?

Aislinn acquiesça d'un signe de tête.

— Lorsque tu te sentiras plus solide sur tes pieds, je te montrerai toutes les portes de sortie.

Il tendit le bras vers la salle de bain.

— Prends une douche. Il y a des vêtements dans la commode de la chambre et je crois qu'ils sont à ta taille. Je nous prépare vite fait de quoi manger. Je devine que tu es aussi affamée que moi.

Il avait effectivement l'air d'avoir faim : amaigri, affamé, abîmé et fatigué. Et, selon ses dires, c'était parce qu'il s'était porté à sa défense. Aislinn sentit sa rage s'atténuer. Il l'avait trahie, certes, mais il faisait de son mieux pour arranger les choses. Il aurait pu tout bonnement lui tourner le dos.

Elle se redressa et le dévisagea avec méfiance.

Il se leva et hocha la tête :

— C'est d'accord ?

— Pour le moment.

— Ça me va pour l'instant.

Il sortit de la pièce, la laissant seule avec ses pensées.

Aislinn se fichait bien de squatter la maison d'un homme défunt et d'utiliser sa douche. Tout ce qui lui importait, c'était la sensation de l'eau chaude sur son dos, qui allégeait la tension de ses muscles et chassait le froid incrusté jusque dans la moelle de ses os. Tout ce qui lui importait, c'était ses cheveux lisses, rigoureusement lavés et tout propres, qui tombaient doucement sur ses épaules.

Dans l'armoire, sous l'évier, elle avait trouvé des petites boîtes vertes contenant de petits pains de savon parfumés. Elle en avait utilisé un pour savonner sa peau, rincer, répéter ; la débarrasser des effluves du cachot, des taches de saleté, des restes de magie noire et de la souillure des choses pourrissantes. Elle approfondit le nettoyage encore un peu, en utilisant une éponge végétale toute neuve qu'elle avait trouvée sous le comptoir. Elle exfolia son corps, le délivrant de toute une couche de peau morte et grise, découvrant la chair rose et douce en dessous.

C'était comme renaître.

Lorsque l'eau devint froide, elle ferma le robinet et sortit de la douche, puis s'enveloppa d'une énorme serviette de bain moelleuse. L'ancien propriétaire de cette maison avait profité des bonnes choses de la vie, malgré son appartenance à la troupe.

L'odeur du plat qui mijotait flotta jusqu'au nez d'Aislinn, et elle faillit se tordre de faim. À un certain moment, la sensation de vide qui lui grugeait l'estomac avait intégré son être, comme une simple partie de son existence, comme la douleur ou la promesse de la mort. Elle passa à deux doigts de laisser tomber la serviette pour courir à la cuisine et trouver la source de l'appétissante odeur… puis elle se souvint de la personne qui préparait le repas.

Elle passa la main sur le miroir embué. Des traces sombres d'épuisement s'étendaient sous ses yeux. Ses pommettes étaient un peu plus saillantes qu'elles l'étaient une semaine plus tôt et son regard recelait une dureté qu'elle ne lui connaissait pas. La dureté était une chose à cultiver, à façonner pour en faire un outil pratique. Elle aurait besoin de cran, de cette dureté, pour se mesurer au roi des Ténèbres. La pensée la terrifiait, mais si elle voulait vivre — et elle *voulait* vivre — c'était exactement ce qu'elle devrait faire.

La dernière semaine l'avait changée pour toujours. Seul le temps dirait si ce changement était pour le mieux ou pour le pire.

Après avoir enduit sa peau d'une lotion exquise, séché ses cheveux et trouvé un pantalon en jersey fin et doux, des chaussettes blanches douillettes et un col roulé blanc, elle se sentit de nouveau un peu plus elle-même. La semaine qu'elle avait passée dans les limbes infernaux du cachot hantait encore son esprit, et elle n'arrivait pas à en repousser le souvenir. Elle avait l'impression d'avoir passé cinq ans dans ce cachot, et non cinq jours, mais maintenant, elle retrouvait au moins une partie de la personne qu'elle avait été avant de décider de partir vers la Tour Noire.

Elle se sentirait encore mieux après avoir avalé quelques bouchées de nourriture. Elle ne pouvait plus éviter la faim qui la tenaillait et elle avait besoin de manger, même si elle devait, pour ce faire, affronter l'homme dans la cuisine. En s'appuyant contre les murs et les meubles pour se tenir sur ses deux pieds, elle trouva son chemin jusqu'à lui.

L'incube était debout à ses fourneaux, remuant quelque chose dans un poêlon à l'aide d'une cuillère en bois. Ce quelque chose exhalait l'odeur du poulet parfaitement rôti et fit saliver Aislinn. Gabriel avait aussi pris une douche, et il avait revêtu un pantalon noir ample, mais ne portait ni chaussures ni chemise. Ses cheveux tombaient en écheveaux humides sur son dos. L'espace d'un instant, les doigts d'Aislinn se replièrent comme pour y toucher, pour prendre un peigne et démêler et lisser chaque mèche.

Elle ferma les poings de chaque côté de son corps.

Il se retourna en entendant le son de ses pas sur les carreaux et agita la main en direction de la table ronde, dressée au centre du coin-repas adjacent à la cuisine.

Une baie vitrée révélait une autre zone boisée.

— Assieds-toi. Je vais te servir un vrai repas. S'ils t'ont traitée comme ils m'ont traité, tu en veux un autant que moi. Je n'ai eu droit qu'à du pain moisi et à de l'eau tiède depuis une semaine.

Oui, ils lui avaient donné juste assez à manger pour qu'elle ne meure pas avant qu'ils trouvent un moyen de déchiqueter son âme. Elle marcha jusqu'à la table et s'y installa, regardant par la fenêtre la lisière des Terres frontalières. Elle ne les avait jamais vues jusqu'à maintenant. Elle ne s'était jamais aventurée très loin de la Place Piefferburg, en vérité.

— Comment sais-tu qu'ils ne nous trouveront pas ici ? demanda-t-elle, sans détourner le regard.

Il marcha vers elle, puis déposa une assiette remplie d'une bonne ration de poulet, le tout servi sur un lit de riz et arrosé d'une sauce. Des légumes rôtis servaient d'accompagnement.

— Je me fie beaucoup à Ronan Quinn.

Il alla chercher son assiette et s'assit à côté d'elle. Il prononça autre chose qu'elle ne put entendre parce que sa bouche était pleine de nourriture et que tout son monde se résumait subitement à ce seul événement.

Les saveurs explosaient sur ses papilles gustatives. Jamais de toute sa vie n'avait-elle goûté quelque chose d'aussi délicieux. C'était chaud et rempli de bonnes choses nutritives et satisfaisantes que son corps absorbait au complet, comme une goutte d'eau dans le désert. Après cinq grosses bouchées, elle put fonctionner à nouveau. Elle but un grand verre d'eau pure et froide, et ferma les yeux en étouffant un gémissement de plaisir.

— Ronan Quinn ? finit-elle par demander.

— Il m'a donné un sort qui empêche de nous retrouver par dépistage. Il a dit l'avoir perfectionné lui-même ; c'est un sort pour lequel il est pratiquement impossible qu'un autre mage trouve une contre-mesure. Je ne crois pas qu'ils nous chercheront ici, dans cette maison. Comme je suis le seigneur de la Chasse sauvage, je suis l'une des rares personnes à savoir que l'ancien occupant est décédé. Je ne t'aurais pas emmenée ici si je ne croyais pas qu'il s'agissait d'un lieu sûr. Tu peux te détendre pour le moment. Nous devons tous les deux nous remettre du mal des fers.

Oui, elle pouvait encore sentir les dommages que le fer enchanté lui avait causés. Elle manquait d'énergie et ses muscles lui faisaient continuellement mal.

Gabriel prit une bouchée, mâcha, puis avala.

— Avant de passer à ce que nous avons à faire.

Elle poussa un bout de poulet de sa fourchette, d'un coin à l'autre de son assiette.

— Et de quoi s'agit-il, selon toi ?

Mais bien sûr, elle connaissait déjà la réponse.

— Nous vivons dans une bulle, ici à Piefferburg. Ce n'est pas comme si nous pouvions nous enfuir à Singapour. Si nous tenons à notre vie, nous devons faire face à celui qui veut nous enlever la vie.

— Le roi des Ténèbres et les armées qu'il dirige.

Gabriel hocha la tête et prit une autre bouchée. En gesticulant avec sa fourchette, il parla du coin de la bouche.

— Alors, mange. Tu auras besoin de toutes tes forces.

Aislinn posa la question qui lui brûlait les lèvres :

— Tu crois vraiment que nous avons des chances de le vaincre ?

Il lui sourit et lui fit un clin d'œil.

— Je crois que nous n'avons pas d'autre choix que celui d'essayer.

— Essayer et mourir.

— Peut-être. Probablement.

— Tu ne me remontes pas le moral.

Il se leva et alla déposer son assiette vide dans l'évier. Elle termina son repas en silence tandis qu'il l'observait, appuyé sur le comptoir. En croisant les bras, il lança :

— Je suis réaliste.

Oui, il était aussi menteur.

Lorsqu'elle eut terminé de manger, elle poussa son assiette devant elle et savoura la sensation de son ventre plein et de son corps chaud et propre. La douche et la nourriture avaient fait des merveilles.

Elle remua les orteils dans la douceur de ses chaussettes et soupira.

— Pourquoi l'as-tu fait ?

En fixant les arbres par la baie vitrée, elle précisa :

— Pourquoi as-tu pris un si grand risque pour moi ? Tu t'es évadé de ta prison, tu aurais pu simplement disparaître. Partir le plus loin possible. Tu aurais pu te contenter de sauver ta propre vie. Au lieu de ça, tu as choisi d'entrer dans le donjon, de défier les mages… pour moi.

Elle tourna les yeux vers lui.

— Pourquoi ?

Gabriel marcha jusqu'à elle et tira sur sa chaise pour l'avoir en face de lui. Puis il se pencha, s'arc-boutant en posant les mains sur les appuie-bras. L'odeur de savon que dégageait sa peau chatouilla le nez d'Aislinn et une mèche de ses cheveux encore humides lui effleura la joue.

— Je l'ai fait parce que je me sentais responsable de toi, Aislinn. Je t'ai causé du tort, même si je n'étais pas conscient de la gravité de mon crime. J'ai été, en fin de compte, la raison pour laquelle tu es venue à la Noire, puisque si je n'étais pas intervenu dans ta vie, tu n'aurais jamais quitté ta cour. Je ne voulais pas de ce karma pour mon âme.

Il l'avait fait parce qu'il s'était senti coupable. Sa motivation n'avait rien à voir avec elle et tout à voir avec lui-même. Peut-être que quelque part tout au fond d'elle-même, Aislinn espérait quelque chose d'autre. Quoi ? Quelque chose de romantique ? Avait-elle souhaité qu'il lui déclare son amour éternel ? Peut-être même lui aurait-il avoué qu'il ne s'imaginait pas pouvoir vivre sans elle ? Aislinn leva les yeux au ciel. Danu, qu'elle était idiote ! Toute leur relation, jusqu'à ce moment précis, était basée sur le mensonge.

Comment avait-elle pu s'attendre à quoi que ce soit d'autre de sa part ? Il ne s'était probablement jamais, de toute sa vie, engagé dans une relation avec une femme.

Gabriel n'était tout simplement pas fait pour l'amour. Ce n'était pas dans sa nature.

Et il était tellement beau. C'en était presque insupportable. Aislinn comprenait bien comment n'importe quelle femme pouvait rapidement tomber sous son charme. Même sans sa magie, l'homme était comme une arme fatale contre celles se trouvant à dix mètres de lui. Peu importe qu'il ait été arrogant et intéressé. Rien de tout cela n'avait d'importance quand on se retrouvait face à sa mâchoire parfaitement ombrée, à ses lèvres parfaitement sculptées et à la promesse sombre et érotique que communiquaient ses yeux.

Aislinn ne pouvait se permettre de tomber sous le charme. Elle devrait rester forte si elle était forcée de rester à proximité de lui durant l'épreuve qui l'attendait.

— D'accord, soupira-t-elle, frémissante. Encore une fois, merci.

— Et encore une fois...

Il se pencha encore plus près, lui coupant carrément le souffle. Ses lèvres effleurèrent à peine les siennes, et le cœur d'Aislinn se mit à cogner dans sa poitrine. Puis Gabriel sourit.

— Ne remercie pas celui qui t'a jetée dans la gueule du loup juste parce qu'il t'en a sortie.

— Ne te flatte pas trop, Gabriel. Je ne suis pas allée à la Tour Noire pour toi.

Il n'avait pas été sa seule raison, du moins.

— J'y suis allée parce que je voulais m'entraîner à pratiquer ma magie, devenir utile, avoir un but dans la vie, un but autre que celui de faire les boutiques et de courir les bals. Voilà. J'y suis allée pour améliorer ma vie.

Elle laissa échapper un rire sarcastique.

— Pour y trouver qui je suis vraiment. Comme c'est ironique.

Il la regarda fixement pendant un bon moment avant de se redresser en poussant sur les appuie-bras.

— Bien, tu auras ta chance.

— Qu'est-ce que ça veut dire ?

— Tu dois découvrir tes pouvoirs de nécromancienne. Heureusement, je suis exactement l'homme qu'il te faut pour y parvenir.

— Je suis heureuse de constater que tu es si confiant, mais il y a une petite faille à ton plan.

— Qui est ?

— J'ai laissé tout ce que je possède à la Tour Noire, ce qui signifie que le livre se trouve désormais entre les mains du roi des Ténèbres.

— Le livre ? Quel livre ?

QUINZE

— Le livre.

Les mots avaient été prononcés doucement par une voix masculine. La magie suinta par le téléphone et pénétra dans l'oreille de Carina comme un virus se propageant dans l'air. Noir et visqueux, le sortilège du druide fit tressaillir Carina avant de l'immobiliser, l'obligeant à tenir le téléphone à son oreille au lieu de le lancer à l'autre bout de la pièce, comme chaque once de son instinct de survie lui criait de faire.

— Le livre, répéta-t-elle d'une voix haletante.

Elle avait si peur, qu'elle serrait le portable à s'en faire blanchir les doigts.

— Vous m'avez accordé plus de temps pour le trouver. Je vous en remercie.

Carina ferma les yeux et plongea :

— Je l'ai cherché partout. J'ai même dévalisé le coffre d'Aislinn. J'ai demandé à tout le monde et…

— Et ?

Oh, douce Danu, pitié. Elle rouvrit les yeux et se concentra sur une photo encadrée d'elle et Drem, qui décorait une table d'appoint.

— Si elle l'a déjà eu, il a maintenant disparu. Je crois qu'elle l'a emporté là-bas. À la Tour Noire. Seulement...

Carina se mordilla la lèvre.

— Quoi ?

— Il y a beaucoup d'activité autour de la Noire, ces derniers jours. La Garde des Ténèbres et les gobelins fourmillent sur la place et dans la ville, ils s'approchent même de la Rose. Tout a commencé après qu'Aislinn est partie. Je n'en suis pas certaine, mais je crois qu'elle a peut-être été capturée ou tuée. À tout le moins, je la soupçonne d'être sur les charbons ardents. Si c'est le cas, alors il est possible que le roi des Ténèbres se soit approprié le livre.

Si le roi des Ténèbres l'avait réellement en sa possession, le Phaendir n'avait aucun espoir de le récupérer. Dans un cas comme dans l'autre, le travail de Carina était terminé. Elle n'attendait plus que leur jugement. Elle était si fatiguée.

Elle sursauta au moment où un ver invisible s'infiltra dans son oreille, engourdissant ses doigts repliés sur le portable. L'écouteur se colla à son oreille, l'empêchant de lancer le téléphone à bout de bras.

Silence.

Le silence était encore plus froid et noir que l'épais sortilège qui tissait son chemin à travers son cerveau, suçant le feu de ses synapses une par une. Il lui vola même sa panique. Elle savait qu'elle aurait dû être effrayée. Elle avait échoué. Elle savait donc qu'elle devait dire quelque chose. Autrement, il déciderait peut-être qu'il n'aurait plus besoin d'elle.

— Non. Je peux tout de même vous aider, chuchota-t-elle. Je peux toujours... épargnez Drem, *pitié.*

Le téléphone portable tomba de sa main et se fracassa, les miettes de métal et de plastique tourbillonnant au sol. Le sang s'égoutta de son oreille tandis qu'elle s'écroulait sur son plancher de marbre lustré, aveuglée, l'esprit aussi fragmenté que le portable.

— Ce livre dont tu parles, tu as dit qu'il avait une couverture en cuivre rouge foncé et des pages en papier vélin. Il contient une section dans les dernières pages que seul un objet s'y insérant parfaitement peut débloquer, un peu comme une clé.

Aislinn fit oui de la tête.

Gabriel marcha jusqu'à la fenêtre et enfouit sa main dans ses cheveux. Sa voix était monotone, presque abasourdie.

— Tu as dit l'avoir trouvé dans les affaires de ton père après son décès.

Elle se leva du canapé, faible et chancelante, puis alla se poster à ses côtés.

— Oui.

Elle se rongea l'ongle du pouce en regardant les Terres frontalières par la fenêtre. Vraisemblablement, le livre était plus qu'un guide de la nécromancie.

— *Danu*. Ce doit être le Livre de l'union. Il a disparu depuis des milliers d'années. Il a été écrit à l'époque où le Phaendir et les fae étaient alliés. C'est le livre des sorts le plus complexe que l'on connaisse, un mélange de magie fae et druide.

Gabriel marqua une pause et prit une grande respiration.

— Aislinn, ce livre contient le sort permettant de briser le mur de garde qui entoure Piefferburg.

— J'en ai entendu parler. J'ignorais seulement que c'était ce que je possédais.

Elle supposa qu'il serait approprié de ressentir quelque chose, le choc et la stupeur, par exemple. Elle ne ressentait rien de tel. Peut-être avait-elle épuisé tous les chocs et toute la stupeur qu'elle était capable d'éprouver. Elle était si fatiguée. C'était un miracle qu'elle arrive même à tenir sur ses pieds.

— Mais qui donc était ton père ?

Elle se tourna vers lui pour le regarder d'un air grave.

— Je veux dire, ton père, l'homme qui t'a élevée. Qui était-il ?

Elle haussa les épaules.

— Je n'ai jamais cru qu'il était quelqu'un de spécial, à part un fae au sang Tuatha Dé Seelie des plus purs. Il ne possédait pratiquement aucune magie à ce que je sache ; il ne pouvait produire que quelques petites illusions. Il ne détenait que peu de pouvoir, mais il était très haut placé dans la Tour Rose en raison de sa généalogie, à laquelle je sais maintenant ne pas appartenir.

— Comment est-il mort ?

Elle se tourna de nouveau vers la fenêtre et garda le silence pendant un moment. C'était un horrible souvenir. Elle avait toujours été si proche de son père. Comme sa mère n'était pas vraiment une mère pour elle, elle s'était sentie comme une orpheline. C'était assez ironique, vraiment.

— Il a été tué sur la Place Piefferburg un soir, en rentrant tard d'un dîner avec des amis. Un geste de violence fortuit.

— Peut-être pas tout à fait fortuit.

Aislinn ferma les yeux, car la pensée lui avait déjà traversé l'esprit. Avait-on tué son père à cause du livre?

— Je ne sais pas. Si quelqu'un l'a tué pour avoir le livre, cette personne n'a jamais eu ce qu'elle voulait. Il n'y a jamais eu de cambriolage, ni même d'indice qui aurait indiqué que quelqu'un le recherchait.

— Si c'était le roi des Ténèbres, tout aurait été fait de manière subtile. Il ne veut pas de problèmes avec la reine Été. Si c'était les Phaendir…

Aislinn se retourna à l'évocation de cette possibilité.

— Ils n'ont pas intérêt à attirer l'attention sur eux lorsqu'ils font affaire avec n'importe quelle race de fae. Ce n'est pas à leur avantage de marcher d'un pas lourd sur Piefferburg. Ils entreraient plutôt à pas de loup. En secret. En utilisant des menaces et des promesses de l'extérieur, d'abord.

Elle cligna des yeux.

— Les Phaendir? Crois-tu vraiment qu'il est possible qu'ils aient tué mon père?

— Plus que possible.

— Dis-moi tout ce que tu sais sur ce livre.

Elle alla s'asseoir sur l'un des fauteuils moelleux parce que — ouah! — cette révélation la choquait à un point tel qu'elle ne pouvait l'ignorer.

Elle avait besoin de s'asseoir.

— Le Livre de l'union renferme les sorts les plus puissants jamais créés. On dit que même les pages du volume sont imprégnées de magie. Les Phaendir le possédaient jadis, mais ils l'ont perdu il y a longtemps dans leurs conflits avec les Tuatha Dé. L'entaille à la fin du livre est destinée à recevoir une boîte casse-tête : la *bosca fadbh*. En as-tu déjà entendu parler ?

— Bien sûr. La *bosca fadbh*. C'est le seul objet qui pourrait faire tomber le mur invisible délimitant Piefferburg. Le seul problème est que les trois morceaux de la boîte se trouvent dans le monde humain.

— Plus aujourd'hui. Ton ami Ronan Quinn a été engagé pour obtenir l'un des morceaux de la boîte, mais il a trahi le Phaendir et est retourné à Piefferburg avec le morceau, même s'il savait que la reine Été l'éliminerait.

Aislinn aspira bruyamment une bouffée d'air.

— C'est *ça*, l'artefact qu'il a volé ?

Gabriel hocha la tête.

— Il l'a donné à la reine Été pour sauver la vie de Bella, en sachant que Caoilainn ne pourrait rien en faire puisque les deux autres morceaux sont impossibles à obtenir. Personne ne savait que le livre du Phaendir était à l'intérieur de Piefferburg. Tout le monde croyait qu'il se trouvait quelque part dans le monde humain, perdu comme les morceaux de la *bosca fadbh*. Le livre et la boîte casse-tête sont très anciens, Aislinn ; ils datent d'avant les guerres entre les fae et les Phaendir. Il y a très longtemps, des milliers d'années en fait, nous collaborions. Cette collaboration représente la faiblesse du Phaendir si nous mettons la main sur le livre et la boîte.

Il se tut quelques secondes et lui sourit lentement.

— Et si le roi des Ténèbres détient vraiment le livre et que la reine Été détient vraiment un morceau de la boîte, alors nous sommes à mi-chemin de la victoire.

Elle haussa un sourcil.

— Et les deux autres morceaux de la *bosca fadbh* ? Ils sont dans le monde humain, hors de portée à jamais.

— Il ne faut jamais dire « jamais », princesse. Il ne faut jamais perdre espoir.

Aislinn se retint de l'invectiver pour l'avoir appelée « princesse » et elle fit un grand geste de la main qui était posée sur l'appuie-bras de son fauteuil.

— En quoi cette histoire nous aide-t-elle à vaincre le roi des Ténèbres ?

— En rien. Pas à court terme, en tout cas. Lorsque le roi des Ténèbres verra le livre et l'ouvrira, il saura de quoi il s'agit. Il sera impossible de le récupérer.

— Le sort dont j'ai besoin pour faire venir les âmes est dans le livre. Je le sais, parce que je l'ai utilisé une fois pour appeler mon père.

— Te souviens-tu des mots que tu as prononcés ?

Elle se mordilla la lèvre inférieure pour se concentrer, déterrant un souvenir qui semblait dater de plusieurs années.

— Pas tous les mots. Je ne savais pas ce que je disais la première fois, ou que les mots étaient importants.

Gabriel marcha jusqu'à elle. Ses grands pieds étaient nus et s'enfonçaient dans la moquette épaisse et moelleuse couleur crème recouvrant le plancher.

— Tu n'as besoin d'aucun sort pour t'aider. Si tu es une vraie nécromancienne, le pouvoir d'appeler les âmes t'habite, comme une magie intrinsèque. Tu n'as qu'à puiser dans cette magie. Elle fait partie de ton ADN.

Aislinn ne devait pas avoir l'air convaincue, car il se pencha au-dessus d'elle de la même manière qu'il l'avait fait dans la cuisine, avec les mains posées sur les appuie-bras, de chaque côté de son corps. Elle aurait dû se sentir coincée, piégée, mais elle se sentait plutôt en sécurité. Malgré tout, elle recula au fond de son fauteuil dans l'effort de créer une distance. Elle ne pouvait ignorer son attirance envers par lui, mais elle pouvait se battre comme une lionne contre l'envahisseur.

— C'est à l'intérieur de toi, tout comme le pouvoir de la Chasse sauvage est à l'intérieur de moi, dit-il, la sondant des yeux, comme si son regard suffirait à la faire croire ce qu'il disait. Tu ne les sens pas qui essaient de te parler, parfois ? Comme s'ils murmuraient dans ta tête ? Tu ne sens pas les âmes perdues qui réclament ta présence, ou celle de n'importe qui, pour obtenir de l'attention ? Je ne suis peut-être pas un nécromancien. Je ne suis peut-être que le seigneur de la Chasse sauvage, mais je peux les entendre. Je peux les sentir. Tu dois bien être capable de les sentir aussi ?

Il parlait avec une telle passion. Manifestement, il adorait son rôle de seigneur de la Chasse sauvage. Elle n'aurait jamais deviné qu'il aimait autre chose que les femmes et le sexe. Il s'était si bien caché derrière la façade du courtisan blasé qu'Aislinn n'aurait jamais pu deviner le genre d'homme qu'il était vraiment. Il y avait beaucoup plus à découvrir chez Gabriel que ce qu'il affichait à l'extérieur.

Ce qui le rendait encore plus terriblement attirant pour elle.

«Souviens-toi à quel point il est arrogant. Souviens-toi à quel point il est égocentrique. Souviens-toi qu'il t'a menti à la Rose.»

«Souviens-toi qu'il a risqué sa vie pour sauver la tienne.»

Elle se racla la gorge et tâcha de maîtriser son expression, ainsi que les battements désordonnés de son cœur.

— Je peux les sentir.

— Très bien. C'est un bon début. Le pouvoir t'habite déjà et ne demande qu'à éclore. Maintenant, tout ce que nous avons à faire, c'est trouver comment le cultiver.

Il avait de nouveau les yeux accrochés à ses lèvres. Il donnait aussi un double sens à ses paroles. Les yeux d'Aislinn trouvèrent les lèvres de Gabriel. Un peu plus, et elle succombait.

— Éteins le charme, murmura-t-elle, s'agrippant aux appuie-bras du fauteuil.

— Quoi?

— Éteins la magie que tu utilises sur les femmes pour les rendre sexuellement attirées par toi.

Les lèvres irrésistibles de Gabriel se retroussèrent en un sourire satisfait. *Voilà*, encore cette arrogance.

— Ça ne marche pas comme ça, Aislinn, et tu le sais bien. Tu veux juste trouver de fausses raisons pour expliquer ce que tu ressens.

Il plongea la tête vers son visage avant qu'elle ne puisse répondre et posa ses lèvres sur les siennes. Elle recula, mais il la suivit, lui pressant la tête contre le coussin, la bouche posée de travers sur la sienne. Il laissa échapper un grognement guttural. Au son de ce grognement, Aislinn pensa à la peau nue et soyeuse de Gabriel, à des draps entortillés et à leurs corps en fusion. Elle ne put s'empêcher de se demander comment ce serait s'il lui écartait les jambes de ses genoux et glissait sa queue en elle. Vers quels sommets un homme comme Gabriel pourrait-il la mener au lit? Un homme comme lui, pour qui faire l'amour était aussi naturel que respirer et avec qui les plaisirs de la chair étaient presque assurément garantis?

— Laisse-toi aller. Arrête de te battre si fort, chuchota-t-il contre ses lèvres. Allez, abandonne-toi. *Ouvre-toi* à moi, Aislinn.

Il lui mordilla la lèvre inférieure, et elle frémit de désir.

— Gabriel.

Elle avait voulu prononcer son nom d'une voix forte et claire, comme un avertissement qui l'arrêterait. Parce qu'elle n'était pas certaine de pouvoir l'arrêter; pas certaine de vouloir qu'il s'arrête. Mais le nom sortit de sa bouche dans un souffle fébrile.

Il la souleva dans un mouvement fluide en la tenant contre lui. Elle poussa un lourd soupir et sut qu'elle allait se perdre complètement et entièrement dans cet homme. Un baiser de plus et elle serait à lui. Il pencha la tête et lui couvrit la bouche de ses lèvres comme pour la savourer.

Et l'affaire était conclue.

Ses mamelons durcirent sous l'épaisseur de son pull et sa respiration s'accéléra. Elle était passée si près de la mort dans le cachot de la Tour Noire, et maintenant elle goûtait la vie, vibrante et érotique, sur les lèvres de Gabriel. Grâce à lui, elle sentait son sang palpiter et la vitalité l'envahir en chassant la mort qui s'était accrochée à elle au cours de la semaine précédente.

Elle monta sur la pointe des pieds et pressa ses lèvres contre la bouche de Gabriel, puis y introduit sa langue.

En reculant la tête légèrement, elle murmura :

— Oui.

Il poussa un grognement sourd et la souleva. Elle lui enveloppa la taille de ses jambes et l'embrassa tandis qu'il la transportait à travers le salon pour se rendre à la chambre à coucher. Une fois au-dessus du lit, il la laissa tomber gentiment et elle atterrit dans l'enchevêtrement des draps et des couvertures. Debout devant elle, il la regardait comme si elle était la femme la plus magnifique au monde. Comme si elle était la seule dans l'univers tout entier à qui il avait envie de faire l'amour.

Pour l'instant, elle croirait au mensonge. En ce moment, elle avait besoin d'y croire.

— Retire ton pull, demanda Gabriel.

Elle le fit remonter par-dessus sa tête et le lança de côté. Elle ne portait pas de soutien-gorge. Ses mamelons se dressèrent sous l'effet de l'air frais de la pièce et du regard chaud, lubrique, de Gabriel. Elle se vautra dans la douceur des oreillers, son cœur battant à tout rompre.

Lentement, le regard de Gabriel s'attacha au sien, puis il défit le bouton de son pantalon, fit descendre la fermeture éclair, et laissa le pantalon glisser sur ses hanches. Son membre était dur, long et large, et aussi beau que tout le reste : des épaules larges se fondant en une poitrine bombée et un abdomen musclé qui menait à des hanches étroites et des jambes fortes.

Il avança et se pencha sur elle. Il tira sur son pantalon et ses chaussettes et les lui retira, la laissant nue de la tête aux pieds. En caressant sa cuisse du genou jusqu'à la hanche, il soutint son regard. Tout ce qu'il voulait lui faire était écrit dans ses yeux. Puis il baissa la tête sur ses seins, léchant et tétant chaque pointe durcie jusqu'à ce qu'Aislinn se tortille sous lui, le dos arqué.

La main de Gabriel plongea entre ses cuisses et l'échauffa doucement jusqu'à ce qu'un gémissement s'échappe de sa gorge et que ses dents s'enfoncent dans sa lèvre inférieure. Elle sentait la queue de Gabriel se presser contre sa cuisse tandis qu'il caressait son clitoris gonflé et palpitant de désir. Il inséra deux doigts dans les profondeurs de son sexe et les fit aller et venir exactement comme elle désirait que sa queue bouge en elle. Ce faisant, il suçait l'un ou l'autre de ses mamelons ou lui chuchotait des choses délicieusement vilaines.

— Gabriel, s'il te plaît, souffla-t-elle, ses doigts s'enroulant dans les cheveux noirs de l'incube et explorant toute la peau qu'il lui permettait de toucher.

Pas son membre par contre ; il cambrait les reins chaque fois que sa main s'en approchait.

Il la maintenait fermement au seuil de l'orgasme. Le désir dominait son corps et sa tête, l'emportant sur tout le reste. Il aurait pu lui faire franchir le seuil de l'extase, lui donner le plaisir qui brûlait d'exploser en elle, mais il s'arrêtait toujours à la dernière seconde. C'était une véritable torture.

— Dis-moi que tu veux jouir, Aislinn. Dis-moi que tu veux que je te baise.

Danu, elle aurait dit n'importe quoi à ce point.

— Je veux jouir. Gabriel, oui, s'il te plaît, baise-moi.

Les doigts profondément enfouis en elle trouvèrent infailliblement son point G et le pétrirent. Simultanément, il lui massa le clitoris du pouce, en appliquant une pression parfaite. Et Aislinn jouit. Le plaisir déferla en elle comme un raz-de-marée, lui arrachant ses pensées, ses mots, et même son souffle. Elle hoqueta et cambra le dos, son corps tremblant par petites convulsions de plaisir absolu. Les muscles de son sexe enserrèrent les doigts qui remuaient toujours en elle.

Au moment même où les vagues de son orgasme commençaient à se retirer, Gabriel descendit entre ses jambes. De ses mains puissantes, il lui écarta les genoux, puis descendit sa bouche sur elle. Elle sursauta sous l'effet de ce mouvement soudain, mais il l'immobilisa fermement, aspirant entre ses lèvres son clitoris qui palpitait encore de plaisir. Lentement, doucement, il la mena au-delà de ce point inconfortable suivant l'orgasme et la baigna à nouveau dans le plaisir.

Il grogna et ferma les yeux, comme si elle était la chose la plus exquise qu'il ait jamais goûtée, et tous les muscles d'Aislinn se détendirent. Elle fondit contre les oreillers et l'observa. L'image érotique de la tête noire de Gabriel entre ses cuisses suffit presque à la faire jouir de nouveau, mais ce qu'il fit ensuite ne lui donna aucun autre choix. Il lécha et lapa son bourgeon ultra-sensible jusqu'à ce que ses sens s'enflamment à nouveau. Le plaisir explosa en elle, et son corps se courba dans un deuxième orgasme sous cette bouche incroyablement douée.

Une fois que Gabriel eut terminé, Aislinn resta allongée sur le lit, molle comme un chiffon, rassasiée comme elle n'aurait jamais imaginé pouvoir l'être. Il se pencha sur elle et l'embrassa profondément. Elle pouvait goûter la trace légère de son propre sexe dans ce baiser. Ses bras s'enroulèrent autour de lui et elle tenta de l'attirer vers elle. Elle voulait le sentir en elle ; elle voulait lui rendre la pareille en lui donnant du plaisir.

— Non, souffla-t-il contre ses lèvres. Pas tout de suite, Aislinn. Nous aurons le temps plus tard.

Il posa un baiser sur son front.

— Tu serais surprise de savoir combien réparateur peut être l'orgasme. Dors, maintenant.

En se laissant bercer par les douces vagues de l'ultime satisfaction sexuelle, c'est exactement ce qu'elle fit.

Gabriel n'arrivait pas à détacher ses yeux d'Aislinn qui sommeillait, nue et incroyablement belle, dans un enchevêtrement de draps. Il laissa son regard flotter, pour la millionième fois, sur la peau laiteuse de sa hanche et de son ventre et observa le spectre de sa chevelure recouvrant l'oreiller. Il avait passé la majeure partie de la journée à ses côtés, juste pour l'admirer pendant qu'elle se reposait.

Elle avait besoin de ce repos. Le mal des fers l'accablait toujours. Elle avait été plus gravement touchée que lui. C'était dans ses yeux et dans sa manière de bouger. Elle avait besoin de dormir, de bien manger et de boire beaucoup de liquides pendant quelques jours, afin de retrouver ses forces.

Selon Gabriel, elle avait également besoin de ce qu'il lui avait donné. Elle avait besoin de ce soulagement sexuel et de l'état d'épuisement lourd qui venait après. Gabriel avait encore la queue dure en se remémorant ce qu'il lui avait donné. Elle avait fondu sous ses mains, avait cédé si magnifiquement au plaisir qu'il lui avait offert, l'avait pris si voracement.

Il voulait lui en donner plus.

Elle bougea dans son sommeil et une mèche de ses cheveux blonds vint se déposer sur un mamelon rose et dur. Gabriel tendit la main et repoussa la mèche de côté en effleurant lentement ce superbe sommet, s'attardant sur chacun de ses monts et vallées. Aislinn gémit, toujours endormie, et bougea de nouveau, écartant les jambes de sorte à le laisser entrevoir la moue de son clitoris niché entre les bouclettes argentées.

Gabriel ne pouvait plus goûter les traces d'Aislinn et sa saveur lui manquait, si chaude et suave. Sa langue brûlait d'envie de retrouver ce parfum. Il était sans contredit possible d'en devenir dépendant. Ses doigts se crispèrent alors qu'il luttait contre l'envie de caresser ce petit bourgeon endormi. Il se demanda à quel point il pourrait l'échauffer dans son sommeil. Elle était toujours belle, mais lorsqu'elle était excitée... alors là, elle devenait irrésistible. Se réveillerait-elle en gémissant pour lui, ouvrant les jambes pour le laisser enfouir sa queue profondément dans ce sexe chaud ?

Il posa la main sur l'intérieur de son genou, puis la fit tranquillement glisser le long de sa cuisse. Tel qu'il l'avait imaginé, elle s'ouvrit comme une fleur au soleil. Incapable de résister, il laissa ses doigts errer sur la surface de son sexe, explorant sa douceur moite.

Avant de faire quelque chose qu'il regretterait, comme la réveiller du profond sommeil réparateur dont elle avait tant besoin, il roula vers le bord du lit, se leva et se frotta le visage d'une main. Se retournant pour la regarder de nouveau, il referma la main sur sa queue endolorie et la fit monter de la base au sommet. Il renversa la tête dans un grognement de frustration. Elle serait sienne dans tous les sens du mot. Il n'avait qu'à patienter. Aislinn ne le savait pas encore, mais il prévoyait réaliser avec elle chacune des scènes érotiques qui habitaient son imagination.

Une fois guérie, elle n'aurait qu'à bien se tenir. Chaque moment libre qui se présenterait, il le passerait à la faire crier et gémir de plaisir.

Ah, et autre chose : il voulait aussi son cœur.

Chaque centimètre d'Aislinn Christiana Guenièvre Finvarra, de ses jolis orteils à sa magnifique tête, serait à lui une fois qu'il aurait terminé.

Et personne n'allait la lui voler.

SEIZE

Aislinn se réveilla et s'étira, prenant immédiatement conscience de son corps nu. Les vestiges de l'excitation s'accrochaient à ses sens, malgré la sensation de langueur qui accompagnait le réveil d'un profond sommeil. C'était probablement le sommeil le plus savoureux et le plus réparateur qu'elle ait jamais connu. Avec la faible excitation qui titillait ses sens, elle se sentait comme un chaton au corps chaud, confortablement lové sous les couvertures.

Puis elle se souvint de tout ce qui s'était passé au cours des jours précédents.

Elle frissonna soudain dans l'air frais de la pièce. Elle se leva en tirant une couverture avec elle, puis s'y enveloppa. En passant une main dans ses cheveux emmêlés, elle jeta un œil par la fenêtre. Le ciel portait ce masque gris qui annonce le crépuscule ou l'aube. Elle fronça les sourcils, perplexe, ne sachant pas si la journée commençait ou s'achevait.

Au moment où elle se dirigea vers le couloir, son regard s'attarda sur les sacs bien chargés posés sur le plancher, tout près de la porte. Elle souhaita qu'ils n'en aient jamais besoin, mais elle était rassurée de savoir qu'ils se trouvaient à leur portée. Gabriel les avait remplis de vêtements de rechange et de chaussures pour elle et lui, d'un peu de nourriture et d'eau... et d'armes. Il avait trouvé quelques couteaux et massues en fer enchanté, cachés dans un placard. C'était illégal de posséder ce type d'armes à Piefferburg. Heureusement pour eux, l'ancien occupant n'avait jamais été gêné par les réglementations.

Dès qu'elle entra dans le salon, elle prit note du plan d'étage. Elle le faisait systématiquement, chaque fois qu'elle arrivait dans la pièce, pour se rappeler où étaient situées les sorties. Gabriel avait bien fait de choisir cet endroit. Le devant de la maison comportait une entrée accessible par la route : un chemin tortueux bordé d'arbres et largement inhabité. De l'autre côté du salon tournoyait un escalier en colimaçon qui menait à l'étage inférieur, plus exigu, et les portes-fenêtres ouvraient sur les bois. Au-delà de la grande fenêtre qui exposait le paysage si splendide des Terres frontalières, de petites lumières clignotaient et voletaient. Il s'agissait des fae de la nature les plus minuscules de Piefferburg.

Gabriel était dans le salon, son grand corps étalé sur le canapé. Il avait les yeux fermés et un bras étendu au-dessus de la tête. Il était toujours torse et pieds nus, ne portant qu'un jean à taille basse qui exposait la saillie de sa hanche. Le regard d'Aislinn traça ses abdominaux parfaitement sculptés et l'étroit sentier de poils foncés qui descendait sous la taille de son jean, jusqu'au membre long et large qu'elle avait goûté des yeux sans avoir eu le droit d'y toucher.

Ses doigts se resserrèrent sur la couverture qu'elle tenait autour d'elle tandis que ses yeux glissèrent jusqu'aux mains de Gabriel. Il lui avait donné les orgasmes les plus puissants de toute sa vie en usant uniquement de ses mains et de ses lèvres. Que pourrait-il faire avec son corps en entier ?

— Bonjour, lança-t-il d'une voix éraillée.

Le regard d'Aislinn bondit nerveusement sur son visage.

— C'est donc le matin.

— Tu as dormi pendant environ quatorze heures.

— Vraiment ?

— Tu avais besoin de repos.

Il s'assit et se frotta le visage d'une main.

— Tu te sens mieux ?

Elle hocha la tête. En réalité, elle se sentait cent fois mieux que la veille.

— Les traces sombres sous tes yeux ont disparu et ton teint a repris des couleurs. Tu guéris bien.

— Tu t'inquiètes tellement pour moi. Tu as passé deux semaines enveloppé dans le fer enchanté, plus longtemps que moi.

Elle se dandina d'une jambe à l'autre dans le bref silence légèrement inconfortable.

— Pourquoi as-tu dormi sur le canapé ?

Il la regarda d'un air un peu endormi, puis cligna lentement des yeux.

— Pourquoi ? Je t'ai manqué ?

— Je demande, comme ça…

Elle avala difficilement sa salive.

— Tu te remets toi aussi, et le canapé est inconfortable. Tu aurais pu partager le lit avec moi.

— Je ne voulais pas te déranger. Tu avais besoin d'un sommeil profond, ininterrompu.

Il marqua une pause et ses yeux parurent s'assombrir.

— De toute façon, je ne pouvais rester là et te résister. Si j'avais continué à admirer ton corps sublime pendant ton sommeil, j'aurais fini par t'attirer sous moi et t'échauffer jusqu'à ce que tu te réveilles. Et après, belle Aislinn, tu n'aurais plus dormi du reste de la nuit. Tu aurais été trop… occupée.

La bouche d'Aislinn s'assécha.

— Je vois.

— Aujourd'hui, nous devons travailler. Je crois que tu es prête à mettre la main à la pâte.

— Travailler?

Le demi-sourire qu'il affichait s'estompa. Il hocha la tête et précisa :

— Douche. Café… Âmes.

— Que voulez-vous dire, vous ne pouvez pas les trouver?

Aodh Críostóir Ruadhán O'Dubhuir, l'homme régnait sur la Cour Unseelie avant même que Christophe Colomb n'écume les mers, tâchait de garder son calme. Chaque once de son être voulait se retourner et tuer le messager, exactement là où il se trouvait.

Son bâton de combat au pommeau de cristal tournoya en l'air tandis qu'il bondit et pivota dans l'atmosphère, tailladant un ennemi imaginaire, qui aurait aussi bien pu être le messager. Ce dernier, pressentant la précarité du lien qui le rattachait maintenant à la vie, recula de l'arène d'entraînement et se cramponna à la pierre grise qui la balisait. Un homme sensé, ce messager.

Aodh poursuivit son entraînement, manœuvrant son bâton de combat en fouettant l'air, tranchant bruyamment l'atmosphère. Son corps bougeait librement, les muscles se contractant tandis qu'il pirouettait sur la pointe de ses pieds nus et qu'il s'élançait dans les airs à l'occasion.

Gabriel avait réussi à s'évader de sa prison et à voler la femme emprisonnée dans son cachot en l'espace de quelques heures. Aodh, en tant que roi, passait pour un incompétent. Un *idiot*. Personne ne savait exactement ce qui était arrivé, car tout le monde, y compris ses mages, était mort avant de se réveiller du sort d'ensommeillement qu'on leur avait jeté. Il n'y avait que deux hommes dans toute la Tour Noire qui étaient capables de tisser un sort comme celui-là : Ronan et Niall Quinn, et ils étaient tous deux introuvables, aussi introuvables que la femme de Ronan, Bella.

— Nous avons envoyé chaque membre de la garde à leurs trousses, sans exception, seigneur, affirma le messager d'une voix tremblante.

Il avait probablement compris que les mages, gardes, et tous les autres assez malchanceux pour s'être retrouvés dans le donjon et avoir été touchés par le sort de Ronan arboraient maintenant un deuxième sourire souillé de sang sur la gorge. Le bûcher funéraire du matin avait été énorme et avait dégagé une chaleur épouvantable. Le messager souhaita que Gabriel, aussi loin qu'il ait pu se trouver, tremble à l'odeur de la chair brûlée lui effleurant les narines.

Aodh s'arrêta complètement de bouger et dévisagea le messager, incrédule. La sueur ruisselait sur son visage et sa poitrine, même s'il n'était pas hors d'haleine.

— Ce n'est pas comme si vous les recherchiez dans le monde entier. Ils ne se sont pas envolés vers l'Australie. Piefferburg a ses limites. Ils n'ont pas pu aller très loin.

Ses poings se refermèrent de chaque côté de son corps, ses jointures serrées se blanchissant sur le bâton de combat.

— Vous devriez être en mesure de trouver cinq personnes dans un aquarium.

Le roi voulait Ronan, Bella et Niall tout autant qu'il voulait Gabriel et Aislinn. Bella était probablement la plus importante. S'il pouvait mettre le grappin dessus, il disposerait du meilleur outil contre sa fille. Aislinn avait manifestement le cœur tendre ; c'était une femme généreuse envers ceux qu'elle aimait. Une bonne poire. Elle se sacrifierait sans doute pour sauver sa plus grande amie.

— Les moyens qu'ils utilisent pour lutter contre nos sorts de dépistage sont formidables et la plupart de vos mages ont péri. Il ne reste plus personne qui pourrait les briser.

Aodh se figea complètement, imaginant le messager blond et longiligne saignant des yeux. Oui, il aurait meilleure mine ainsi. Le délicat Twyleth Teg livrait les messages du capitaine de la Garde des Ténèbres. Un choix rusé de la part de ce dernier, car le roi serait moins enclin à s'en prendre à un messager... à moins que ce messager n'ose l'insulter.

— Insinuez-vous que j'ai commis une erreur ?

L'homme cligna des yeux et ouvrit et referma silencieusement la bouche à plusieurs reprises.

— Je ne présumerais jamais que…

— Suggérez-vous que, comme j'ai tué les mages du donjon, ceux-là mêmes qui étaient censés protéger leur captive de quiconque avait l'intention de me la voler, j'ai entravé les efforts des gardes pour trouver Aislinn et Gabriel ?

— Non, seigneur, je —

— Vous pouvez sortir.

Le messager quitta pratiquement la pièce à toutes jambes. Aodh se retourna et expira lentement, essayant de maîtriser la colère qui bouillonnait en lui. Son mauvais caractère avait toujours été son talon d'Achille. Il avait pourtant réussi à maîtriser son tempérament colérique, violent et explosif depuis la construction de la Tour Noire. Mais cette situation avec sa fille bâtarde l'avait enflammé.

Une nuit de plaisirs interdits avait eu pour conséquence une enfant. Il ne serait plus jamais si insouciant.

Lentement, il traça des figures avec le bâton de combat devant lui, en prenant de grandes respirations, jusqu'à ce que la rage retombe un peu. Puis, il accéléra le rythme de ses manœuvres, fouettant l'air de plus en plus vigoureusement.

Au fil des années, il avait fait attention de ne pas engendrer d'enfant, bien que la chose se soit produite de temps à autre. En général, le problème avait été assez facile à régler, lorsque le chérubin était encore dans son berceau. Les petites filles étaient les plus dangereuses.

Aislinn avait donc été une très mauvaise surprise.

Il avait rencontré sa mère sur la place publique de nombreuses années auparavant. Il faisait noir ce soir-là et la femme était bouleversée. Elle appartenait, de toute évidence, aux Sídhe Seelie au sang le plus pur. Irrésistible, aux yeux d'Aodh. Le fruit défendu avait bien meilleur goût. Elle était assise là, son beau visage d'albâtre tourné vers les rayons de lune, des larmes ruisselant sur ses joues. L'encolure de sa robe d'été était ouverte pour exhiber la jolie courbe de son épaule.

Elle était adorable, si pure et si fragile, assise là tout près de la statue de Jules Piefferburg, si près du territoire Unseelie. On aurait dit qu'elle cherchait les ennuis. Comme si elle défiait les ténèbres de l'attraper et de l'avaler tout rond.

Il n'avait pas voulu savoir pourquoi elle était si boule-versée ni pourquoi elle défiait les ténèbres — il s'en fichait bien —, mais elle avait obtenu toute l'attention qu'elle recher-chait. Il s'était assis près d'elle et l'avait séduite avec ses mots doux, la cajolant et l'attirant vers le côté noir de la Place Piefferburg, juste pour un petit moment. Juste le temps de trouver un coin noir propice et de tirer sa jupe vers le haut et sa culotte vers le bas. Il avait voulu se retirer au moment d'éjaculer, mais elle était si douce et si bonne, et les choses les plus vilaines étaient délicieusement tombées de ses lèvres pulpeuses pendant qu'il l'enfilait.

Sur le coup, il s'était inquiété de son étourderie et avait considéré tuer la femme sur-le-champ, juste pour écarter d'éventuels problèmes. Mais il lui avait été impossible de tuer une femme qu'il venait tout juste de baiser. Pas de ses mains nues.

Pendant des années, il n'avait rien su de l'existence d'Aislinn. Jusqu'au jour où Bella était venue à la Tour Noire. N'ayant aucune photo de sa meilleure amie, elle avait des-siné son portrait sous plusieurs angles. Un jour, l'œil d'Aodh avait capté l'un de ces croquis et il avait immédiatement reconnu un air de famille. Elle ne lui ressemblait en aucun point, hormis la couleur de ses cheveux ; le miroir de son blond argenté à lui. Toutefois, son visage était exactement comme ceux de sa mère, de sa grand-mère, et même de son arrière-grand-mère.

Il n'y avait aucun doute : il s'agissait de sa fille.

Aodh avait donc fouillé les profondeurs de l'esprit de Bella dans ses moments de distraction et il avait appris le secret le plus lourd et le plus noir d'Aislinn.

C'était le pouvoir du roi. Une sorte de magie qui pouvait tuer. Malheureusement, assassiner les gens au moyen de leurs propres pensées ne fonctionnait que sur les esprits les plus faibles ; c'est-à-dire les bébés et les petits enfants. Dommage, puisqu'il s'agissait d'un talent utile.

Bien entendu, à ce moment-là, Aislinn ne savait pas encore qu'elle était une nécromancienne. Elle savait seulement qu'elle était indéniablement une Unseelie coincée à la Cour Seelie. Quant au roi, il savait déjà qu'elle était beaucoup plus que ce qu'elle croyait être. Il le savait parce que sa mère avait été une nécromancienne, tout comme sa grand-mère et son arrière-grand-mère.

Les nécromanciennes étaient de puissantes Unseelie, et Aislinn était l'héritière qui occuperait le trône unseelie à son tour. C'est à ce moment qu'il avait réalisé qu'elle ne pouvait pas vivre. S'était même emparé de lui l'obsession absolue de la tuer, et non seulement de la tuer, mais aussi de la réduire à néant. Une tâche difficile, étant donné qu'elle résidait à la Tour Rose et que de la sortir de force aurait déclenché une guerre contre la reine Été.

C'est là que Gabriel était entré en jeu.

Aodh passa une main sur son visage fatigué. C'est aussi là où il avait fait erreur. Il s'était mépris sur le compte de

Gabriel Cionaodh Marcus Mac Braire. Il l'avait considéré jusqu'alors comme un homme froid de cœur et impitoyable en matière de séduction, ne se permettant jamais de se rapprocher des femmes, ne devenant jamais victime d'émotions ridicules comme l'amour ou la compassion. Pourtant, mystérieusement, Aislinn avait fait remonter à la surface ces deux choses chez le seigneur de la Chasse sauvage.

Et puis tout avait été perdu.

Mais ce n'était qu'une perte temporaire. Il n'allait pas rester perdant. C'était impossible pour Aislinn et Gabriel de se cacher pour toujours dans la petite bulle de Piefferburg. Il les trouverait et les tuerait tous les deux. Il détruirait chaque centimètre de leurs êtres afin qu'ils ne puissent pas se retrouver après la mort. Pour Aislinn, c'était parce qu'il devait le faire. Pour Gabriel, c'était parce qu'il pouvait le faire.

Avec le recul, il comprenait qu'il n'aurait jamais dû envoyer le seigneur de la Chasse sauvage dans la vie d'Aislinn. Ils avaient trop de choses en commun et étaient en mesure de trop bien s'aider. Mais il n'avait jamais prévu — jamais cru — que le cœur de glace de Gabriel pouvait fondre de la sorte.

Jamais. Pourtant, il avait fondu.

Le roi devait maintenant trouver Aislinn et Gabriel avant qu'ils ne réalisent la force de leurs pouvoirs combinés, avant que sa fille n'exploite son don inné et que ce don s'accouple avec le talent de Gabriel.

Il avait la certitude que cette paire redoutable n'ignorait pas ses possibilités. Ensemble, Aislinn et Gabriel pouvaient appeler et diriger une armée qui aplatirait toutes les forces du roi. S'ils arrivaient à le faire, aucune prière ne le protégerait contre eux.

Aodh poussa un cri de guerre qui provenait du creux de son âme et atterrit sur ses pieds, hurlant sa colère aux murs de la pièce.

— C'est impoli d'ignorer un fantôme.

Gabriel secoua la tête en riant.

— Tout comme c'est impoli de faire venir une âme du Monde des Ténèbres ?

Ils parlaient boulot depuis une demi-heure. Aislinn avait l'air d'adorer discuter du sujet, probablement parce que c'était la première fois qu'elle pouvait en parler à quelqu'un qui comprenait.

— Je ne crois pas que les fantômes soient embêtés par le fait d'être abordés ou ignorés.

Elle le regarda, les sourcils froncés :

— Manifestement, tu n'as pas souvent eu affaire à des fantômes dans ta vie.

Il lui balança un regard entendu.

— Je suis essentiellement ce qui équivaut à la Faucheuse des fae, Aislinn. Je les vois pratiquement chaque nuit. La plupart des âmes me suivent, par contre. Je n'en laisse pas beaucoup derrière moi.

— Et la vieille femme qui erre sur la place publique lorsque la lune décroît ? Pourquoi l'as-tu laissée derrière ?

— Je ne peux les forcer à y aller s'ils s'entêtent à rester. Son nom est Greta. Elle a péri au cours du décroissement de la lune et elle habitait près de la place. La nuit où nous sommes venus la recueillir, elle a refusé de quitter son mari, mais il a déménagé depuis. Elle le cherche encore.

— Es-tu déjà retourné la voir pour tenter de la convaincre de te suivre ?

Gabriel soupira patiemment.

— Je lui rends visite au moins toutes les deux semaines. Elle refuse toujours de passer de l'autre côté. Crois-moi, je le lui ai offert plusieurs fois. Une de ces nuits, lorsqu'elle sera prête, elle se joindra à la Chasse. En attendant, elle ne fait de mal à personne.

— Qu'en est-il du petit farfadet qui vagabonde dans les ruelles du *ceantar láir* ? C'est un garçon si triste et si confus.

— Il a été assassiné. Un meurtre très violent. Il croit qu'il est toujours en vie et ne veut pas entendre raison.

Aislinn fit la moue et croisa les bras.

— Il pleure toutes les nuits. Il est malheureux, mais il a toujours refusé de me parler, même si je me suis faufilée à l'extérieur de la Rose plusieurs fois pour aller le voir. Son appel est si fort.

— Ils ont parfois besoin de temps pour comprendre. Il finira par accepter sa mort et comprendra qu'il se sentira mieux en quittant cet endroit pour l'autre monde. Nous ne pouvons pas les presser. Ils y arrivent chacun à leur rythme. Ils restent parfois derrière parce qu'ils ne sont pas prêts à dire au revoir à un être cher, et parfois parce qu'ils croient avoir quelque chose d'important à faire avant de traverser vers les Ténèbres. Je ne les oublie pas, Aislinn, aucun d'eux. Je ne pourrais pas. Je ressens leur souffrance. C'est une partie du rôle du seigneur de la Chasse sauvage.

— As-tu trouvé son assassin ?

L'autre responsabilité de la Chasse sauvage, c'était d'infliger une sanction aux meurtriers. Les chiens de la bande flairaient les fae qui avaient tué des innocents de sang-froid. La Chasse balayait l'âme du corps de ces fae, pour empêcher qu'ils ne mettent d'autres innocents en danger.

La justice était rapide, propre, et ne se trompait jamais. Parce que le châtiment était sanctionné par Danu et les dieux, le meurtre était un crime rare à Piefferburg. Les seuls fae exemptés de la Chasse sauvage étaient ceux qui avaient tué dans un cas de légitime défense, d'euthanasie légale… ou qui appartenaient à la royauté.

Les rois et reines et ceux sous leurs ordres pouvaient tuer sans subir aucune conséquence. Littéralement.

Gabriel hocha la tête solennellement, se remémorant la nuit en question.

— C'était un farfadet homme. Nous l'avons attrapé seulement quelques heures après son crime. Il réside maintenant au sein des sluagh, comme toutes les âmes non pardonnées.

Réduites à la servitude envers ceux ou celles qui avaient le pouvoir de les utiliser, et ce, pour l'éternité. Un sort peu enviable, c'est le moins qu'on puisse dire.

— Mon seul regret, c'est qu'il était trop tard pour sauver le garçon.

Elle le fouilla du regard quelques instants avant de commenter :

— Tu parles vraiment comme si tu t'en préoccupais sincèrement.

— Bien sûr. Pourquoi sembles-tu si surprise ?

— Parce que tu… tu…

— Quoi ? Parce que je suis incube ?

Elle lui jeta un regard dur tout en serrant les mâchoires.

— Parce que tu n'avais pas l'air de te préoccuper réellement de moi à la Rose en me servant tes mensonges pour m'inciter à aller vers la Noire.

La bouche de Gabriel s'ouvrit et se referma sans qu'un son en sorte. En soupirant, il s'adossa au canapé et ferma les yeux. Il ne pouvait nier ce qu'elle venait de dire ; initialement, c'était ce qu'il avait projeté.

— Tu as raison. J'ai fait une erreur.

Il la regarda droit dans les yeux pour qu'elle puisse voir qu'il disait la vérité.

— Mais à la fin de la semaine à la Rose, j'étais un homme différent de celui qui y était entré. Grâce à toi. Tu m'as changé, Aislinn.

Aislinn ferma la bouche d'un coup et détourna le regard. Elle remuait un pied, fébrile, bien que son expression soit triste. Elle était pieds nus et la jambe de son pantalon était remontée à mi-mollet. Ses ongles d'orteils arboraient une séduisante teinte de rouge.

L'homme qui avait possédé cette maison était du type à accepter sa mort. Il avait été plutôt loquace durant le voyage vers le Monde des Ténèbres. Apparemment, il avait aimé une femme si fort que, même après leur rupture, il avait gardé ses vêtements pour conserver son odeur. Aislinn les portait maintenant. Gabriel supposait que le défunt Sídhe, un homme amical ayant péri dans un accident de voiture, n'y voyait pas d'inconvénient.

Au matin, ils s'étaient douchés, puis avaient dévalisé la cuisine. Comme ils se rétablissaient tous les deux du mal des fers, ils avaient ressenti une faim de loup à leur réveil. Ils s'étaient donc préparé des œufs et du bacon et les avaient fait descendre avec du café et du jus d'orange. Pendant le festin, Aislinn avait parlé avec enthousiasme de toutes les expériences qu'elle avait connues en grandissant. Ses joues s'étaient empourprées tandis qu'elle avait pris plaisir à partager ces choses avec quelqu'un qui comprenait. Ses yeux avaient brillé et les mots avaient coulé de sa bouche dans un désordre causé par l'excitation.

Elle avait l'air de s'être à peu près habituée à l'idée d'être seelie en partie seulement, et de posséder une partie unseelie beaucoup plus forte. Le fait d'avoir abandonné la Rose ne semblait pas être un réel problème pour elle, même si elle n'avait pas reçu un accueil des plus chaleureux à la Tour Noire.

Ils n'avaient pas parlé du roi des Ténèbres.

Plusieurs fois au cours du déjeuner, il avait presque tiré sa chaise près de la sienne pour l'embrasser à brûle-pourpoint et lui retirer ses vêtements un à un. C'était d'Aislinn dont il voulait faire un festin, pas du déjeuner. Il n'y avait rien qu'il ne voulait plus que de se perdre dans ses courbes voluptueuses et de plonger sa queue dans la chaleur satinée de son ventre.

Mais il devait calmer ses ardeurs. Le travail avant le plaisir.

D'autant plus que la chance ne semblait pas être de leur côté.

— Alors, comment s'y prend-on ? demanda Aislinn en levant les yeux vers lui.

Son regard était clair, et l'expression de son visage, déterminée.

Gabriel se leva du canapé. Il y avait paressé un moment après avoir terminé son café avec Aislinn. La matinée avait été idyllique. Ils en oubliaient presque qu'ils étaient en fuite pour sauver leur vie. Gabriel marcha vers la fenêtre et admira la beauté des Terres frontalières.

— Tu dois trouver le pouvoir en toi, Aislinn. Je peux te mettre sur la bonne piste, mais au bout du compte, il s'agit pour toi de découvrir ton pouvoir inné.

Silence.

Il se retourna et la regarda.

— Je ne peux pas faire venir des âmes de fae ordinaires vers moi. Je ne peux pas les obliger à suivre mes ordres. Tout ce que je peux faire, c'est les sentir, les trouver et les aider. Tu as plus de pouvoir que moi à cet égard, mais ne te méprends pas : ensemble, nous sommes une force de la nature… Je *peux* faire venir les sluagh et tu peux les diriger. Sous tes ordres…

— Les sluagh?

Le sang reflua du visage d'Aislinn.

— Tu n'as pas à les craindre.

— Les sluagh sont dangereux. Ils sont révoltés ; ce sont les fae les plus noirs qui sont passés de l'autre côté. Tu m'as dit que Brigid, ma grand-mère, les dirigeait, mais je n'avais pas compris jusqu'à maintenant que ça signifiait par le fait même que je peux les diriger, moi aussi.

Gabriel hocha la tête.

— Et le roi des Ténèbres en a une peur bleue, il est terrifié à l'idée qu'à nous deux, nous les relâchions sur la Tour Noire avec l'ordre de le transporter au Monde des Ténèbres. Ironiquement, sa punition serait d'y servir les sluagh en tant qu'esclave.

Elle le fixa du regard pendant un long moment, puis tourna la tête vers la fenêtre. Gabriel savait exactement ce à quoi elle pensait. C'était écrit sur son visage. Aislinn Christiana Guenièvre Finvarra était une femme exceptionnelle.

— Tu ne crois pas pouvoir le tuer, c'est ça ? demanda-t-il doucement. Pas même après ce qu'il allait te fait subir ?

— Non, dit-elle, en déglutissant avec peine. Non, je ne crois pas pouvoir le faire. C'est de mauvais augure pour nous deux en quelque sorte, n'est-ce pas ?

— Je crois que ça fait de toi une personne plus grande, plus forte que le roi des Ténèbres. Beaucoup moins lâche, en tout cas. Je crois qu'à cause de ça, je te respecte encore plus.

Elle le dévisagea et cligna des yeux.

— Je crois que ça nous coûtera notre peau, à tous les deux.

— Commençons par le début, d'accord ? Il faut apprendre à marcher avant de courir. Diriger les sluagh, c'est courir à grandes enjambées. Et puis peut-être que tu n'auras pas à tuer le roi des Ténèbres.

Gabriel pouvait imaginer des sorts bien plus pénibles que la mort pour le roi. Peu importe, s'il fallait ce qu'il fallait, ce serait lui qui tuerait le roi. Surtout si ce dernier s'en prenait à Aislinn. Gabriel la protégerait contre n'importe quel attaquant et récolterait ensuite l'âme du fauteur sans même ciller.

Aislinn expira lentement une grande bouffée d'air.

— D'accord, par quoi faut-il commencer ?

— Je crois que nous devrions commencer par ton père.

Il alla la rejoindre sur le canapé.

— Tu as une question ou deux à lui poser, non ?

Elle se mordilla la lèvre inférieure.

— Plus qu'une ou deux, oui.

— C'est déjà à l'intérieur de toi, Aislinn. Le sort que tu as trouvé dans le livre a fonctionné de la bonne manière ; en exploitant le pouvoir que tu possèdes sans que tu l'exerces consciemment. Alors, ferme les yeux, détends-toi et respire lentement et profondément.

Elle s'installa confortablement parmi les coussins et ferma les yeux.

— Voilà. C'est parfait.

La voix de Gabriel était grave et profonde, comme un chocolat chaud que l'on déguste par une froide journée d'hiver. Aislinn en eut des frissons. Les mots entrèrent au centre de son être et s'enfoncèrent au creux de son ventre pour éveiller ses sens. Elle se concentra et tâcha d'ignorer cette réaction sexuelle, rechercha la paix et se laissa aller un moment, attentive à chaque petit son effleurant ses oreilles, à chaque petit pincement et tiraillement dans son corps, jusqu'à ce que, enfin, elle parvienne aussi à ignorer tout cela. Libérée de toute distraction, elle plongea encore plus profondément en elle-même, ses membres s'alourdissant, la voix de Gabriel la calmant au lieu de la stimuler.

— Concentre-toi sur ton père, roucoula Gabriel. Fais venir une image de son visage à ton esprit.

Ce qu'elle fit, les larmes lui picotant les yeux. Le chagrin lui serra la poitrine et la gorge. Ce sentiment lourd et familier la submergeait chaque fois. Elle prit une grande respiration et surmonta sa peine. Enfin, elle prit peu à peu conscience d'une présence à sa gauche. Quelqu'un était debout à ses côtés et ce n'était pas Gabriel ; il était assis à sa droite.

— Carina ? trancha la voix de Gabriel.

DIX-SEPT

Les yeux d'Aislinn s'ouvrirent subitement. Carina oscillait, là, devant eux : un spectre, une ombre, une âme fae désincarnée. La stupeur s'empara d'Aislinn au moment où la signification de cette apparition la frappa : Carina était morte. Elle aspira brusquement une bouffée d'air, se plaqua la main sur la bouche et écarquilla les yeux.

— Je sais, dit Carina, un triste sourire aux lèvres. Ça doit te faire l'effet d'une bombe. C'est ce que ça m'a fait, en tout cas, même si j'aurais dû m'y attendre.

Aislinn étudia son amie pendant un long moment, la vue embrouillée par les larmes. L'image de Carina devint floue, et la nécromancienne s'essuya les yeux pour mieux voir.

— Comment ? Quand ?

L'image clignota et se voila presque tout à fait. L'attache qui la reliait au Monde des Ténèbres se tendit l'espace de quelques secondes, sa lumière jaune et argentée s'étirant pour ne devenir qu'un mince fil.

Aislinn tendit la main.

— Non ! Ne pars pas !

Le fil retrouva instantanément son épaisseur.

— J'ai de la difficulté à maîtriser mes mouvements, dit Carina d'une voix qui semblait lointaine. Je peux sentir quelque chose qui me tire. Je sais que je ne peux pas encore me rendre au Monde des Ténèbres, mais j'attends qu'on vienne me chercher pour m'y amener. J'ai eu du mal à te trouver.

— La Chasse sauvage, intervint Gabriel. C'est ce qui la tire. Aislinn, demande-lui de prendre sa forme corporelle. Elle ne pourra pas te désobéir.

Aislinn lui jeta un bref regard, l'air de ne pas y croire. L'idée lui paraissait irréaliste, mais valait la peine qu'on l'essaye. Elle se concentra sur Carina, puis, après un court moment, lui ordonna :

— Prends ta forme corporelle.

Quelque chose au fond d'elle la chatouilla au moment où elle énonça l'ordre. La magie dont ses mots étaient empreints, peut-être ?

Immédiatement, Carina sembla se solidifier, tout en conservant un air éthéré indescriptible qu'elle n'avait jamais eu dans la vie. Une aura argentée paraissait s'accrocher à sa forme physique. Elle balaya son corps des yeux, abasourdie.

— Tu es une nécromancienne.

Aislinn alla droit au but. Malgré la tristesse qui lui serrait la gorge, elle demanda :

— Comment et quand es-tu morte, Carina ?

Comme la plupart des âmes, Carina avait l'air plus jeune que lorsqu'elle était en vie. Elle resta clouée sur place pendant un moment.

— Je suis morte hier.

Pause.

— J'ai été assassinée.

— Pourquoi es-tu ici ? demanda Gabriel. La Chasse sauvage aurait dû te livrer au Monde des Ténèbres ce matin.

— J'ai refusé de les suivre. Je devais voir Aislinn avant de partir. Pour la… la supplier… de me pardonner.

Aislinn sursauta de surprise.

— Quoi ? Pourquoi aurais-tu besoin de mon pardon ? *Dis-moi qui t'a tuée, Carina.*

Le chatouillement, encore. Sans faire exprès, au moyen de sa magie, elle avait obligé Carina à répondre à cette question.

— Le Phaendir, répondit systématiquement son amie.

— Pourquoi ?

La question venait de Gabriel et elle avait été posée sur un ton accusateur. Aislinn lui lança un regard agacé, mais il ne le remarqua pas. Il était trop occupé à fusiller Carina du regard comme si elle était l'assassin plutôt que la victime.

L'âme resta muette.

Aislinn fronça les sourcils, tournant de nouveau la tête vers l'apparition de la Seelie. Cette dernière braqua nerveusement les yeux sur Gabriel.

— *Pourquoi* ? répéta Aislinn, la contraignant à répondre.

Le regard de Carina rebondit alors anxieusement vers celui de son amie.

— Parce que je les aidais à te surveiller.

Pause.

— Je devais leur obéir, à défaut de quoi ils allaient tuer Drem.

Ses mots se mirent à sortir à toute vitesse.

— Ils m'ont dit de devenir ton amie, de te surveiller et de fouiller ton appartement pour trouver un livre à la couverture en cuir rouge et aux pages de papier vélin contenant tout plein de sorts. Je l'ai fait. Je me suis liée d'amitié avec toi, mais je n'ai jamais pu me rapprocher de toi comme Bella. Tu n'allais jamais me confier tous tes secrets. J'ai fouillé ton appartement, mais je n'ai pas trouvé le livre. J'ai échoué. Ensuite, tu as quitté la Tour Rose et j'ai cherché de plus belle, en vain. Je leur ai dit que tu l'avais probablement emporté à la Noire. Ils…

— T'ont tuée, conclut Gabriel. Ils t'ont tuée au moyen d'un sort qui fonctionne à distance, depuis l'autre côté des frontières de Piefferburg.

Carina hocha la tête, malheureuse comme les pierres.

— Ils ont laissé Drem en vie.

Elle poussa un lourd soupir.

— Il va me manquer, mais je suis heureuse qu'ils n'aient pris que moi.

— Ah, Carina.

Les pensées d'Aislinn tournoyaient. Carina n'avait jamais été une vraie amie. Toute leur amitié avait été une supercherie. Les Phaendir l'avaient menacée… puis *assassinée*, et uniquement pour une chose qu'Aislinn avait eue en sa possession. C'était beaucoup à digérer. Les Phaendir étaient au courant pour le livre ? Et pour son père ? Ils l'avaient surveillée ? Et ils avaient tué Carina ! C'était juste un peu trop à absorber en plus de ce qui se passait avec le roi des Ténèbres.

— Ce qu'ils recherchaient, c'était le Livre de l'union.

— Tu avais le Livre de l'union?

Aislinn fit oui de la tête.

— Pourquoi es-tu venue me voir?

— Je voulais te prévenir. Je devais trouver le moyen de t'informer que les Phaendir s'intéressent à toi. Je n'ai jamais imaginé que tu serais capable de me parler. Tu es une nécromancienne, Aislinn!

Elle avala une bouffée d'air, puis ajouta :

— Tu es une Unseelie!

Aislinn se rongeait l'ongle du pouce, perdue dans ses pensées.

— Oui, c'est vrai.

— Les Phaendir ne sont plus intéressés par Aislinn, infirma Gabriel. Ils doivent savoir que le Livre de l'union est maintenant entre les mains du roi des Ténèbres. C'est ce qu'ils veulent.

Carina tourna les yeux vers lui.

— Ils sont diaboliques. Diaboliques, Gabriel. Ne sois pas si certain qu'ils en ont terminé avec Aislinn. Protège-la.

Gabriel posa un long regard sérieux sur Aislinn, un muscle de sa mâchoire tressautant.

— En ce moment, je vis et je respire dans cet objectif précis.

Le regard qui lui porta suffit à faire monter la chaleur aux joues d'Aislinn.

— Comment va Drem? s'enquit-elle précipitamment.

— Il me pleure.

La silhouette de Carina papillota.

— Si tu le revois un jour, dis-lui que je l'aime. Il va tant me manquer.

— Je le ferai. Je suis désolée, Carina, chuchota Aislinn.

Comment pourrait-elle en vouloir à la pauvre Seelie pour avoir fait ce qu'elle avait à faire afin de protéger son bien-aimé ?

— Non.

Carina secoua sa tête argentée et vaporeuse.

— C'est moi qui suis désolée, Aislinn. Mais assure tes arrières. Si jamais tu as besoin de moi pour quoi que ce soit, appelle-moi au Monde des Ténèbres. Je ferai n'importe quoi pour me faire pardonner. Maintenant, s'il te plaît, laisse-moi partir. J'ai dit ce que j'avais à te dire et la force qui me tire vers la Chasse sauvage est devenue très puissante. Laisse-moi y aller pour que je puisse trouver un endroit où les attendre.

— Bien sûr.

Aislinn la contempla pendant un petit moment, puis elle murmura :

— Au revoir, Carina. Tu es libre.

Et l'âme disparut.

Après un long moment de silence figé, Gabriel se pencha vers Aislinn et lui prit le menton dans le creux de la main, l'obligeant à le regarder.

— Ça va ?

Elle cligna des yeux.

— Ça va. Un million de choses me traversent l'esprit en ce moment.

— Crois-moi, je ne m'attendais pas à ça, moi non plus.

Il se passa la main dans les cheveux.

— J'imagine que Carina t'a trouvée avant que tu réussisses à appeler ton père.

La façon dont Gabriel disait « ton père », comme s'il s'agissait de son seul et véritable père, touchait Aislinn droit au cœur.

— J'ai seulement du mal à avaler l'idée que le Phaendir me surveillait, et que Carina leur servait d'intermédiaire.

— Tu es passée plus proche du diable en personne que la plupart des gens, mais ils ne veulent plus rien de toi. Le roi des Ténèbres détient ce qu'ils désirent : le livre. Ils doivent être nerveux maintenant que le livre est à l'intérieur de Piefferburg et que la reine Été a en sa possession l'un des morceaux de la *bosca fadbh*.

— J'espère que tu as raison et qu'ils ont vraiment perdu tout intérêt envers moi.

Aislinn se leva et réalisa que ses genoux tremblaient. « Ridicule », se dit-elle. Elle venait de passer une semaine dans le cachot du roi des Ténèbres. Cette nouvelle n'était rien, en comparaison.

— Peut-être que mon père sera en mesure de clarifier un peu la situation.

Mais elle n'allait pas l'appeler. Pas tout de suite. Elle avait besoin de prendre le temps de digérer cette information avant de mordre dans quoi que ce soit d'autre.

Gabriel se leva et se dirigea vers le petit chariot au coin de la pièce, qui était rempli à craquer de petits verres et de bouteilles aux liquides transparents et ambrés.

— J'ai besoin d'un verre.

— Il n'est même pas midi.

— J'ai tout de même besoin d'un verre.

Il se versa un trait de liquide ambré, en prit une gorgée, puis se servit de nouveau.

— Tu en veux ? demanda-t-il en se retournant.

— *Il n'est même pas encore midi*, répéta-t-elle avec insistance.

Gabriel sourit.

— Aislinn, le roi des Ténèbres et tous ses larbins te recherchent dans tous les recoins de Piefferburg en ce moment. Tu viens de faire apparaître ta première âme en tant que nécromancienne, en plus de découvrir que le Phaendir t'a eue à œil pendant des années. Tu crois vraiment que les règles sociales comme « Ne pas boire avant midi » sont encore importantes ?

Hou là ! Elle n'avait vraiment pas besoin qu'on lui fasse le résumé de sa situation actuelle.

Elle traversa la pièce.

— Tu as raison. Donne-moi ça.

Elle lui prit le verre de la main, et Gabriel en profita pour lui effleurer les doigts, lui donnant de petits frissons de désir de la tête aux pieds. Elle porta le verre à ses lèvres et prit une grande gorgée. Elle ne buvait pas souvent, mais le brûlement à la fois mordant et agréable de l'alcool dans sa gorge lui faisait l'impression d'un effet nettoyant. En fermant les yeux et en grimaçant, elle prit une autre bonne gorgée et vida le verre. La chaleur se propagea de sa langue à sa gorge, puis à son estomac.

Lorsqu'elle ouvrit les yeux, ce fut pour trouver Gabriel qui la dévorait du regard, les yeux mi-clos.

— Qu'est-ce que tu regardes ?

— Putain, que tu es belle !

Elle laissa échapper un gloussement et plongea les yeux dans son verre vide.

— Je parierais que tu dis ça à toutes les femmes que tu essaies de séduire.

Il lui souleva le menton pour qu'elle n'ait d'autre choix que de le regarder.

— Oui, j'essaie de te séduire, Aislinn, mais je ne veux pas dire que tu es belle au premier sens du terme. Tu es belle à l'intérieur comme à l'extérieur, à l'endroit comme l'envers, et jusqu'au fond de l'âme.

Oh, il était vraiment doué. On aurait vraiment cru qu'il était sincère. Elle avait presque envie de le croire. En fait, il y avait une partie d'elle qui avait *besoin* de le croire. Juste pour un petit moment, en tout cas.

À la vue de l'expression qu'il affichait, sa bouche s'assécha. Dans ses yeux, elle pouvait deviner chaque promesse érotique qu'il lui réservait.

Et elle voulait qu'il les lui offre toutes, sans aucune exception.

Elle voulait se perdre en lui, le laisser l'emmener là où tout ce délire n'existait pas. Quelque part loin de la mort et des âmes, et du destin qu'elle n'avait pas choisi. Loin du Livre de l'union, du Phaendir, du roi des Ténèbres et de leurs histoires qui s'entremêlaient.

Gabriel posa une main sur sa nuque et serra gentiment le poing dans ses cheveux. Ce n'était pas douloureux, mais il l'empêchait ainsi de bouger la tête. Puis il lui entoura la taille de son autre bras, en plaçant la main au creux de son dos de manière possessive.

Le verre vide qu'elle tenait glissa de ses doigts et tomba sur la moquette avec un bruit sourd.

— Tu te souviens de ce que tu voulais hier ? demanda-t-il d'une voix onctueuse, en s'approchant lentement de sa bouche.

Il lui mordilla délicatement la lèvre inférieure tout en lui tenant la tête en place. Les mamelons d'Aislinn se dressèrent et sa gorge se serra.

— Tu te souviens de ce que tu m'as demandé ?

— Oui, souffla-t-elle, je me souviens de tout.

— Tu m'as demandé de te baiser. Tu en as toujours envie ?

Son souffle chaud lui frôlait les lèvres.

Elle hocha légèrement la tête.

— En ce moment, plus que tout.

Sa voix tremblotait. Son corps était tendu de désir, et elle savait qu'il dénouerait cette tension, centimètre par centimètre, jusqu'à ce qu'il ne reste plus rien d'elle, à l'exception du désir dévorant et, à la fin, la satiété absolue.

En maintenant la prise qu'il avait sur sa tête, il inclina son visage de côté et l'attira vers lui pour plonger sur ses lèvres. Puis, Aislinn haleta à la sensation de la main libre qui se faufilait dans son pantalon et des doigts souples qui glissaient sur sa peau nue. La langue de Gabriel lui entrouvrit davantage les lèvres et lui tisonna la bouche. Il goûtait le brandy et le mâle.

La main dans son pantalon explora la rondeur de ses fesses un moment, avant de se couler entre ses jambes. Un grognement monta de la gorge de l'incube, pendant que ses doigts furetaient sur le sexe chaud d'Aislinn, découvrant à quel point il s'était mouillé en réaction à ses seules paroles et ses seuls baisers.

— Tu es si douce ici, Aislinn, dit-il en pressant sa chair. Si chaude et irrésistiblement belle. Je t'ai touchée pendant ton sommeil, hier.

Il lui effleura le menton des lèvres.

— Ouais ?

Le mot était sorti de la bouche comme un murmure et elle avait du mal à garder les yeux ouverts, tellement elle était chaude et lourde de désir.

— Ouais…

Il lui tira la tête de côté et elle se garda de gémir tandis qu'il lui traçait la peau du bout de la langue.

— J'avais envie de savoir si je pouvais te faire jouir dans ton sommeil. Je l'aurais fait, si tu n'avais pas eu tant besoin de repos.

Elle frémit sous le pouvoir de ses mots et de ses mains, frissonna de plaisir à l'idée qu'il était assez doué pour la faire jouir dans son sommeil. Il en était capable, elle n'en douta pas un seul instant.

Les dents de Gabriel vinrent taquiner une partie sensible de son cou, juste en dessous du lobe de son oreille, et elle resserra les doigts sur les épaules auxquelles elle s'accrochait. Il lui renversa la tête vers l'arrière, exposant ainsi sa gorge fine, et lui mordilla doucement le cou de l'oreille à la clavicule.

La respiration d'Aislinn s'accéléra et ses genoux faiblirent. Son corps se préparait à le recevoir de toutes les manières possibles ; ses mamelons se dressaient et son sexe devenait humide et glissant. Entre ses jambes, les doigts de Gabriel continuaient à la caresser, glissant sur sa chair échauffée, s'appliquant à lui faire perdre la tête, lentement, mais sûrement.

Il l'attira vers le canapé, en soulevant son pull par-dessus sa tête pour le jeter sur le plancher. Elle ne portait pas de soutien-gorge, et les yeux de l'incube glissèrent sur ses seins avec un intérêt vorace. D'un air gourmand, elle évalua à son tour ses abdominaux sculptés, l'étendue impo-sante et musclée de sa poitrine et ses épaules larges et puissantes. Puis, elle baissa la main jusqu'au bouton de son pantalon et le défit, brûlant d'admirer à nouveau son membre long et large. Peut-être que cette fois, elle aurait même le droit d'y toucher.

La main de Gabriel recouvrit la sienne et la repoussa gentiment.

— Chaque chose en son temps. Mon tour, d'abord.

Il la poussa vers le bas pour qu'elle bascule sur le canapé, puis elle se retrouva sans pantalon la seconde suivante. Il s'agenouilla entre ses jambes ouvertes, effleurant son sexe nu du regard avec autant d'insistance que sa main l'avait touché un instant plus tôt.

— Ravissant, murmura-t-il.

Puis il plongea la tête pour y goûter.

Aislinn arqua le dos au moment où la bouche chaude de son amant se referma sur elle, savourant la sensation de cette langue douce traînant sur sa fente. Les yeux fermés, Gabriel émit un son d'extase en l'explorant. Il trouva son cli-toris niché entre ses lèvres et le noya de salive. Il pouvait sûrement le sentir se gonfler sous sa langue, au fur et à mesure que l'excitation insoutenable envahissait Aislinn.

Elle frétillait sous la bouche de l'incube, observant sa tête noire bouger de manière irrésistible. C'était presque trop. Elle voulait pratiquement se dérober à l'intensité du moment. Sa respiration grimpa en flèche et ses mamelons devinrent aussi durs que des diamants sous le flot du désir qui coulait dans ses veines. Mais Gabriel n'allait pas la laisser s'échapper. Avec un petit grognement, il resserra sa prise sur l'intérieur des cuisses d'Aislinn, les tenant solidement écartées. Sa langue lapa violemment le clitoris qui s'offrait à lui, faisant venir l'orgasme en elle sans qu'elle ne puisse s'y opposer.

Le corps d'Aislinn se raidit et explosa. Rien à voir, cette fois, avec la torture d'une montée lente suivie d'une descente, d'une autre montée, puis d'une autre descente. Cette fois, la bouche de Gabriel l'avait poussée vers l'orgasme avec force et efficacité. Ce n'était pas une vague, cette fois. C'était un train qui la frappait de plein fouet. Aislinn arqua le dos et cria de plaisir, le corps frémissant. Gabriel avait le pouvoir de lui faire perdre la raison au moyen de ses caresses. C'était aussi merveilleux que terrifiant. Tout ce qu'elle pouvait faire, c'était s'accrocher pendant l'envolée vertigineuse qui l'emportait.

Avant que la cascade de plaisir ne s'effile et disparaisse, il l'attira sur l'épaisse moquette du plancher et la poussa sur le côté pour qu'elle s'allonge sur le ventre. En s'appuyant sur une main posée à côté de sa taille, il lui couvrit le dos à demi.

Elle entendit le son euphorisant d'une fermeture éclair et le bruissement d'un pantalon qui descendit juste assez bas pour que Gabriel puisse se sortir la queue. En insérant une main sous son pelvis, il lui souleva brusquement les hanches, puis l'attira contre son ventre, où elle pouvait sentir le bout de sa queue sur son sexe échauffé. La tête douce du manche de Gabriel s'inséra dans l'entrée de son sexe et elle gémit, se soulevant sur les mains et les genoux et reculant le bassin vers lui, cherchant désespérément à le sentir plus, à en avoir plus.

Et il lui donna ce qu'elle voulait. En poussant les hanches vers l'avant, il enfonça sa queue en elle jusqu'à la base. Aislinn était si mouillée par l'orgasme qu'il lui avait donné que sa queue glissa sans aucun inconfort, malgré sa taille imposante. Le dos d'Aislinn se courba de nouveau à la sensation de Gabriel qui la remplissait, étirant ses muscles, la rendant folle de désir.

Il resta ainsi un moment, profondément enfoui dans son ventre, grondant de plaisir. Et il murmura son nom, lui décrivit quelle sensation son sexe lui donnait en lui enveloppant la queue : chaude, soyeuse, parfaite. Puis il commença à bouger dans son ventre, et Aislinn ne put plus rien entendre de ce qu'il lui disait.

Son monde n'était plus que Gabriel qui s'enfonçait en elle.

Il y avait quelque chose d'animal et de primal à la manière dont il la prenait, et ce quelque chose attisait chaque fibre de son corps. Il poussait sa queue en elle jusqu'au bout, la retirait et la plongeait de nouveau, la faisant geindre, un son cru sortant de sa gorge sans qu'elle puisse le retenir. Encore et encore. Plus vite et plus fort.

Elle ouvrit les mains à plat sur le plancher et souhaita trouver quelque chose pour s'agripper, puis referma les doigts dans l'épaisseur de la moquette. Gabriel lui entoura la taille d'un bras et trouva son clitoris pour le caresser, doucement, matant résolument son hypersensibilité postorgasmique pour la ramener vers l'excitation insupportable.

Cet homme ne faisait pas l'amour tendrement. Pas en ce moment. Il prenait d'elle, exigeait d'elle, la poussait à lui en donner plus.

Il se balançait contre ses reins, la dominant complètement. Après un moment, il s'inclina légèrement et le sommet de sa queue lui frictionna le point G à chaque poussée. Et Aislinn jouit à nouveau, plus intensément que les fois précédentes. Le plaisir se déversa en elle par spasmes convulsifs. Les muscles de son sexe se resserrèrent par pulsations autour de la queue de Gabriel et tout le reste de son corps se relâcha. Elle s'effondra sur le ventre contre le tapis moelleux et il tomba aussi, allant et venant toujours profondément en elle. Enfin, il gronda son nom derrière elle et Aislinn sentit les spasmes envahir la queue qui la remplissait.

Gabriel s'immobilisa, puis roula sur le côté dans la courbe du corps de son amante.

— Je suis désolé, souffla-t-il dans ses cheveux.

Elle s'efforça d'ouvrir les yeux et de calmer un peu sa respiration. De douces vagues d'orgasme ondulaient toujours dans son ventre, et elle sentait encore des fourmillements et des pulsations dans son sexe.

— Pourquoi ?

— J'étais incapable de me maîtriser. J'avais juste besoin de toi. J'avais besoin de te baiser. C'était rapide et brutal, et pas tendre, comme je l'avais imaginé.

Aislinn laissa échapper un rire rauque et grave de léthargie sexuelle complète.

— Je crois que j'aime bien lorsque c'est rapide et brutal.

— C'est bon à savoir, murmura-t-il en tirant ses cheveux vers l'arrière pour poser un baiser sur son lobe d'oreille.

Il descendit une main sur son sein et joua avec son mamelon, le caressant du pouce d'un côté à l'autre jusqu'à ce que le bout rose se durcisse et qu'Aislinn frémisse.

— Très bon à savoir, en fait.

— Dis-moi, utilises-tu ta magie lorsque tu fais l'amour ou est-ce que ta… générosité… vient seulement de ton don inné d'incube ?

Il poussa un rire profond et fit glisser une main entre ses jambes, où il la caressa doucement, obtenant d'elle un soupir renouvelé.

— Ni l'une ni l'autre. Ma « générosité » est venue avec l'âge et l'expérience, en apprenant le corps de la femme et en portant attention aux endroits où elle aime être touchée, avec quelle intensité et à quelle vitesse.

Sa voix était comme un murmure, rauque et pourtant soyeux, qui lui chatouillait le lobe d'oreille pendant que sa main lui tissait une magie entre les jambes, peu importe ce qu'il niait.

— Ah bon, parvint-elle à répondre, malgré la sécheresse soudaine de sa langue.

— Le fait que je sois incube rejoint les femmes, par contre ; tu l'as remarqué. Elles sont naturellement attirées vers moi. Bien, presque toutes. Tu étais une exception notable.

— Et la magie ?

— C'est surtout un mythe. Je ne peux réduire une personne à l'esclavage sexuel, Aislinn. Je peux seulement rendre une femme légèrement dépendante si j'essaie, ce que je ne fais jamais. Autrement, elle devient étouffante et collante. Tu n'as pas à me craindre.

Elle vit avec surprise que ce n'était pas le cas. Elle ne l'avait jamais craint. Elle avait cru les histoires de mort par le sexe, sans avoir jamais même pensé à la possibilité qu'il utilise sa magie sur elle.

Elle lui faisait confiance sur ce point, tout simplement.

Les doigts de Gabriel vagabondaient toujours sur son sexe. Elle posa la tête contre lui et soupira.

— Qu'est-ce que tu me fais encore ?

Il lui chatouilla le lobe d'oreille du bout du nez.

— Je te prépare à la prise trois.

Elle n'y voyait aucune objection.

Après avoir atteint un troisième orgasme, celui-là plus doux et plus calme que les autres, allongée dans ses bras sur le plancher, elle resta là à fixer le plafond, émerveillée par son propre corps et par l'habileté de Gabriel. Elle avait déjà connu deux orgasmes de suite auparavant, mais jamais trois, et elle se sentait encore mûre, chaude et excitée ; prête à en avoir plus. Gabriel pouvait faire des choses incroyables avec le corps d'une femme et elle soupçonnait que, si elle ne prenait pas garde, il pourrait aussi faire des choses incroyables à son cœur.

C'était stupide de penser à une chose pareille, comme leur avenir semblait si sinistre. Malgré tout, elle ne pouvait s'empêcher de se donner pour avertissement de ne pas tomber trop amoureuse de lui, un homme qui n'était pas fait pour rester avec une seule femme. Un homme qui lui avait menti pendant la première semaine suivant leur rencontre, et qui avait délibérément essayé de la prendre au piège à l'aide de fausses intentions. Même s'il lui avait sauvé la vie par la suite, les choses restaient pareilles pour ce qui était de leur première semaine passée ensemble. Elle devait se protéger de lui.

S'ils survivaient à ce qui les attendait, et elle avait toutes les intentions d'y survivre, et qu'ils surmontaient toute cette histoire ; s'ils reprenaient leurs vies respectives... bien, Gabriel lui briserait sûrement le cœur.

La solution était très simple, et pourtant si difficile à appliquer. Aislinn devait éviter de lui donner son amour. Dans le cas contraire, elle était perdue d'avance.

DIX-HUIT

L'image du père d'Aislinn ondula devant eux pendant un moment, puis elle se solidifia. Le cordon qui le rattachait au Monde des Ténèbres scintillait dans une myriade de couleurs arc-en-ciel.

Les âmes, selon l'expérience de Gabriel, représentaient l'énergie primale et fondamentale des fae qu'elles avaient habités, dans leur corps physique. Il ne croyait pas qu'elles revêtaient cette forme au Monde des Ténèbres, mais qu'elles empruntaient plutôt la forme d'une énergie crue, dans une sorte de masse collective, en attendant une renaissance.

Gabriel, comme la plupart des fae, croyait que la vie consistait en un cercle continu. Sans début ni fin. Toutes les choses finissaient par mourir. Tout finissait par disparaître, ce qui ne signifiait pas pour autant qu'elles cessaient d'être. Tout ce qui disparaissait vers le Monde des Ténèbres finissait par revenir lorsque sa saison renaissait. Mais dans une nouvelle forme.

Bien sûr, il ne pouvait en avoir l'absolue certitude. Personne ne le savait, à l'exception des âmes, et elles ne parlaient pas de ces choses. Chaque fois qu'il avait posé la question, une force obscure les avait empêchées de révéler la vérité, brisant le son des mots qui sortaient de leur bouche. Pas même une nécromancienne ne pouvait les contraindre à fournir des renseignements de cette nature.

Mais, en ce moment, l'énergie qui avait autrefois été le père d'Aislinn oscillait devant eux, ayant pris la forme que l'un et l'autre, Aislinn et Gabriel, accepteraient le mieux. Ou peut-être était-ce la forme que le père d'Aislinn associait le plus étroitement avec l'homme qu'il avait été. Personne ne pouvait le dire.

Un petit glapissement échappa à Aislinn.

— Papa.

Elle prononça ce nom d'une voix brisée et remplie de nostalgie. L'estomac de Gabriel se tordit de douleur. Dieux du ciel, jamais une femme n'avait été aussi importante pour lui que celle se trouvant maintenant à ses côtés.

Diable, personne n'avait jamais été aussi important pour lui. Cette pensée le comblait et le terrorisait à la fois.

Le visage de son père s'adoucit.

— Tu me manques, ma fille.

— Mais je ne suis pas ta fille.

Aislinn secoua la tête, les poings serrés sur les genoux. Sa voix avait pris un ton accusateur.

— Je ne suis pas ta fille biologique, n'est-ce pas, papa ?

Le visage du père se décomposa.

— Alors tu connais la vérité. J'ai voulu te l'épargner. Non, tu n'es pas ma fille biologique.

Sa voix semblait provenir de loin.

— Tu es l'enfant de mon cœur, c'est un lien plus fort que le lien génétique.

Aislinn plongea la tête en avant et cligna rapidement des yeux. Les doigts de Gabriel se replièrent, comme pour l'attirer près de lui, pour la réconforter et la protéger. Il baissa les yeux sur ses mains, s'émerveillant de l'impulsion qui le submergeait.

— Tu sais que tu n'es pas ma fille biologique, car tu possèdes ce don, répondit l'âme en agitant le bras le long de son image corporelle. Tu es une nécromancienne, et cette habileté ne vient pas de mon sang ni de celui de ta mère.

— Savais-tu que maman avait eu une aventure ?

Le père hocha la tête.

— Nous nous sommes disputés un soir, et elle m'a lancé sa bague de fiançailles à la figure. Je l'ai pris et je lui ai crié que j'étais heureux d'annuler nos fiançailles, et que je reprenais la bague avec plaisir. Elle s'est enfuie sur la place publique en pleurant. Selon ses dires, elle a été abordée par un fae noir. Pour se venger, elle s'est laissé séduire. C'est la nuit où tu as été conçue. J'aimais profondément ta mère, Aislinn. Nous nous sommes réconciliés et avons renouvelé nos fiançailles. L'idée qu'elle ait pu être enceinte ne nous avait jamais effleuré l'esprit, étant donné que la chose était tellement rare.

Il sourit.

— Mais elle était enceinte de toi. Je t'ai acceptée dans mon cœur et considérée comme ma fille dès le jour où nous avons découvert qu'elle te portait en son sein.

— Ce fae noir était le roi des Ténèbres, papa.

L'âme sursauta légèrement sous l'effet de la surprise.

— Le roi des Ténèbres. Bien, voilà qui explique la nécromancie.

— C'est tout ce que tu as à dire ? Je suis une Unseelie, souffla Aislinn, la fille bâtarde du roi de tous les Unseelie !

Le père sourit.

— Et regarde la belle personne que tu es devenue !

L'opinion de Gabriel à l'égard du père d'Aislinn fusa dans la stratosphère. Il ne manifestait pas du tout de snobisme à l'endroit des Unseelie, une attitude si courante parmi les Seelie. Il aimait sa fille envers et contre tous.

Aislinn secoua la tête.

— Tu m'as donc caché la vérité, de même qu'à la Cour Seelie.

Le sourire de l'âme paternelle s'effaça doucement.

— Nous croyions que c'était la meilleure manière de te garder en sécurité.

— Mais toi, tu n'étais pas en sécurité, papa, n'est-ce pas ? Qui t'a tué ?

Le visage du père se plomba.

— Le Phaendir m'a fait assassiner sur la place publique.

Aislinn baissa lourdement la tête et une larme s'effondra sur son pantalon.

— Ils vous ont tué pour obtenir le Livre de l'union, c'est bien ça ? demanda Gabriel.

Les yeux du père restèrent rivés sur le visage de sa fille.

— Je sais que tu as trouvé le livre, parce que tu m'as fait venir vers toi grâce à un de ces sorts dans ton appartement. J'ai vu le livre tomber de tes genoux sur le plancher. J'avais espéré que tu ne le trouves jamais, mais il semble que tu aies réussi à trouver tous les dangers dont j'ai voulu te protéger.

— Je l'ai trouvé, oui, confirma Aislinn.

Sa voix était à présent exempte de tout tremblement. Elle parla d'une voix claire et forte.

— Il était sous les lames du plancher de ta chambre à coucher, papa. Comment as-tu obtenu ce livre ?

— Il a été transmis de génération en génération dans ma famille. Je ne sais pas comment nous l'avons obtenu au départ, mais mon père a réussi à l'emporter lorsqu'il a été amené de force à Piefferburg. Il me l'a remis pour que je le conserve et m'a bien fait comprendre à quel point c'était un objet important. Je n'en ai jamais parlé à personne. J'imagine que le Phaendir a retrouvé le livre en suivant ma lignée seelie, a découvert comment nous étions venus à le posséder, et a suivi la piste généalogique. Ils m'ont appelé pour exiger que je leur donne le livre. Puisque j'ai refusé de le leur livrer, ils m'ont tué, croyant qu'ils le trouveraient eux-mêmes. Mais tu les as devancés.

Le père d'Aislinn se tut pendant un court moment, puis ajouta :

— Débarrasse-t'en, Aislinn. Brûle-le. Fais n'importe quoi avec, pour autant que tu t'assures que le Phaendir ne mette jamais la main dessus.

— C'est le roi des Ténèbres qui l'a maintenant.

— Comment l'a-t-il obtenu ?

Aislinn parut avoir vieilli de cent ans pendant un moment.

— Laisse tomber. C'est une longue histoire qui n'a rien à voir avec toi.

— Mais…

— Je m'occupe de votre fille, interrompit Gabriel. Elle restera en sécurité ; je le jure sur mon âme.

Ses mots étaient déterminés et féroces, et il les ressentait dans chaque molécule de son être. Aislinn tourna vivement le visage vers lui, les lèvres entrouvertes et les yeux écarquillés.

Quant au père d'Aislinn, il le dévisagea en silence pendant un long moment.

— Je vous crois.

— Avec raison.

L'âme s'étira comme s'il tendait l'oreille pour écouter un son lointain, que ni Aislinn ni Gabriel ne pouvaient capter.

— On me demande de revenir, Aislinn.

Elle acquiesça d'un signe de tête et essuya une traînée de larmes sur sa joue.

— Puis-je te prendre dans mes bras avant que tu partes ?

— Tu dois m'ordonner de prendre une forme corporelle. Je ne peux le faire moi-même.

Elle le lui demanda et il se solidifia. Aislinn bondit sur ses pieds et étreignit son père, mais il disparut quelques instants après, alors qu'elle l'embrassait encore. Aislinn tituba vers l'avant avant de porter les mains à son visage pour cacher ses larmes. Gabriel se leva à son tour et alla la retrouver pour l'attirer contre lui.

Elle fondit contre lui pendant un bref moment, puis recula l'instant d'après.

— O.K., et puis quoi, maintenant ?

— Ça va ?

— Oui.

Elle déglutit difficilement et s'éclaircit la voix, s'efforçant manifestement de ne pas fondre en larmes.

— Il me manque.

Gabriel hocha la tête en signe de compassion.

— Je comprends. J'ai déjà accompagné des gens que j'aimais vers l'autre monde. C'est un…

Il cherchait le mot juste.

— Un honneur aigre-doux.

— J'étais beaucoup plus proche de mon père que de ma mère.

— Je l'avais déduit.

— Mais mon père n'est plus de ce monde et j'ai appris à vivre avec le deuil. Par ailleurs, je viens de recevoir un énorme cadeau. Peu de gens ont la chance de revoir ceux qu'ils aiment après leur mort. Je suis heureuse d'avoir pu le faire.

Elle sécha les dernières larmes sur ses joues et leva les yeux vers Gabriel. Ses yeux gris avaient maintenant la couleur sombre de l'acier.

— Et maintenant, que fait-on?

Il l'étudia pendant un long moment.

— Nous devons passer aux choses sérieuses, Aislinn. Nous en avons terminé avec les amis et la famille. Nous devons maintenant trouver des armes. Établir un plan. Nous devons faire venir les sluagh et tu dois les plier à ta volonté.

L'expression d'Aislinn s'endurcit.

— Il est temps d'attaquer mon bon vieux papa.

La lumière s'éteignit ce soir-là. Ils étaient en train de manger du saumon et des légumes grillés lorsque leur maison d'emprunt fut plongée dans le noir.

— La compagnie d'électricité de Piefferburg a finalement coupé l'électricité.

317

Gabriel posa sa fourchette à côté de son assiette. Aislinn pouvait distinguer ses gestes grâce à la lueur de la lune qui entrait par la fenêtre.

— Merde.

— C'était chouette d'en avoir pendant que nous en avions.

— Je vais chercher des chandelles, dit Gabriel, en se levant de table.

Aislinn resta assise, le reflet de la fenêtre montrant des chandelles s'allumant une à une dans le salon derrière elle. Comme Gabriel ne revenait pas s'asseoir, elle nettoya la table et alla le trouver au salon, puis s'appuya contre l'arcade qui séparait les deux pièces.

Il était installé sur le canapé, un bras nonchalamment posé sur l'appuie-bras. Ses cheveux noirs tombaient librement sur ses épaules et sa poitrine nue. La lumière des chandelles venait lui lécher la peau comme Aislinn avait envie de le faire chaque fois qu'elle le voyait... surtout lorsqu'elle le voyait torse nu.

— Tu n'as pas beaucoup mangé, dit-elle, avant de déglutir.

Elle avait toujours la gorge sèche à la vue de l'incube à demi nu.

Comme il ne répondait pas, elle demanda :

— Qu'est-ce que tu fais ?

Des ombres valsèrent sur le visage de Gabriel avant de disparaître dans ses cheveux.

— Je réfléchis.

Elle croisa les bras.

— Tu réfléchis à quoi ?

La tête noire se retourna et ses yeux sombres se fixèrent sur elle.

— À toi.

— Ah bon. À quoi pensais-tu… plus précisément ?

Elle pouvait bien l'imaginer. Probablement à des choses qui s'apparentaient aux images qui lui traversaient l'esprit. Des corps chauds. De la peau soyeuse. Des jambes entremêlées. La pression et le frottement de ce torse large sur ses seins, ses genoux lui écartant les jambes et…

— Laisse tomber. Je devrais peut-être…

Elle avala de nouveau sa salive avec peine.

— Aller au lit. La journée a été longue.

Il se leva et traversa lentement le plancher dans sa direction.

— Aller au lit est peut-être une bonne idée. Pas de lumière. Pas grand-chose d'autre à faire.

Ah, zut. Une cinquantaine d'alarmes se mirent à sonner dans la tête d'Aislinn pour la prévenir de la menace qui grondait. Ses hormones, pour leur part, qui s'étaient mises à exécuter une gigue irlandaise. Elle voulut battre en retraite, s'éloigner de lui. Mais dans ce cas, elle aurait l'air d'une faible. Ce qu'elle n'était *pas*.

De toute façon, Gabriel était un homme qui obtenait ce qu'il désirait. S'il la désirait, il n'aurait qu'à la suivre.

Elle posa une main sur sa poitrine pour avorter ses avances. Toucher sa peau nue était incontestablement une mauvaise idée. Il était chaud et les muscles sous sa peau se soulevaient au rythme de sa respiration. Elle eut envie de suivre de la main la courbe de ses pectoraux, par-dessus son mamelon, puis les saillies de son abdomen, et de descendre plus bas. Elle voulait toucher sa queue. Elle ne l'avait pas encore prise dans sa main, pour l'enserrer et la caresser. Elle voulait le faire gémir et soupirer. Elle mourait d'envie d'exercer ce type de pouvoir sur lui, surtout qu'il avait sans contredit ce pouvoir sur elle.

Elle passa la main sur sa poitrine. Une fois. Deux fois. Il sourit. Elle pouvait décoder son sourire dans le reflet des flammes. C'était le sourire d'un homme confiant, qui savait qu'il obtiendrait ce qu'il voulait.

Elle força ses doigts à s'immobiliser et chercha à s'esquiver, mais sa voix frémissait.

— Je voulais dire que je dois aller au lit pour…

Gabriel pencha la tête et posa ses lèvres contre les siennes. Lentement, il les caressa d'un côté et de l'autre, et les genoux d'Aislinn ramollirent sous l'effet de ses baisers, la faisant pratiquement flancher. Un nuage aphrodisiaque embua son esprit. Cet homme était dangereux. Si elle attendait une seconde de plus, elle serait complètement fichue. Elle devait réagir avant qu'il ne l'entraîne vers le fond.

Elle le repoussa de la main, le forçant à basculer sur les talons et à éloigner sa bouche ravageuse de la sienne.

— Ce n'est pas une bonne idée.

Les lèvres de Gabriel se courbèrent en un sourire.

— Et pourquoi donc?

Elle ne pouvait pas vraiment lui dire la vérité : *Je dois garder mes distances au cas où, par miracle, nous survivions à cette histoire, car alors tu prendras mon cœur, tu le réduiras en bouillie, puis tu t'en iras.* Elle chercha une autre réponse à donner.

— Je suis fatiguée. La journée a été longue.

Oh, quelle réponse nulle.

Le rire tonitruant qui sortit de la gorge de Gabriel lui fit penser au cuir, à la fumée de bois et au chocolat. Toutes des choses qui l'interpellaient, la poussaient à prendre un moment pour les humer et à en savourer le parfum.

— Et j'ai l'intention d'étirer la soirée pour en faire une longue nuit exténuante.

— Gabriel…

Il lui captura les poignets de ses larges mains et les fixa au mur, au-dessus de sa tête. Puis, il plongea la tête vers elle, approchant dangereusement les lèvres des siennes.

— Je veux m'immerger en toi. Je veux toucher ton corps, embrasser tes seins. Je veux te faire oublier le roi des Ténèbres et les sluagh, juste pour un petit moment. Je veux que tu ne penses plus à rien, sauf à mon souffle qui parcourt ta peau et à la chaleur de mes lèvres sur l'intérieur de ta cuisse, et peut-être un peu plus haut. Je veux te faire soupirer, gémir, crier mon nom en t'accrochant aux draps. *Aislinn*, laisse-moi faire.

Elle laissa échapper une bouffée d'air.

Les lèvres de Gabriel effleurèrent les siennes de nouveau et, cette fois, elle ne s'y opposa pas. Elle avança la tête pour presser la bouche plus fermement contre celle de l'incube, avec l'envie féroce de mieux le goûter.

Les mains qui s'étaient verrouillées sur ses poignets se détachèrent pour descendre doucement le long de ses bras, jusque sur ses seins qui étaient libres sous son pull. Ses mamelons se raidirent sous les paumes de Gabriel, et il poussa un soupir grave et profond d'admiration.

— Tu vois ? Je savais bien que tu changerais d'idée, murmura-t-il contre ses lèvres.

— Je dois lutter contre la force d'un incube qui veut me séduire. Quelles sont mes chances de m'en sortir?

— Aucune, ma belle. Tu es toute à moi.

C'était exactement ce qui la terrifiait. Elle était pourtant incapable de le repousser, même si sa raison lui hurlait de s'enfuir.

Il inséra les pouces sous la ceinture du pantalon d'Aislinn et le poussa vers le bas. Le vêtement tomba à ses chevilles et Aislinn se retrouva nue, comme elle ne portait pas de culotte. De la même manière, il poussa son pull vers le haut pour dénuder sa poitrine. Puis, il lui couvrit les seins de ses mains baladeuses et lui titilla les mamelons jusqu'à ce qu'ils se durcissent comme des diamants, jusqu'à ce qu'une vague de chaleur la balaie en entier et se canalise entre ses jambes.

Maintenant, elle était bel et bien fichue.

Elle chercha du bout des doigts la fermeture éclair de son jean, et le sentier formé par ses poils noirs lui caressa les jointures. Elle fit descendre la fermeture éclair, plongea la main à l'intérieur du pantalon et trouva le prix qu'elle rêvait de tenir dans ses mains. Ah, le paradis! Enfin.

Gabriel poussa un soupir et sa tête bascula vers l'arrière au moment où elle referma les doigts autour de son manche volumineux. En faisant glisser la peau de sur le gland, elle fit bouger sa main de bas en haut. C'était tout ce qu'elle avait imaginé : long, large et délicieusement dur.

D'un geste aussi fluide que puissant, il la souleva pour la plaquer contre le mur. Aislinn lui enserra la taille de ses jambes et lui enveloppa le cou de ses bras, tandis que la superbe queue de Gabriel se pressait contre son sexe nu et vulnérable. Cette fois, c'est la tête d'Aislinn qui bascula contre le mur, alors qu'une plainte de désir urgent déchirait sa gorge et qu'elle fermait les yeux dans l'abandon. Il mordilla délicatement la peau de son joli cou arqué, tout en sortant la langue de temps à autre pour la goûter.

— Gabriel, s'il te plaît, souffla-t-elle.

Elle voulait le sentir en elle.

Il remua les hanches de nouveau, pour stimuler son clitoris cette fois. La caresse lui fit bouger le bassin comme si elle était en chaleur. Gabriel était le seul homme qui ait jamais été capable de la mettre dans cet état de manque érotique. Elle enroula les doigts dans ses cheveux au moment où sa bouche plongea vers la sienne. Il absorbait chaque soupir et chaque soubresaut qu'il produisait chez elle.

— Je t'en prie, Gabriel, murmura-t-elle contre ses lèvres.

Son sexe était ardent, assoiffé. Son corps avait glissé dans un endroit qui frôlait l'abandon total de la réalité, pourtant, tout ce qu'il avait fait, c'était de lui chuchoter des choses à l'oreille, de caresser ses seins et de l'embrasser.

— Pas ici. Pas de cette manière, contre le mur. Ni vite ni brutalement. Lentement et doucement. Cette fois-ci, je veux prendre le temps de te savourer.

Elle lui répondit d'un grognement qui exprima quelque chose entre l'anticipation et la déception. S'il bougeait juste un tout petit peu, sa magnifique queue s'insérerait en elle et s'enfoncerait profondément, jusqu'au creux de son ventre. Il pourrait la prendre contre ce mur. Quelques coups de hanches et elle jouirait, en criant son nom dans le silence de la maison. Au lieu de cela, il la souleva pour l'emmener ailleurs.

Sans qu'elle puisse rien y faire, ils aboutirent dans la chambre à coucher et elle se retrouva sur le lit, enveloppée par le corps massif de Gabriel, dont les mains exploraient sa chair chaude et dont la langue humectait la peau sensible de sa gorge avant de réclamer sa bouche à nouveau.

Elle baissa le pantalon de Gabriel, puis l'aida à le retirer complètement. Enfin, elle pouvait sentir ce corps long, mince et musclé, collé chaudement contre le sien et ce manche raide pressé contre sa cuisse. Gabriel bougea un peu et lui frotta le sexe de sa cuisse, la faisant geindre de plus belle. Elle chercha à trouver sa queue, mais il lui attrapa les poignets et les coinça contre le haut du matelas. Il baissa ensuite la tête sur un sein, en explorant chaque mont et vallée de sa bouche jusqu'à ce qu'Aislinn se tortille désir sous lui. Puis il recommença avec l'autre sein.

Lorsqu'il libéra ses poignets, Aislinn chercha de nouveau l'objet de son désir et le trouva. Un gémissement sourd s'échappa de la gorge de Gabriel pendant qu'elle le masturbait, essayant de le convaincre de laisser tomber les préliminaires et de la baiser tout simplement. Il se leva plutôt pour aller chercher deux longues cravates de soie. Manifestement, il les avait volontairement rangées quelque part dans l'idée de les utiliser sur elle au moment opportun. Elles avaient patiemment attendu dans un tiroir, prêtes à l'emploi.

Aislinn l'envisagea d'un air méfiant.

— Pourquoi ?

— C'est pour que tu ne me fasses pas jouir trop tôt, princesse. Si tu continues à me toucher comme tu le fais, tu auras ce que tu as eu la première fois. Sur tes genoux, avec moi derrière toi, vite et fort. J'ai dit que je voulais prendre mon temps cette fois et j'aurai ce que je veux.

Les cravates en soie s'enroulèrent à la fois doucement et fermement autour des poignets d'Aislinn. Gabriel attacha les bouts aux pieds en métal du lit. Ainsi, les bras de sa conquête étaient surélevés, ses mains désobéissantes immobilisées. Il fit le tour du lit, la dévorant du regard comme un loup prêt à se jeter sur sa proie. Le cœur d'Aislinn battait à une cadence rapide, et sa respiration s'accélérait. Ses mamelons étaient durs et hypersensibles. Même le plus petit mouvement d'air produit par le déplacement de Gabriel les faisait se durcir encore plus. Son sexe était brûlant et gonflé de désir. C'était de la torture sexuelle, et il le savait. C'était exactement ce qu'il voulait. Il était évident qu'il avait l'intention de la rendre complètement folle avant de lui donner ce qu'elle voulait.

— Ouvre tes jambes, ordonna-t-il de sa voix de fumée de bois.

Elle laissa ses genoux tomber de chaque côté, et l'air frais l'inonda, cette seule sensation la faisant gémir. Il s'arrêta au pied du lit et la traça lentement du regard : de ses pieds à l'intérieur de ses genoux, jusqu'à son sexe. Elle avait l'impression de recevoir ce regard comme une caresse physique. Il s'agenouilla ensuite et posa une main sur sa cheville pour suivre le même chemin que ses yeux venaient de décrire, la faisant atrocement lentement glisser de son mollet vers l'intérieur de sa cuisse, puis finalement sur son sexe. Les doigts de Gabriel suivirent les plis de ses lèvres, caressant, explorant et recueillant la moiteur. Il frictionna doucement son clitoris, qui était complètement sorti de son capuchon et faisait la moue, le suppliant de lui donner de l'attention.

Aislinn gémit et gigota sur le matelas, tirant sur les cravates qui la maintenaient en place.

— Qu'est-ce que tu veux que je te fasse ? demanda Gabriel.

Il paraissait si calme, parfaitement maître de lui-même, mais il y avait un tout petit tremblement dans sa voix qui laissait deviner que ce n'était qu'un numéro. Il souffrait autant qu'elle.

— Tu sais ce que je veux, répondit-elle, haletante.

Il inséra un doigt en elle et Aislinn tressauta, s'efforçant de ne pas onduler les hanches, même si elle voulait le sentir plus profondément.

— Trop joli, murmura-t-il, le regard fixé sur le doigt qui plongeait en elle.

Il ajouta un deuxième doigt, étirant davantage ses muscles, et un long soupir échappa à Aislinn.

— C'est ce que tu veux ? Ne sois pas timide. Dis-le-moi.

— Je te veux toi, Gabriel. Toi.

Les doigts de Gabriel se mirent à aller et venir un peu plus rapidement.

— Tu veux ma queue ?

— Oui, siffla-t-elle.

Son corps tendait vers lui autant qu'il en était capable, ses hanches se balançant au rythme des caresses de Gabriel.

— Tu veux que je te baise.

— Oui.

Gabriel toucha son clitoris de l'autre main, le pressant par mouvements de rotation tout en continuant à enfoncer et retirer ses doigts dans son sexe. Aislinn s'accrocha aux cravates qui la retenaient au moment où son corps céda au plaisir, frémissant. L'énergie refoulée de l'orgasme dont il l'avait privée tout ce temps explosa, lui arrachant des sons bestiaux et arquant sa colonne vertébrale.

Puis il était là, la tête entre ses cuisses, lui lapant doucement le clitoris alors que son sexe tremblait et se resserrait autour des doigts toujours enfouis en elle. Grâce à sa langue, il la mena vers un deuxième orgasme, en suivant le sillage de l'énergie qu'avait déplacée le premier. Aislinn secoua la tête dans tous les sens sur l'oreiller tout en gémissant sous la force de la sensation.

— Maintenant, Gabriel, parvint-elle à dire, le souffle court. Ne me fais pas attendre plus longtemps.

Il la monta, en guidant sa queue dans son sexe, plongeant aussi profondément qu'il le pouvait. Ses hanches touchèrent les cuisses d'Aislinn juste au moment où son regard s'attacha au sien. Elle aspira une bouffée d'air, émerveillée de l'intimité à laquelle elle goûtait dans cette position : face à face, hanches contre hanches, poitrine contre poitrine, au lieu de le savoir simplement derrière elle.

— Aislinn, murmura-t-il.

Son nom semblait porter une signification qu'elle avait du mal à déchiffrer, perdue comme elle l'était dans les couches de désir et de passion.

Il remonta les hanches, retirant sa queue jusqu'à la couronne, puis s'enfonça de nouveau, poussant jusqu'au creux de son sexe, étirant délicieusement ses muscles à l'aide de ce membre imposant. Aislinn ferma les yeux pour mieux savourer la sensation. C'était exactement ce qu'elle voulait, exactement ce qui l'avait rendue folle de désir : se sentir tout à fait possédée par lui. Elle enroula les doigts autour des cravates soyeuses et s'y agrippa solidement, pour s'accrocher de toutes ses forces pendant qu'il enfonçait sa queue encore et encore.

Elle soulevait et abaissait les hanches en battant la mesure qu'il avait établie, et qui les emportait maintenant dans une danse primale. Gabriel plongea une fois de plus la tête sur son sein et enroba des lèvres son mamelon. L'orgasme la submergea une fois de plus et elle s'abandonna à lui, dans un flot de plaisir et de gémissements.

Après avoir joui, il resta profondément blotti en elle et l'embrassa, longuement, attentivement.

Sa langue s'enroulait autour de la sienne encore et encore, et Aislinn se laissa aller à cette valse enivrante, même si elle avait l'impression, en embrassant Gabriel, de lui confier une partie de son âme. Mais l'embrasser était tout simplement euphorisant et elle était incapable de s'interdire ce plaisir.

Aislinn ne se racontait pas d'histoire; elle était en train de tomber amoureuse de lui. Elle avait déjà commencé tandis qu'elle habitait encore à la Tour Rose. Elle n'était pas le type de femme qui pouvait coucher avec un homme sans éprouver de sentiments pour lui. Beaucoup de fae étaient capables d'avoir des aventures à droite et à gauche juste pour vivre l'excitation du sexe, sans jamais accorder un petit bout de leur cœur à ceux avec qui ils ou elles couchaient.

Comme Gabriel.

Aislinn n'avait jamais pu dissocier le sexe des sentiments. C'était inévitable; elle allait avoir le cœur brisé au bout du compte s'ils survivaient, mais elle allait au moins essayer de limiter les dégâts le plus possible. Et, s'il le fallait, elle rejetterait Gabriel avant qu'il ait l'occasion de la laisser tomber. Elle pourrait à tout le moins faire le minimum pour se protéger. Elle n'allait pas revivre ce que lui avait fait subir Kendal.

Ça, non, plus jamais on ne lui ferait mal de la sorte.

Pour le moment, elle se laisserait aller et profiterait de la générosité de cet homme. Lorsque l'on regarde la mort en face, à quoi bon se retenir ?

DIX-NEUF

Bella se pelotonnait contre Ronan, inhalant son odeur et essayant de se détendre. Pendant que Gabriel avait été occupé à libérer Aislinn du cachot, ils avaient dû s'enfuir, eux aussi. Ils savaient bien que dès que le roi des Ténèbres découvrirait qu'Aislinn avait disparu et qu'il comprendrait comment on avait pu la faire sortir, il saurait que Niall et Ronan avaient aidé.

Niall, comme toujours, était parti en solitaire. Bella et Ronan avaient pris la fuite en direction des Terres frontalières. Grâce aux sorts antidépistage sophistiqués de Ronan, ils ne pouvaient être retrouvés. Toutefois, ils tenaient pour acquis que la Garde des Ténèbres et l'armée de gobelins seraient envoyées sans tarder pour inspecter chaque immeuble et demeure de la ville. Les Terres frontalières leur offraient la meilleure chance de survie. Ils savaient ce qu'ils faisaient ; ce n'était pas la première fois qu'ils prenaient la poudre d'escampette.

Les fae de la nature, une race imprévisible, les préviendraient de l'arrivée des gardes ou bien ils choisiraient de ne rien faire du tout. Bella et Ronan s'étaient rendus chez Aurora, l'une des dames des bouleaux, pour lui demander refuge. La fae avait été heureuse de leur fournir un petit chalet dans les bois. Ils pouvaient lui faire confiance.

Ronan et Bella étaient en terrain connu, sauf que cette fois, ils tentaient d'échapper au roi des Ténèbres plutôt qu'à la reine Été. Ils commençaient à manquer de rois et de reines à emmerder, et Bella ne savait trop ce qui allait leur arriver à l'issue de toute cette histoire. Ronan lui avait expliqué qu'ensemble, Aislinn et Gabriel avaient le pouvoir d'appeler et de diriger les sluagh. Apparemment, une guerre mijotait et si Aislinn et Gabriel arrivaient à allier leurs dons, ils avaient de bonnes chances de gagner.

Enfin, peut-être.

Tout dépendait de ce qu'il était advenu d'Aislinn ; c'est-à-dire si elle avait ou non survécu au cachot. Bella ne voulait même pas imaginer que son amie n'y avait pas survécu. Elle chassa donc aussitôt cette pensée de son esprit.

Tout dépendait alors de la capacité d'Aislinn à diriger les sluagh. Accepterait-elle de le faire ? En était-elle réellement *capable* ? Bella avait de la difficulté à imaginer sa gentille amie en train de donner des ordres à des légions de morts non pardonnés, dans une guerre contre le roi des Ténèbres en vue de prendre sa place sur le trône unseelie.

Elle secoua légèrement la tête en songeant à la singularité de la récente tournure des événements et se blottit tout contre Ronan. Quel étrange virage venait de prendre leurs vies.

Elle ne pouvait savoir ce qui leur arriverait à la fin de cette aventure. En fin de compte, elle était prête à changer sa vie du tout au tout pour Aislinn. Si cela pouvait assurer la survie de son amie, elle et Ronan vivraient le reste de leur vie cachés au creux des Terres frontalières, dans ce petit chalet en bois rond. Elle serait heureuse n'importe où, pour autant qu'elle soit avec Ronan.

Son amoureux se tourna vers elle, l'attira au creux de ses bras, et lui embrassa le front.

— Je croyais que tu dormais, murmura-t-elle.

La lumière de la lune s'infiltrait par les quelques fenêtres du chalet, blanchissant encore davantage les murs et les planchers en bois de bouleau. Le lit sur lequel ils étaient allongés craquait sous chacun de leurs mouvements.

— Non.

Il expira longuement, lentement.

— Je peux sentir quelque chose ce soir. Il y a quelque chose dans l'air.

— Qu'est-ce que tu veux dire ?

— Quelque chose a changé. C'est différent maintenant. Je ne sais pas quoi.

— Quelque chose de bon ou quelque chose de mauvais ?

— Quelque chose de bon.

Elle se souleva pour le regarder.

— J'ai pensé à cinq millions de mauvais sorts à jeter au roi des Ténèbres. Je veux le punir pour ce qu'il a fait à Aislinn, mais aucun d'eux ne s'est réalisé à ce que je sache.

Il lui prit la joue dans le creux de sa main.

— Le destin fait bien les choses, tu verras.

— Je voudrais tellement avoir ta foi.

Il se pencha vers elle et lui donna un baiser.

— J'ai seulement le sentiment que nous allons nous en sortir, peu importe ce qu'il advient.

Elle sourit et l'embrassa à son tour.

Et la porte vola en éclats sous la force des bottes des gardes des Ténèbres.

Bella lança un cri de surprise et se recroquevilla contre la tête du lit. Ronan bondit devant elle, tentant de la protéger contre la horde de gardes et de gobelins qui entrait dans le chalet. Ces derniers s'alignèrent de chaque côté du lit, comme pour attendre quelque chose.

Le roi des Ténèbres, en chair et en os, pénétra dans le chalet d'un pas nonchalant, en tenant le bras d'Aurora. Le visage céleste de la dame des bouleaux qui leur avait offert refuge était plus pâle que d'ordinaire et elle était visiblement furieuse. Ses yeux, d'un bleu habituellement calme, s'étaient transformés en deux mers de haine tumultueuses mugissant à l'endroit de celui qui la retenait.

— Ronan, Bella, les salua le roi, un sourire froid aux lèvres. C'est si agréable de vous trouver ici.

Il secoua Aurora par le bras.

— Vous avez cru que de lui demander de l'aide était une bonne stratégie, mais vous n'avez rien compris de la nature des fae des bois. Certains d'entre eux se laissent facilement graisser la patte en échange de renseignements utiles. Je n'ai eu qu'à offrir de l'argent ici et là jusqu'à ce qu'une aimable Hu Hsien me révèle qui vous avait hébergés.

Il sourit de nouveau, en montrant cette fois ses dents blanches et aiguisées.

— Bel essai, par contre.

Gabriel se réveilla en poussant un long grognement. Sous la lueur de la lune, il pouvait voir la tête blonde d'Aislinn au-dessus de ses hanches. Ses lèvres pulpeuses qu'il adorait tant glissaient de haut en bas sur son dard. C'était une image tout droit sortie de ses fantasmes. Il renversa la tête vers l'arrière et grinça des dents, s'efforçant de ne pas jouir instantanément.

Il avait l'impression qu'un barrage au fond d'Aislinn avait finalement cédé depuis la dernière fois qu'ils avaient fait l'amour. Elle avait été si délicieusement vilaine lorsqu'il l'avait attachée et caressée de la main. Elle avait bougé les hanches comme si elle cherchait quelque chose à engloutir en elle, en tirant sur les cravates et en poussant des plaintes assoiffées irrésistibles. Elle était si différente depuis le cachot, sous plusieurs aspects ; elle était un peu plus intense et avait un peu plus d'audace qu'avant.

Et elle allait en avoir besoin.

Après avoir fait l'amour, ils s'étaient douchés en prenant ce qui restait de l'eau chaude dans le chauffe-eau. À la lumière des chandelles, leurs corps avaient glissé l'un contre l'autre, mouillés et savonneux. Ses mamelons durs et roses avaient pointé entre les bulles blanches, des bulles qui avaient flâné le long de son ventre pour se nicher dans son nombril et le rendre fou. Elle était tout à fait libre et avait perdu toute inhibition ; se pelotonnant contre lui comme une chatte en chaleur, et caressant sa queue qui ne semblait jamais ramollir en sa présence. Elle l'avait supplié de la baiser encore.

Il l'avait donc prise contre le mur de la douche, allant et venant dans l'étreinte chaude et douce de son sexe. Les hanches d'Aislinn avaient frappé doucement contre le mur sous l'assaut, tandis que ses jambes étaient refermées autour de la taille de Gabriel, les talons accrochés contre le creux de son dos. Puis il l'avait séchée et transportée jusqu'à leur lit froissé, qui était toujours décoré des cravates de soie. Les mains d'Aislinn l'avaient couvert de caresses, ses lèvres l'avaient couvert de baisers. Elle paraissait insatiable.

Et semblait-il qu'elle avait encore soif de lui.

Elle l'avait réveillé d'un profond sommeil, sa merveilleuse bouche refermée sur sa queue. Et elle avait manifestement l'intention de le faire jouir vite et violemment entre ses jolies lèvres.

— Aislinn.

Il avait prononcé son nom d'une voix rauque, en enroulant les doigts dans ses cheveux.

— Essaies-tu de me rendre fou ?

Sans répondre, elle continua à faire glisser le bout de sa langue sur lui, de bas en haut, suçant sa queue jusqu'à la base, l'engouffrant jusque dans sa gorge. Un son éraillé échappa à Gabriel, puis il lui souleva la tête et l'attira sous lui. Il inséra le genou entre ses cuisses, les écarta et plongea la queue dans son sexe. Puis, il plaqua sa bouche sur la sienne, brutalement, pour la punir de l'avoir mis dans un tel état de désir fou pour elle, pour lui avoir arraché la maîtrise de lui-même. Elle était la première femme qui ait jamais été capable de le dominer ainsi.

Quelques coups dans sa chaleur mouillée et soyeuse et il éjacula, grondant son nom contre ses lèvres.

— Vilaine fille, murmura-t-il, avant de sentir contre sa bouche la courbe espiègle des lèvres d'Aislinn.

Elle avait eu exactement ce qu'elle voulait de lui : il ne se maîtrisait plus.

Mais elle n'avait pas joui et c'était inacceptable. L'objectif ultime de Gabriel consistait à lui marquer l'esprit et le corps du sexe qu'il lui donnait. Il avait l'intention de la posséder de toutes les façons possibles, mais s'il devait mourir en la défendant, il voulait s'assurer qu'elle ne s'allonge jamais avec un autre homme sans penser à lui et aux plaisirs charnels qu'il lui avait donnés. Au moins, de cette manière, elle serait toujours à lui. C'était peut-être égoïste, mais il ne pouvait nier le besoin de le faire, de la marquer comme étant sienne.

Toujours enfoui en elle, il glissa une main sous ses fesses voluptueuses et s'y agrippa pour pouvoir remuer sur elle, lui frottant le clitoris de son corps jusqu'à ce qu'elle se mette à gémir.

— Jouis pour moi, Aislinn. Allez, bébé, murmura-t-il.

Les mamelons d'Aislinn se dressèrent contre la poitrine de son amant, et il sentit son corps se raidir. Il sut alors qu'il l'avait.

Un petit moment plus tard, elle succomba, s'abandonnant dans un orgasme doux et savoureux, ses ongles s'enfonçant légèrement dans les épaules imposantes qui la surmontaient, ses lèvres laissant couler suavement le nom de Gabriel.

Puis il l'abrita sous son corps, la couvrant du mieux qu'il pouvait, et il la tint ainsi dans ses bras jusqu'à ce qu'ils s'endorment.

Sors d'ici. Ils approchent.

Aislinn eut le souffle coupé en entendant la voix désincarnée qui la tirait d'un profond sommeil. Elle se redressa d'un coup, les couvertures quittant son corps nu et l'air frais du matin inondant ses seins.

— Gabriel ! souffla-t-elle en le secouant par l'épaule. Gabriel, réveille-toi.

Il poussa un grognement.

Elle bondit hors du lit et se jeta sur ses vêtements. Au moment où Gabriel se redressa pour s'asseoir, elle lui balança son jean.

— Vite, ils arrivent.

Elle tira sur son jean pour le monter à sa taille.

Quelqu'un cogna à la porte d'entrée.

Aislinn se figea, son regard s'arrêtant sur celui de Gabriel.

— Merde.

Gabriel se jeta hors du lit et enfila son jean pendant qu'Aislinn se passait un pull par-dessus la tête et fourrait ses pieds dans ses chaussures. Ils coururent ensemble vers le couloir. Gabriel attrapa au passage les sacs posés sur le plancher.

Les coups retentirent de nouveau. Une voix d'homme tonitrua :

— Ouvrez. Nous sommes ici au nom du roi des Ténèbres. La Cour Unseelie a décrété la recherche de fugitifs dans votre maison.

Les coups se firent plus insistants.

— Si vous n'ouvrez pas la porte, nous avons pour ordre de la faire tomber.

Aislinn courut en direction de l'escalier en colimaçon, alors que Gabriel se contenta de rester là, les yeux rivés sur la porte. Elle s'arrêta près de l'escalier et se retourna pour le regarder. Ses pupilles étaient dilatées, chaque muscle de son grand corps était tendu. Ses mâchoires étaient serrées et il avait l'air de vouloir foncer sur les gardes des Ténèbres de l'autre côté, comme s'il se retenait de sauter sur la porte. Aislinn baissa les yeux et vit qu'il avait sorti une massue de fer enchanté du sac. Il la tenait solidement, le poing fermé sur le manche, la peau protégée par le cuir qui le recouvrait.

— Non, souffla-t-elle durement. Pas ici, pas maintenant.

Il ne bougea pas d'un poil.

Elle marcha jusqu'à lui et tira sur sa mâchoire pour qu'il la regarde. La noirceur de la haine avait inondé ses yeux.

— Je sais que c'est contre ta nature de t'enfuir. Je n'aime pas l'idée non plus. Mais il y a au moins cinq gardes des Ténèbres de l'autre côté de cette porte.

Elle chercha à ajouter quelque chose, pinçant les lèvres un instant.

— Tu as dit que tu me protégerais, Gabriel. En ce moment, ça veut dire sortir d'ici et les retrouver lorsque nous serons préparés pour leur faire la guerre.

Gabriel remua légèrement la tête, comme pour s'éclaircir les idées. Ses yeux se vidèrent de leur haine pour retrouver la chaleur qu'Aislinn connaissait. Elle le tira par le bras et il la suivit. Ils coururent vers la fenêtre donnant sur les Terres frontalières. Comme ils n'aperçurent aucun garde à l'arrière de la maison, ils dévalèrent l'escalier en colimaçon jusqu'aux portes-fenêtres du rez-de-chaussée.

Gabriel ouvrit la porte, et ils s'élancèrent vers les arbres, puis ils continuèrent à courir dans les bois. Ensemble, ils sautèrent par-dessus des rondins et esquivèrent des branches d'arbres. Le cœur d'Aislinn battait à tout rompre.

Dans un petit moment, les gardes des Ténèbres défonceraient la porte et entreraient dans la maison. Ils découvriraient que l'électricité y manquait de même que la preuve que quelqu'un y squattait : les chandelles brûlées, la vaisselle fraîchement lavée dans l'évier. Ils seraient en mesure de déduire que les squatteurs étaient fort probablement les fugitifs qu'ils recherchaient. Ils feraient venir les renforts, commenceraient à fouiller les bois. Ils essaieraient d'appeler les « limiers » magiques, mais, grâce à Ronan, leurs efforts seraient probablement vains. Peu importe, cette région grouillerait bientôt de gardes des Ténèbres et de gobelins.

Les esprits de la nature tournoyaient autour d'Aislinn et de Gabriel, comme s'ils sentaient la frénésie dans l'air. Les fae de la nature qui habitaient les Terres frontalières savaient probablement déjà qui ils étaient et pourquoi ils s'enfuyaient sur leur territoire. Au contraire de la troupe, les fae de la nature restaient pour la plupart à l'écart des affaires des cours.

— Attends.

Gabriel arrêta Aislinn devant un tronc d'arbre étendu par terre et ouvrit l'un des sacs d'un grand coup. Il en sortit un pull et des chaussures pour lui-même et un autre pull pour Aislinn, comme l'air était frisquet.

En lui lançant le vêtement, il annonça :

— Nous devons courir dans la direction opposée.

Serrant le tricot d'une main, Aislinn se pencha pour reprendre son souffle en s'appuyant sur ses genoux.

— Quoi ? Pourquoi ?

— Ils croient justement que nous nous dirigeons vers le fin fond des Terres frontalières. Nous devons retourner dans la ville de Piefferburg, le dernier endroit où ils croiront nous trouver, là où ils ne nous chercheront pas.

— Tu as perdu la tête ? Quelqu'un nous reconnaîtra. Je parie que *Faelébrités* fait passer nos visages en boucle depuis des jours.

Gabriel secoua la tête.

— Impossible. Le roi des Ténèbres ne veut pas ébruiter cette affaire. Il aura concocté une petite histoire expliquant la raison pour laquelle ses gardes inspectent les maisons de toute la ville, mais je te parie n'importe quoi que cette histoire ne nous inclut pas, toi et moi. Si la troupe savait qu'il essayait de tuer sa fille biologique parce qu'elle représente une menace pour son trône, ils s'opposeraient à lui et nous protégeraient. Aodh ne voudrait pas non plus que la reine Été apprenne ce qu'il avait l'intention de te faire. Il a voulu éviter à tout prix d'entrer en guerre contre elle en s'assurant que tu viennes à la Cour Unseelie de ton propre gré. Si la reine Été apprenait que tu avais été contrainte à le faire ou même influencée…

— Par toi.

— Par moi, le bien-fondé de ton départ de la Rose serait renversé et une guerre serait peut-être déclenchée, après tout. La reine Été utiliserait n'importe quelle excuse.

Aislinn fouilla les bois du regard, comme si la bonne réponse allait tomber du ciel. Quelque part au-dessus d'eux, un oiseau lança un cri. Son instinct lui disait de rester cachée dans les bois, de ne pas retourner vers la violence. Mais qu'allait-il se passer ensuite ? Allaient-ils se bâtir une petite chaumière ou une cabane dans les arbres et filer le parfait bonheur pour le reste de leur vie, là, dans les Terres frontalières, à l'abri du roi des Ténèbres ? Bien sûr que non. Ils n'avaient aucune chance d'éviter le problème. Ils n'avaient aucun autre choix que de prendre le taureau par les cornes.

Aislinn déglutit avec peine, réussit à retrouver son souffle et leva les yeux vers Gabriel.

— O.K. Allons-y.

Il hocha la tête et lui balança l'un des sacs, celui qui contenait les armes.

— Arme-toi.

En fouillant à l'intérieur, elle trouva un long poignard recouvert d'une gaine. Elle accrocha la gaine à l'un des passants de la ceinture de son jean, de sorte qu'il pende à sa hanche, prêt à l'emploi lorsqu'elle en aurait besoin.

Lorsque, et non *si*.

Ils contournèrent les Terres pour revenir sur leurs pas, et ne rencontrèrent aucun fae de la nature, hormis les petites lumières papillonnantes ; les plus minuscules fae des bois. Ils trouvèrent un bon endroit pour s'asseoir et y attendirent la tombée de la nuit. Sous le couvert de l'obscurité, ils entreprendraient la marche vers la ville de Piefferburg. Il était temps de mettre fin à cette affaire.

Il était temps d'affronter le père.

Ils choisirent un endroit où se poser en attendant que la lueur tombe. Des esprits voltigeaient autour d'eux, puis repartaient, sans qu'aucun fae de la nature les recherche. Pourtant, les fleurs poussaient mystérieusement et rapidement autour d'eux, s'entortillant autour des arbres et serpentant au sol. Aislinn patientait, assise sur un lit de feuilles coussiné, les yeux fermés. Gabriel était installé en face d'elle.

Elle ouvrit subitement les yeux.

— Appelles-en un, dit-elle, en admirant les branches des arbres au-dessus d'eux.

Les rayons du soleil s'infiltraient entre les feuilles, mouchetant le sol de taches dorées.

— En appeler un? répéta-t-il.

Puis il comprit.

— Appeler un sluagh.

Elle fit oui de la tête, ses yeux s'accrochant au regard de Gabriel.

— Pas toute l'armée, s'il te plaît. Juste un. Peux-tu le faire?

— Bien sûr.

Il marqua une pause, leva la tête vers les longs bras des arbres, et se frotta le menton.

— Tu veux savoir si tu peux le faire?

Elle prit une grande respiration en regardant les feuilles à ses pieds, les mâchoires serrées.

— Je ne suis jamais allée à la Ville des Gobelins ou au *ceantar dubh*. Jusqu'à il y a environ deux semaines, je n'avais jamais vu une créature comme Barthe. J'étais incapable de le quitter des yeux, comme un fermier qui découvre la ville pour la première fois. Je ne sais pas si je suis capable de diriger les sluagh et j'ai besoin d'essayer pour le savoir.

— Je n'ai jamais appelé un seul sluagh auparavant, mais je sais que je l'ai dans le sang; je sais que je peux le faire.

La voix de Gabriel était forte et assurée et ses yeux étaient clairs et pénétrants.

— Ne ressens-tu pas la même confiance?

Elle fit traîner le bout de sa chaussure dans la terre et leva les yeux vers ceux de Gabriel.

— Non.

— Alors tu as besoin d'en voir un et de lui donner des ordres pour trouver cette confiance.

— Il vaut mieux que je le sache maintenant, ne crois-tu pas ? Et ce serait mieux de découvrir que je ne peux en diriger *un seul* maintenant plutôt que *toute une armée* plus tard, tu es d'accord ?

Elle se tut un moment, un sourire triste se dessinant sur ses lèvres.

— Ça, ce serait horrible.

— Ouais, ce serait assez horrible.

— Et si je ne peux le diriger, comment allons-nous le chasser ?

— Tu veux dire, comment pouvons-nous nous assurer qu'il ne nous échappera pas pour semer le chaos et faire des ravages dans tout Piefferburg après nous avoir tués ?

Aislinn avala sa salive péniblement.

— Oui, exactement. Ce que tu viens de dire.

Il lui sourit, révélant furtivement ses dents blanches.

— J'imagine que vous devrez veiller à ce que ça ne se produise pas, mademoiselle la nécromancienne. Prête ?

— Non.

— Tu es prête ?

— Oh, *Danu*, oui.

Elle retira le poignard de sa gaine pour se sentir mieux, l'épais manche en cuir pesant lourd dans sa main.

Gabriel marmonna des mots en vieux maejian. Beaucoup, beaucoup trop vite au goût d'Aislinn.

Et la créature apparut.

VINGT

— Ronan!

Le mot sortit de la poitrine de Bella au moment où elle vit son mari tomber. Du fer enchanté lui enserrait les poignets, mais il ne semblait pas s'en soucier. Il possédait une immunité contre le fer enchanté. C'était la drogue qu'on venait de lui injecter qui inquiétait Bella.

Ronan s'effondra et les gobelins l'attrapèrent, leurs doigts gris et minces saisissant ses bras et ses jambes et le soulevant sous l'ordre du roi des Ténèbres. Sur le chemin du retour vers Piefferburg, ils avaient utilisé sa belle pour le tenir en laisse, en menaçant de lui faire du mal s'il essayait quoi que ce soit.

Maintenant, ils étaient de retour à la Tour Noire, dans les appartements du roi des Ténèbres, et Sa Majesté avait décidé que le seul moyen d'empêcher Ronan de semer la pagaille était de le rendre inconscient.

Bella les avait regardés le transporter dans l'une des chambres, le cœur au bord des lèvres. Sa gorge bougeait et du sang s'égouttait de l'entaille que le roi des Ténèbres lui avait faite pour s'assurer la coopération de Ronan. Tout ce qu'Aodh avait à faire, c'était de la menacer, et Ronan exécutait toutes les demandes du roi. Aodh avait même ri en lui donnant des ordres, et avait dit que l'amour l'avait rendu faible.

Ronan avait fait toutes sortes de choses, tissé des sortilèges, tendu des pièges.

— Il va s'en tirer, Bella, ronronna le roi des Ténèbres.

Il était vautré sur son canapé, pendant que Barthe retenait Bella par le bras. Ils avaient laissé Aurora inconsciente dans le chalet. Bella espérait que la femme fragile était plus forte qu'elle en avait l'air, car un garde l'avait frappée si fort du revers de la main, qu'elle avait glissé jusqu'au centre de la pièce.

— Ne m'adressez pas la parole, siffla Bella entre ses dents, la voix métamorphosée en un tremblement sourd de rage absolue.

Le roi s'élança pour atterrir directement en face d'elle, bougeant plus vite que l'éclair. Les pointes rouges de la chevelure d'Aodh tournoyèrent autour de ses épaules dans sa lancée et frôlèrent la clavicule de Bella lorsqu'il retomba devant elle.

— Je suis le roi des Unseelie, *ton* roi. Tu ferais mieux de tourner la langue sept fois dans ta bouche avant de parler ou je te la couperai.

Elle refusa de le regarder. Les mâchoires serrées, elle fixa le vide derrière lui, le menton en l'air.

— Dis-moi où ils sont et j'épargnerai ton mari.

Même si elle avouait savoir où se trouvaient Aislinn et Gabriel et le lui révélait, il ne laisserait jamais Ronan en vie. Bella comprenait ce fait dur et froid. Ronan représentait une trop grande menace pour Aodh. Tout comme Niall.

— Je ne sais pas où ils sont. Nous avons quitté la Tour Noire avant que Gabriel libère Aislinn du cachot.

Les doigts du roi surgirent sous les yeux de Bella, saisissant son menton assez fort pour le meurtrir. En soulevant son visage vers le sien, il l'obligea à le regarder. Elle trouva alors qu'Aislinn ne ressemblait en rien au roi des Ténèbres.

— Et Niall? Ne me dis pas que tu ne sais pas où il est, lui non plus.

— Je ne le sais pas.

Il la poussa de côté. Elle trébucha et s'étala par terre, puis le considéra, une haine pure dans le cœur. Le roi baissa ensuite les yeux sur elle en souriant.

— Tu devrais être heureuse de savoir que tu as une certaine valeur à mes yeux. Je peux penser à cinq façons différentes de t'écorcher vive en ce moment.

Bella savait exactement quelle valeur elle avait aux yeux du roi.

Elle n'était qu'un appât et elle ne pouvait rien y faire.

Gabriel avait demandé le premier-né, l'aîné des sluagh, une façon de ne faire venir qu'un seul d'entre eux. La créature s'était orientée d'elle-même. Elle avait grondé, s'était retournée, puis les avait fixés tour à tour. Jugeant que le mâle représentait la plus grande menace, elle avait foncé sur Gabriel. Tous ces mouvements avaient été effectués le temps que Gabriel soulève la hachette de fer enchanté du sac d'armes. Le temps d'un battement de cœur.

— *Halte* !

Le sluagh s'arrêta à mi-chemin, si près de Gabriel que ce dernier put sentir l'odeur de poussière d'os sèche que dégageait la chair presque complètement décomposée. Sa première réaction avait été de le fendre avec la hachette. Elle était passée au travers de l'abdomen de la créature, exactement comme il s'y attendait. Si Aislinn ne lui avait pas ordonné de s'arrêter, le geste de Gabriel n'aurait servi à rien.

La créature était grise et écailleuse, avec un corps bulbeux comme celui d'une fourmi : une poitrine bombée, une taille minuscule et la région du pelvis plus épaisse. Ses bras et ses jambes étaient très minces, mais raides de muscles. Des restes de vêtements dépenaillés et effilochés pendaient de ses épaules osseuses et recouvraient sa taille maigre, affamée. Sa tête avait la forme d'une cacahuète grise, avec des yeux caverneux et renfoncés et une grande gueule béante montrant des dents pointues et aiguisées : une gueule pleine de crocs. D'une main étroite, la créature tenait une machette.

Gabriel regarda fixement l'arme, les dents et les griffes, pariant que peu importe ce que cette créature pouvait faire, elle extirperait le sang avec ou sans les ordres d'une nécromancienne. Elle n'avait pas de fil qui la retenait à l'après-vie comme les autres âmes, et ses parties génitales pendouillaient, petites et rétrécies, entre ses jambes grêles. Il était difficile de croire que la chose avait déjà été un fae.

— Oh, douce Danu, frémit Aislinn.

Le seigneur de la Chasse sauvage avait toujours en main la hachette de fer enchanté, même s'il savait qu'elle ne fonctionnerait pas contre le sluagh, parce que les sluagh étaient des esprits. Si Aislinn lui demandait de prendre une forme corporelle et qu'elle n'arrivait plus à le maîtriser, Gabriel n'était même pas convaincu que la lame aurait un quelconque effet sur lui. Après tout, il était déjà mort.

— Recule de six pas, fais-moi face et prends une forme corporelle.

Aislinn énonça chaque mot d'une voix forte et claire. Elle avait bondi sur ses pieds à l'instant où le sluagh avait surgi. Elle avait le visage blanc comme de la craie et ses poings, l'un d'eux refermé sur le poignard, étaient placés de chaque côté de son corps, vidés de leur sang tellement elle serrait fort. Aislinn avait l'air féroce. Elle avait probablement la peur au ventre, mais elle prenait les choses en main.

Et il lui en était plutôt reconnaissant.

Le sluagh fit exactement ce qu'elle avait demandé, mais sa face était crispée, comme s'il essayait en vain de lutter contre les ordres de la nécromancienne.

Aislinn expira une grande bouffée d'air, manifestement dans le but de se calmer les nerfs.

— O.K.

La tête massive du sluagh pivota vers elle.

Elle le dévisagea en se rongeant l'ongle du pouce.

— Est-ce qu'il peut parler ?

— Je peux parler, répondit la créature, ce qui fit reculer Aislinn d'un pas vers l'arrière.

Sa voix était grave et râpeuse. Mâle, sans aucun doute, et elle laissait étonnamment transparaître une certaine intelligence. Il avait prononcé les mots clairement et avait même une pointe d'accent britannique.

— Vous est-il déjà arrivé de recevoir les ordres d'une nécromancienne ?

— Oui, grogna-t-il, manifestement amer à cette idée.

— Combien de fois ?

— Plusieurs fois, répondit-il en serrant les dents. Toutes les fois. Je suis le premier de mon peuple.

— Parlez-moi de l'une des trois nécromanciennes qui vous ont dirigé.

— Baustia, à l'époque précédant le début des temps, lorsque les fae possédaient la Terre et que les humains vivaient toujours dans des grottes, dans une tentative réussie pour détrôner la reine des Ténèbres. Caruagh Elisabeth Moore en l'an 1123, dans sa bataille contre le Phaendir. Brigid Fada Erinne O'Dubhuir en l'an 1325, lorsqu'elle nous a rassemblés contre le fae meurtrier Fallon Brodie, qui avait utilisé un type de magie lui permettant d'échapper à la justice de la Chasse sauvage.

Gabriel, et Aislinn aussi, sans aucun doute, connaissaient bien ces événements. Chaque fois qu'on avait fait appel aux sluagh par le passé, l'événement avait été consigné dans les livres d'histoire.

— Et l'armée des sluagh obéit-elle en tant qu'entité ?

— Nous ne pouvons qu'obéir à ce que vous dites. Nous devons répondre à ce que vous nous demandez. Peu importe la tâche que vous nous assignez, nous devons l'exécuter. Nous sommes l'arme de la nécromancienne, son bras droit, à condition qu'elle puisse nous appeler à travers le voile du Monde des Ténèbres.

Il avait mâché les mots, comme s'il luttait pour ne pas les prononcer.

— Et qu'avez-vous fait pour mériter ce sort éternel ?

— J'ai violé et assassiné des fae de mon peuple. Cette servitude est ma punition.

— Le seigneur de la Chasse sauvage vous appellera de nouveau. La prochaine fois, il vous appellera tous et je vous dirigerai.

— Alors, nous viendrons et vous obéirons.

— Retournez d'où vous êtes venu jusqu'à ce que j'aie besoin de vous.

Et le sluagh disparut.

Aislinn resta debout, les yeux écarquillés et les lèvres entrouvertes, fixant l'espace vide que le sluagh avait occupé un instant plus tôt.

— Oh, Danu, souffla-t-elle. Je peux commander une armée de morts maudits.

— C'est exact. Et tu le fais avec une férocité qui me fait bander.

Cette précision força Aislinn à détacher les yeux du vide. Elle tourna brusquement la tête vers Gabriel et la couleur inonda — enfin — ses joues. Elle poussa un rire de surprise.

— Tu n'arrêtes jamais toi !

Le sourire s'évanouit sur les lèvres de Gabriel et il soutint le regard de la nécromancienne.

— Pas lorsqu'il s'agit de toi, Aislinn. Je n'arrêterai jamais pour toi.

Elle cligna des yeux et ses lèvres s'entrouvrirent d'étonnement. Après un moment, elle rangea lentement le poignard dans la gaine accrochée à sa hanche. Puis elle détourna la tête, regardant le ciel au travers de la voûte des arbres.

— Il est temps de partir vers la ville.

Gabriel hocha la tête.

— Allons changer le cours de l'histoire.

D'une façon ou d'une autre, un jour ou l'autre, Gideon avait attiré l'aide d'un ange. Emily essuyait les marques de ses zébrures avec des tampons d'ouate et Gideon endurait la brûlure de l'antiseptique sans même remuer un cil. Les douces mains d'Emily effleurèrent sa peau et il ferma les yeux. C'était une torture exquise. La douleur et le plaisir fusionnés. Le cadeau de Labrai pour le remercier du devoir accompli et de ses sacrifices.

— Vous êtes encore plus pieux que frère Maddoc, murmura-t-elle sur un ton révérencieux.

— J'aime mon dieu et je tiens à souffrir pour lui.

— C'est une belle chose, frère Gideon, approuva-t-elle d'une voix étouffée, comme celle qu'on utilise parfois à l'église.

Mais Gideon ne voulait pas qu'Emily l'associe seulement à la piété, à la révérence et à la dévotion. Il voulait qu'elle pense à lui dans des termes plus truculents.

Emily n'était pas employée au siège social du Phaendir uniquement à titre d'assistante personnelle de frère Maddoc. Elle faisait aussi partie des Observateurs dévoués, un groupe composé d'humains qui respectaient — vénéraient — le travail que le Phaendir faisait en gardant le mal des races de fae séparé du reste du monde. De nombreux membres étaient des femmes, et plusieurs d'entre elles occupaient le lit des frères, ce pour quoi Gideon soupçonnait qu'Emily occupait le lit de frère Maddoc.

Il ne pouvait y penser sans perdre son sang-froid.

— C'est pour démontrer ma dévotion au dieu qui nous protège tous contre l'immoralité qui envahit le monde, répliqua-t-il, en trouvant sur son bureau un stylo sur lequel refermer le poing. Je le fais pour vous.

— J'assiste aux services du Phaendir le mardi soir. La semaine dernière, frère Maddoc a prêché le châtiment du Phaendir au moyen de la flagellation, pour tenir à l'écart la partie en vous qui s'apparente aux fae.

Le dos de sa main chaude et délicate frôla l'épaule de Gideon et s'y attarda un peu plus longtemps que nécessaire.

— Je veux juste que vous sachiez qu'il y a des humains qui sont reconnaissants de ce que vous faites tous pour nous.

Oui, mais il y en avait d'autres, comme les HLF, les Humains pour la liberté des fae, qui n'avaient aucune gratitude et qui travaillaient même activement contre le Phaendir. Et il y en avait d'autres encore, la grande majorité en fait, qui s'en fichaient éperdument. Ces humains apathiques étaient comme un ulcère pour toutes les choses sacrées. Ils étaient presque tout aussi nuisibles que les fae.

Emily se pencha pour ramasser les tampons d'ouate et l'antiseptique et proposa, près de l'oreille de Gideon :

— Peut-être qu'un jour, nous pourrions assister à un service ensemble.

Elle ne lui offrait pas de coucher avec lui, mais c'était suffisant pour faire naître sur les lèvres du druide un sourire satisfait. S'il arrivait à mieux la connaître au moyen de sa dévotion, peut-être pourrait-il l'exploiter jusqu'à ce qu'elle l'invite dans son lit. Et son corps était à un pas de son cœur.

Gideon voulait tout. Il voulait l'âme d'Emily, son cœur, et son corps.

Apparemment, elle voyait aussi quelque chose chez lui qu'elle aimait bien. Si seulement il pouvait réaliser son projet en entier. Si seulement il pouvait trouver ce foutu livre, alors elle serait à lui. Il le sentait.

Pendant des décennies, il avait cherché à se procurer le Livre de l'union avant que frère Maddoc n'y parvienne. Gideon avait comploté, trahi, masqué des renseignements, ce qui l'avait amené à deux doigts d'obtenir le volume sacré avant que Maddoc n'ait la moindre idée de ce qu'il faisait. Puis le livre lui avait échappé comme de l'eau qui coule entre les doigts.

Parti.

Emily rassembla ses affaires et se dirigea vers la porte.

Elle posa la main sur la poignée et se retourna en souriant timidement.

— Vous n'avez jamais répondu à ma question, frère Gideon.

Le Phaendir cligna des yeux, sortant du fantasme vaporeux qui l'avait capturé.

— Oui ! Oui, bien sûr, je serais ravi de vous accompagner un jour.

Un autre petit sourire, et Emily disparut.

Gideon fixa le vide de l'embrasure de la porte, ne bougeant pas d'un iota pour se couvrir le torse. Ce soupçon d'intérêt de la part d'Emily était exactement ce dont il avait besoin. Il ferma les yeux et remercia Labrai.

Il était en train de perdre foi en sa capacité à se procurer le Livre de l'union depuis que le roi des Ténèbres semblait l'avoir en sa possession. Aodh était un chef unseelie puissant. Si le volume était resté entre les mains des Seelie si frivoles, de la femme connue sous le nom d'Aislinn Christiana Guenièvre Finvarra, il aurait peut-être eu une chance de se l'approprier.

Cela lui semblait impossible à présent, à en juger par les renseignements secrets qu'il avait obtenus de la Tour Noire. Dès que mademoiselle Finvarra y était entrée, elle avait été mise en détention, mais elle avait vite trouvé le moyen de s'échapper. À présent, personne ne savait exactement ce qui se passait, mais la Garde des Ténèbres et l'armée de gobelins fouillaient les quatre coins de Piefferburg, les recherchant, elle et les autres. De plus, il semblait que deux des mages unseelie les plus puissants avaient quelque chose à voir dans cette affaire. L'un d'eux était Ronan Quinn, un homme que Gideon prendrait plaisir à éventrer lui-même, car il avait volé le morceau de la *bosca fadbh* au Phaendir.

Gideon poserait l'oreille sur le sol de Piefferburg et tenterait de glaner des renseignements sur ce que faisait la Finvarra. Si, d'une quelconque manière, il arrivait à aider ce bout de Seelie futile à remporter la victoire contre le roi des Ténèbres, peut-être reprendrait-elle possession du Livre de l'union. Gideon pourrait ensuite le lui soustraire.

Il disposait du carré magique dans le mur de garde de Piefferburg. Il pourrait l'utiliser au besoin. Il disposait aussi d'hommes. Il pourrait les envoyer au moment opportun. Ces hommes lui étaient fidèles et auraient préféré voir ses politiques en place au lieu de celles de Maddoc. Il y avait même un tunnel et une trappe au cœur de la ville, bien que cette dernière ouvrait désormais sur un endroit très peu pratique. Les Phaendir n'étaient pas stupides. Ils avaient bâti des passages secrets permettant d'accéder à la zone de détention de Piefferburg à l'époque de sa construction. Cependant, la ville avait évolué au fil des siècles, se modifiant peu à peu au-dessus de leurs passages secrets. La trappe se trouvait dorénavant au centre de la Ville des Gobelins. Probablement le pire endroit possible pour le Phaendir, à l'exception de la Tour Noire.

Enfin.

Il se pencha vers l'avant et tapota son stylo sur le bureau. Peut-être, en effet, y avait-il un moyen pour lui de regagner tout ce qui lui était dû. Tout ce dont il avait besoin, c'était peut-être de se permettre une petite intrusion.

Et d'un gros piège en acier pour la frivole Seelie.

Entourée par la foule du district commercial des abords du *ceantar láir*, Aislinn fixait l'énorme écran de télévision installé au milieu de l'une des places publiques, sidérée. Elle n'en croyait pas ses yeux.

Le commentateur de *Faelébrités*, Brian Bentley, avec sa tête d'humain blonde, ses énormes dents blanches et son menton à fossette, dominait l'écran. Il était debout devant la Tour Noire, sur le côté unseelie de la Place Piefferburg. Une telle chose ne s'était pas reproduite depuis que les gobelins avaient englouti l'équipe de *Faelébrités* affectée à la couverture des Unseelie, cinq ans plus tôt. Il offrit à la caméra un sourire suffisant, afin de rappeler l'événement aux téléspectateurs, et prit la parole.

Pour la première fois depuis des années, le roi des Ténèbres a permis à Faelébrités *d'accéder à la Tour Noire, en nous donnant sa parole qu'aucun des membres de l'équipe ne serait blessé.*

Pourquoi ? Il nous a demandé de couvrir, très tôt ce matin, la capture de Ronan Achaius Quinn et de Bella Rhiannon Caliste Mac Lyr, deux des fugitifs qui étaient en fuite depuis une semaine. Quant à Niall Daegan Riordan Quinn, il est toujours en liberté.

Comme vous l'a rappelé la première émission sur cet événement, Ronan Quinn et Bella Mac Lyr ont, une fois de plus, tourné le dos à leur souverain. Ce n'est pas la première fois que cette paire agit contre la loi fae. Pourtant, cette fois, ils se sont révoltés contre le roi des Ténèbres, et non la reine Été. On se demande bien où le couple trouvera refuge après cette dernière querelle, puisqu'ils se sont exilés des deux cours de Piefferburg.

Bentley continua à décrire l'événement, mais ce fut tout ce qu'Aislinn entendit. Il s'agissait d'un message envoyé par le roi des Ténèbres par l'intermédiaire des médias et elle l'avait parfaitement bien compris. Il détenait Bella et Ronan et il les tuerait si elle ne se rendait pas.

Elle n'avait aucun mal à lire entre les lignes.

— Allons, lui dit Gabriel tout bas. La Garde des Ténèbres arrive.

Il la tira vigoureusement par le bras, pour la sortir de la vision d'horreur dans laquelle elle était figée, pétrifiée.

Il la guida jusqu'au coin de la rue et ils commencèrent leur descente. Aislinn s'efforçait de placer un pied devant l'autre, l'esprit embrouillé par un fouillis aussi noir que sordide.

Ils marchèrent jusqu'à ce qu'ils traversent la limite du district commercial, pour continuer à l'intérieur du *ceantar dubh*, de plus en plus près de la Tour Noire. Ils s'en tiendraient aux ruelles et aux chemins ombragés jusqu'à ce qu'ils atteignent leur destination : un appartement qu'Aeric O'Malley, le célèbre forgeron unseelie et l'ami de Gabriel, gardait à proximité de la Place Piefferburg.

— Nous ne laisserons rien leur arriver, la rassura Gabriel. Souviens-toi que nous avons les sluagh comme arme.

L'onde de choc qui avait transi Aislinn jusqu'aux os céda le pas à la rage crépitante.

— Nous devrons agir bientôt, plus tôt que nous l'avions prévu. Nous ne savons pas comment il les détient. Ils pourraient déjà être...

— Non. C'est impensable, Aislinn. Il a besoin de les garder en vie. Mais il retient certainement Bella avec du fer enchanté. Et il a probablement ligoté Ronan, ou en tout cas il le tient attaché d'une manière ou d'une autre.

— Mais il est possible que... attends.

Elle posa la main sur le bras de Gabriel pour l'arrêter. Ils s'immobilisèrent au milieu de la ruelle humide. Quelque part sur leur gauche, de l'eau coulait goutte à goutte. Une forme bougea dans la ruelle devant eux.

— Il y a quelque chose là, devant.

— Nous sommes dans une allée du *ceantar dubh*. Je serais étonné s'il n'y avait rien autour.

— Non. Je ne parle pas d'un fae noir qui vit ici. Je veux dire qu'il y a quelque chose un peu plus loin *qui nous attend*. Je le sais, c'est tout. Je le sens.

Gabriel inspecta Aislinn du regard pendant un long moment, comme s'il recherchait sur son visage une explication justifiant la certitude dans sa voix.

— O.K. Et cette personne nous attend-elle pour nous tuer ou nous embrasser ?

— Ne compte pas sur moi pour embrasser ton sale cul.

Niall sortit de l'obscurité devant eux et détailla Aislinn du regard.

— Mais ça ne me dérangerait pas d'embrasser...

— Niall, merde, qu'est-ce qui te prend de nous surprendre dans les ruelles obscures ? s'écria Gabriel. Es-tu au courant pour ton frère et sa femme ? Ils sont à la Tour Noire en ce moment même. Le roi des Ténèbres les tient en captivité.

— Oui, je sais. Je leur ai dit de continuer à bouger, mais ils ont préféré se terrer. Ils ont fait confiance aux mauvaises personnes.

Il secoua résolument la tête.

— Grave erreur.

— Comment nous as-tu trouvés ? demanda Aislinn.

— Je me suis dit que vous sortiriez de votre cachette pour vous battre contre Aodh, alors j'ai installé un filet autour de la Tour Noire pour être averti de votre venue.

Il sourit à la vue de leur expression.

— Ne vous inquiétez pas, mon frère et moi sommes les seuls mages encore en vie qui puissent faire ça. C'est-à-dire, à moins qu'Aodh ait sollicité l'aide de la sorcière de Piefferburg, mais ça m'étonnerait. Priss a Aodh en horreur.

— Est-ce que tu vas nous aider ? demanda Aislinn.

— Je vais vous aider dans le but de sauver mon frère et sa femme.

Il haussa les épaules et ajouta :

— De plus, j'aimerais voir Aodh tomber une fois pour toutes. Son règne dure depuis assez longtemps. Je préférerais de loin voir une reine des Ténèbres sur le trône de la Tour Noire au lieu d'un roi des Ténèbres pendant un certain temps.

Il s'inclina très bas à l'égard d'Aislinn.

— Princesse Sídhe. J'espère que vous serez ma prochaine souveraine.

Le corps d'Aislinn tressaillit en entier au moment où elle réalisa ce que signifierait le retrait du roi des Ténèbres. Elle était celle à qui revenait naturellement le trône. Elle s'apprêtait vraisemblablement à détrôner Aodh pour prendre sa place. Sans égard aux raisons qui la poussaient à le faire, c'était le résultat attendu.

Dieux, elle ne s'était jamais engagée dans un tel projet. Elle n'y avait jamais même rêvé, ne l'avait jamais *voulu*.

L'ironie du sort, c'est qu'elle ne se serait jamais approchée du trône d'Aodh si celui-ci n'avait pas essayé de la tuer et qu'il n'avait pas menacé ceux qu'elle aimait. En essayant d'éviter le sort qu'il craignait le plus, le roi se l'était attiré.

Niall avança d'un autre pas dans la lumière, laissant la moitié de son corps dans la pénombre. Le seul œil bleu brillant qu'Aislinn pouvait voir reluisait froidement.

— Alors, appelez votre équipe, seigneur de la Chasse sauvage, et allons sortir les ordures.

VINGT ET UN

Au cours de la semaine précédente, Aeric avait loué un appartement en payant en liquide et en utilisant un faux nom. C'était un endroit anonyme sur une rue anonyme dans la zone située à la limite du *ceantar dubh* et du district commercial. Un autocollant apposé sur la porte et un verrou qu'on avait fait sauter annonçaient qu'il avait déjà été fouillé par la Garde des Ténèbres. Un logement modeste, conçu pour contenir une seule personne, ou peut-être deux, avec une seule chambre à coucher, une salle de bain, un petit salon et une cuisine. Il accueillait alors six personnes et un chien.

Le chien était un animal gracieux répondant au nom de Blix. Un chien de chasse, en réalité. Il était venu avec Bran, qui, à l'avis de Gabriel, avait des affinités avec les bêtes. De ce que pouvait voir Aislinn, Bran semblait s'entendre mieux avec les êtres à quatre pattes qu'avec les variétés à deux jambes. Malgré tout, Bran avait perdu son ami poilu assez tôt, lorsque Blix avait décidé qu'il préférait la compagnie d'Aislinn. Lex, le corbeau de Bran, restait pourtant tout près de lui, ne quittant jamais l'épaule de son maître.

Aislinn était assise sur le plancher du salon dépouillé de meubles, pendant que les autres murmuraient dans la cuisine. Melia leur avait apporté des vêtements de rechange. À la cuisine, Gabriel parlait sur son ton habituel, léger et arrogant, demandant aux autres à quel point le roi des Ténèbres les avait questionnés à son sujet. Elle savait maintenant qu'il y avait beaucoup plus sous ce masque insouciant et désinvolte. Il craignait vraiment d'avoir indirectement mis ses amis en danger, mais il essayait de ne pas le montrer.

— Il a interrogé chaque femme qui a déjà passé une nuit dans ton lit, l'informa Aelfdane, un sourire dans la voix. Il en a mis, du temps !

— Ouais, parce que merde, si ce n'est pas presque toutes les femmes résidant à la Tour Noire…, ajouta Aeric.

Gabriel rit.

— C'est faux. J'ai seulement couché avec celles qui sont jolies.

— Ah, vraiment ? Alors comment expliques-tu Aeria ? carillonna Melia.

— La beauté est dans les yeux de celui qui regarde. Aeria avait des yeux magnifiques et une…

— … belle paire de nichons, termina Aeric.

Tout le monde éclata de rire.

— Oui, bien, nous voulons juste que tu sois de retour et que tout redevienne comme avant, pour que tu puisses retrouver tes bonnes vieilles habitudes, précisa Melia.

Ses bonnes vieilles habitudes. Oui. Aislinn était convaincue que c'était ce que Gabriel voulait aussi.

Elle avait appuyé sa tête contre le mur et passait les doigts dans le pelage court du chien. Dès le lendemain matin, elle ferait tout son possible pour s'assurer que tout redevienne comme avant. Elle voulait retrouver la normalité, elle aussi, peu importe ce que cette « normalité » allait être. Pourvu que ce ne soit pas la mort, elle allait s'y adapter.

Cependant, les chances qu'elle — ou l'un d'eux — soit encore en vie le lendemain soir semblaient plutôt minces. D'accord, très minces. Mais c'était quelque chose dont personne ne parlait. Apparemment, l'optimisme était de mise à la veille de la mort. Une attitude qui avait du charme, Aislinn devait bien l'admettre.

Ils passèrent la journée et la soirée à planifier les événements du lendemain matin. À la tombée de la nuit, ils étaient tous repartis d'où ils étaient venus. Un par un, prudemment, en restant dans la pénombre. À la fenêtre, elle avait regardé Bran s'effacer peu à peu dans la nuit, accompagné de l'étrange chien de chasse et de son corbeau, comme une tache de suie perchée sur son épaule. La lumière de la lune scintillait sur la chaussée et caressait les ombres sur les flancs des immeubles avoisinants.

Elle sentit Gabriel approcher derrière elle, sans vraiment entendre le bruit de ses pas.

— Ça va ?

Elle prit un moment pour répondre, respirant profondément, en silence.

— Ça va, étant donné que nous sommes à la veille d'essayer de renverser la Cour Unseelie.

— C'est surréel, hein ?

— C'est incroyable.

Après un court moment de réflexion, elle ajouta :

— Tu as de la chance d'avoir de si bons amis.

— Ce sont plus que des amis ; c'est ma famille. Je suis avec eux depuis que d'obscurs pouvoirs mystiques m'ont choisi comme seigneur de la Chasse sauvage.

Tout en gardant les yeux fixés sur la rue enténébrée, où l'on ne pouvait maintenant plus voir aucun fae, elle demanda :

— Comment est-ce arrivé ?

Il se pencha près de son dos et pressa son corps contre le sien en posant les mains de chaque côté de la fenêtre. Il répondit, près de son oreille :

— L'ancien seigneur de la Chasse sauvage est décédé et sa bande a été dissoute. Une nuit, quelque chose, comme une force, m'a sorti du sommeil et m'a contraint à monter au sommet de la Tour Noire. Une fois sur le toit, j'y ai trouvé les autres : Melia, Aelfdane, Aeric et Bran. Nous savions simplement pourquoi nous étions tous là. J'étais le seul ayant l'habileté de faire venir la Chasse sauvage et le seul pouvant monter Abastor, le cheval noir qui mène le troupeau. Finalement, à titre de commandant en second, Aeric a acquis la magie nécessaire pour appeler la Chasse.

Il ricana.

— Mais il ne peut toujours pas enfourcher Abastor.

— Melia et Aelfdane étaient-ils déjà mariés lorsqu'ils ont été appelés pour faire partie de la Bande furieuse ?

— Non. Ils sont devenus amoureux en travaillant ensemble pour la chasse.

Il rit doucement et le son de sa voix vibrant dans la noirceur rappela à Aislinn la fumée d'un feu de bois automnal ou l'odeur d'un cigare raffiné.

— Ils forment un couple curieux, j'imagine. Les batailles ont tellement endurci Melia alors qu'Aelfdane est d'apparence fragile malgré sa force, comme tout Twyleth Teg, mais ils vont bien ensemble et ils sont très heureux.

— Je saisis Aeric O'Malley. Il est très vieux, un forgeron qui ne peut plus fabriquer les armes qu'il mettait au point autrefois. Je me souviens de son histoire romantique avec sa belle fiancée, Aileen. Emmaline Siobhan Keara Gallagher, l'assassin de la reine Été, a tué Aileen par jalousie et Aeric a eu le cœur en miettes. Il est fort, loyal et courageux. Il a mauvais caractère, par contre, mais il a le sens de l'humour. Il te respecte.

Elle secoua la tête.

— Mais je ne saisis pas Bran.

— Bran, soupira longuement Gabriel. Il est indifférent la plupart du temps. Silencieux, rêveur. Nous croyons qu'il est probablement un fae de la nature, et qu'il possède seulement ce côté unseelie qui le rattache à la bande. Son pouvoir touche les animaux et les oiseaux. Il ne parle pas uniquement pour s'entendre. Lorsqu'il ouvre la bouche, c'est pour dire quelque chose qui vaut la peine d'être entendu. Il est très secret, mais je lui fais entièrement confiance. Je mettrais ma vie entre ses mains.

— Tu lui mets effectivement ta vie entre les mains.

— C'est vrai.

— Si tu lui fais confiance, je lui fais confiance.

Il la prit par les épaules et la retourna face à lui. Les ombres masquaient son expression à moitié, la lune couvrant l'autre moitié de son reflet argenté. Il la regardant intensément pendant un instant, avant de pencher la tête et de trouver ses lèvres.

Elle avait prévu le repousser. Elle avait prévu lui dire non s'il essayait de la charmer ce soir. Mais toutes ses protestations moururent au fond de sa gorge. Elle devrait, à l'aube, lancer une armée de morts non pardonnés à la tête du monarque unseelie. Il serait surprenant qu'elle soit encore vivante à l'heure du brunch. Pourquoi ne pas profiter de cette dernière nuit pour la passer dans le genre d'extase que seul Gabriel pouvait lui faire vivre ? Lui dire non n'avait pas de sens, pas dans les circonstances.

Elle se leva en s'appuyant sur les orteils et le poussa agressivement, tout en lui mordillant la lèvre inférieure. Il frémit contre elle et la souleva d'un geste vif et la pressa contre son torse, en inclinant la tête pour l'embrasser encore plus avidement. Puis, il introduit sa langue entre les lèvres d'Aislinn pour la faire valser contre la sienne. Il enfouit ses poings dans l'étoffe de sa jupe et la tira vers le haut en laissant la paume de ses mains glisser sur les cuisses d'Aislinn, jusque sur ses hanches.

Il la poussa vers l'arrière, pour qu'elle soit à demi appuyée sur le bord de la fenêtre, et tira vigoureusement sur sa petite culotte pour la lui retirer. Aislinn l'aida à la faire glisser jusqu'au plancher tandis que ses doigts furetaient pour trouver le bouton et la fermeture éclair de son jean. Elle sortit sa queue et le caressa de bas en haut. Gabriel grogna de plaisir. Elle n'avait qu'une envie : le sentir en elle.

— Attends. Non, non, murmura-t-il, en prenant son visage dans le creux de sa main. Je veux te prendre plus lentement, c'est mieux.

Elle lui mordilla la lèvre inférieure de nouveau.

— Nous avons toute la nuit.

Elle gloussa doucement contre sa bouche.

— Quoi? Tu ne croyais tout de même pas que tu allais dormir, cette nuit? J'en serai incapable, en tout cas.

En laissant ses doigts aller et venir sur toute la longueur de la queue de Gabriel, elle ajouta :

— Aussi bien avoir quelque chose à faire.

— Vilaine fille.

— Apparemment, je suis la plus vilaine. Tu n'as qu'à demander au roi des Ténèbres.

— Non.

Gabriel secoua la tête et enfonça délicatement les dents sur la gorge d'Aislinn, presque pour la punir.

— Non, nous n'allons pas parler de lui. Son nom ne se retrouvera pas sur tes lèvres ce soir.

Il sourit et lui donna un baiser chaud.

— De toute façon, je connais de meilleures façons d'occuper ces lèvres.

Aislinn bascula les hanches vers l'avant et trouva la tête lisse du membre dressé vers son sexe. Il se glissa en elle, et Aislinn renversa la tête dans un soupir langoureux tandis qu'il s'enfonçait profondément. En baisant la courbe de sa gorge, Gabriel remua en elle, effaçant l'horreur de la bataille à venir et l'incertitude qui accompagnerait l'aube.

— Ils sont ici.

Les mots la glacèrent, et Aislinn déglutit, la gorge serrée. Ses doigts étaient repliés dans le pelage soyeux du chien qui se tenait à ses côtés, à hauteur de sa taille. Blix était comme un meuble omniprésent ce matin.

Elle avait pu sentir les sluagh arriver, un instant avant qu'ils n'apparaissent sur la place publique. Leur froideur avait fait raidir l'arrière de son cou avant de s'infiltrer sous son pull. Les sluagh avaient pris vie en un clin d'œil sous ses yeux : une armée de morts non pardonnés, grise et scintillante.

Chaque créature avait en main une arme. Certaines empoignaient des marteaux, d'autres des sabres, et d'autres encore brandissaient des faux. Peu importe l'arme qu'elles tenaient, elles semaient la peur dans le cœur des rares fae qui pouvaient les voir dans leur forme non corporelle. Aislinn était heureuse de les faire venir avant le lever du soleil, alors que les rues de la ville étaient toujours désertes.

Une fraction de seconde avant que les âmes non pardonnées deviennent visibles, Aislinn leur donna un ordre pour éviter qu'elles agissent de leur propre volonté.

— *Sluagh, obéissez-moi.* Restez debout, sans bouger, jusqu'à ce que je vous dise quoi faire.

Elle avait levé la main et sa voix avait retenti comme un coup de tonnerre, les frissons de magie la faisant vibrer, remuant l'air qui l'entourait.

Les sluagh restèrent cloués sur place sous son ordre. Même les légers bruissements de leur corps mouvants cessèrent.

Calmement, Aislinn prit une grande respiration et toucha Blix à ses côtés pour se rappeler qu'elle n'était pas seule. Son autre main était solidement refermée sur le poignard en fer enchanté que Gabriel lui avait remis. Le manche recouvert de cuivre torsadé lui donnait du courage.

— Sluagh, prenez votre forme corporelle.

Un son subtil, un peu comme un léger craquement de cuir, remplit l'air, et les sluagh revêtirent leur forme visible.

De ce fait, tout le monde pouvait les voir, et pas seulement Aislinn, Gabriel et la Bande furieuse. Un murmure s'éleva comme une vague sur la place, entrecoupé de quelques cris d'effroi.

— Ah, merde, souffla Niall à côté d'Aislinn.

Derrière eux, dans la Tour Noire, les résidents avaient commencé à s'agiter. En criant et en martelant le sol de leurs pieds, ils approchaient tous, alarmés par la scène sur la place publique. Même les gobelins avaient l'air d'être terrifiés par les sluagh.

— Aislinn, dit Gabriel, je me dépêcherais à ta place. Les gobelins sont en route.

Oui, le roi des Ténèbres leur avait sûrement déjà ordonné de se rendre sur la place.

— Légion de morts non pardonnés, entendez mes ordres. Vous allez traquer le roi de la Cour Unseelie, Aodh Críostóir Ruadhán O'Dubhuir. Après l'avoir trouvé, vous retournerez d'où vous venez… en emmenant Aodh Críostóir Ruadhán Dubhuir. Vous avez la permission de vous battre contre quiconque lève la main sur vous. Autrement, vous ne lèverez la main sur personne, ne ferez de mal à personne, pour autant que vous réalisiez mon souhait.

Elle marqua une pause, car elle entendait la horde approcher derrière elle.

Les portes de la Tour Noire s'ouvrirent ; des hommes et des monstres en jaillirent.

— *Aislinn*, lança Gabriel, la voix pleine d'avertissements.

— Allez-y, sluagh, foncez ! Exécutez mon ordre, hurla Aislinn.

Gabriel l'attira brusquement à ses côtés, pour lui éviter d'être engloutie par la première vague de combattants gobelins et de la Garde des Ténèbres qui émergeait sur la place publique.

Le chien de chasse au pelage noir bondit aux côtés d'Aislinn et de Gabriel. Ils étaient flanqués de l'autre côté par Melia, Aelfdane, Aeric, Bran et Niall. Au-dessus de la bande, Lex voletait, dessinant de grands cercles délimitant la Place Piefferburg. Au loin, dans la pénombre grise du petit matin, les deux côtés, les sluagh et les forces commandées par la Tour Noire, entrèrent en collision.

Les sluagh se battirent efficacement, de manière impitoyable. Comme des machines à tuer. C'était ce qu'Aislinn attendait d'eux. La Tour Noire n'avait aucune chance contre cette armée de morts non pardonnés immortels. Pas avec ses hommes et ses gobelins beaucoup trop mortels.

Aislinn avait envie de détourner les yeux, mais elle était celle qui, en réalité, avait déclenché cette guerre. Elle devait donc en être témoin. Elle devait voir chacun des fidèles du roi des Ténèbres tomber pour sa défense, chacune des gouttes de sang jaillir. Elle devait voir chacun des gobelins perdre la vie, ces gobelins qui ne se battaient pas de plein gré, mais qui y étaient forcés, esclaves de l'amulette des Ténèbres et contraints par la volonté du souverain unseelie.

Elle avait déclenché cette guerre et devait la voir de ses propres yeux. Elle devait en assumer pleinement la responsabilité.

— Allons, dit Gabriel, nous devons profiter de ce chaos pour nous faufiler dans la Tour Noire.

— Les gobelins ! hurla Aeric, ils foncent droit sur nous !

— Bons dieux! répondit Niall, regardant, aussi horrifié que les autres, la horde de gobelins, se jeter sur les sluagh et les battre pour remporter les honneurs des pires atrocités.

Ils avaient sans aucun doute été relâchés sur la populace par le roi des Ténèbres. Les sluagh et les gobelins étaient respectivement dirigés par Aislinn et par le roi des Ténèbres. La différence, c'était qu'Aislinn avait demandé aux sluagh de ne pas blesser les innocents. Elle avait la certitude que le roi des Ténèbres n'avait pas donné d'ordre similaire à ses gobelins.

Une furie de deux mètres au crâne teint en rouge sang attaqua Aelfdane en lui ciblant la tête d'un coup de massue. Le Twyleth Teg l'esquiva, évitant l'impact d'un cheveu. Melia poussa un cri de guerre et assena à la créature un coup de poing qui la fit tanguer vers l'arrière. Melia était l'une des seules fae unseelie capables d'utiliser leur magie pour se battre ainsi, fort heureusement pour son mari.

L'affrontement attira l'attention vers eux et l'attaque suivante provint d'un gobelin à leur droite. La créature beuglante s'élança vers Aislinn. Gabriel lui balança un coup de poing, et le gobelin tomba sur le côté au lieu de heurter Aislinn et de lui déchirer la peau de ses dents. Évidemment, les gobelins, dans la mêlée, se jetèrent sur Aislinn, sous l'ordre de leur seigneur. Gabriel enchaîna les coups, les projetant un à un au sol avec la force d'une vengeance féroce qu'elle n'avait encore jamais vue chez lui.

Puis elle eut l'impression que l'armée de gobelins tout entière les chargeait au même moment. Gabriel poussa un rugissement de guerre, avec Aeric, Melia, Aelfdane et Bran à ses côtés, prêts pour le carnage. Aislinn, de son côté, n'avait jamais même tiré les cheveux de qui que ce soit. Elle resta debout l'espace d'un moment de détresse, le souffle coupé, les yeux écarquillés, laissant Gabriel la défendre, puis son instinct de survie s'éveilla, prenant le dessus sur le reste.

Deux gobelins foncèrent sur elle en même temps. Blix, le chien noir, s'élança à la gorge de l'un d'eux, et Aislinn sortit son poignard d'une main ferme et rapide. Elle l'enfonça dans l'abdomen de la créature et le sang s'épancha sur sa main. Le gobelin s'effondra à ses pieds sur le pavé. Elle le fixa un moment, figée par le choc, le poignard pendant mollement au bout de ses doigts.

Mais un autre gobelin se jeta sur elle, suivi d'un autre. Aislinn mania bientôt le poignard comme s'il s'agissait d'un troisième bras. Déconnecté de son esprit, son corps se battait, alimenté par un instinct primal. *Elle voulait survivre.* Son corps se contorsionnait, le poignard tranchait la chair, et ses pieds bottés donnaient de violents coups.

De longs crocs déchirèrent son pull, laissant des traînées de sang sur son ventre et ses cuisses. L'un des gobelins lui racla le bras de ses dents, creusant des marques profondes et dentelées dans la chair.

— Nous devons sortir d'ici. Ils veulent tous Aislinn. Il y en a trop, cria Aeric dans le chahut.

Il pivota sur ses talons et engagea le combat avec un autre gobelin.

— *Tae marjian sa glas elle bea !* hurla Gabriel au ciel, en vieux maejian.

Le vent se mit immédiatement à siffler autour d'eux et toute la Bande furieuse arriva. Gabriel se jeta sur le dos de l'étalon noir, qui devait être Abastor, et tira Aislinn à califourchon derrière lui. Aeric enfourcha un énorme quarter horse marron. Melia et Aelfdane grimpèrent ensemble sur le dos d'une monture arabe blanche et Niall et Bran bondirent sur deux énormes chevaux bais. Ils s'envolèrent aussitôt, juste au moment où le souffle d'une poignée de gobelins aux crocs affûtés effleura la jambe d'Aislinn.

Elle se cramponna au cheval et à Gabriel, les yeux rivés sur la horde de monstres en dessous. Elle s'étendait sur la Place Piefferburg, touchant presque la statue au centre. Elle grouilla vers la Tour Noire, la traversant et la contournant, par les ruelles et les rues du *ceantar dubh*. On aurait dit que les sluagh poussaient vers l'intérieur de l'édifice dans un effort concerté : une flèche fatale visant sa proie. Ce qui signifiait que le roi des Ténèbres se trouvait à l'intérieur. Conformément à sa directive, les sluagh iraient jusqu'à lui comme une rivière qui se jette dans l'océan. Aislinn était certaine que la partie n'était pourtant pas gagnée d'avance. Le roi s'attendait bien sûr à cette attaque et il avait certainement plusieurs tours dans son sac.

Ils devaient maintenant trouver Bella et Ronan. Ils s'occuperaient du reste plus tard.

La Chasse sauvage fit halte au sommet de la Tour Noire, et Gabriel glissa du dos d'Abastor, le cheval mystique de la Chasse sauvage, puis aida sans tarder Aislinn à en descendre aussi.

Carina chatoya à quelques pas d'eux tandis que le reste de la bande descendait de cheval.

Avant d'arriver sur la place, où Gabriel avait fait venir les sluagh, Aislinn avait appelé Carina, car elle se rappelait le désir que cette dernière avait de se racheter. Aislinn lui avait demandé de retourner à la Tour Noire, de localiser

Bella et Ronan, et de revenir la voir pour lui fournir les renseignements.

— Les as-tu trouvés? demanda Aislinn.

Niall la regarda comme s'il la trouvait complètement folle et Aislinn se souvint qu'il était le seul qui ne pouvait voir les esprits. À ses yeux, elle avait l'air de parler dans le vide.

Carina hocha la tête.

— Ils sont détenus dans les appartements du roi des Ténèbres. On a drogué Ronan et il est inconscient. Bella se trouve assez bien, mais on l'a menottée à l'aide de fer enchanté et elle est terrifiée pour Ronan. Le roi des Ténèbres est avec eux.

Elle s'arrêta de parler un bref instant.

— Sois prudente, Aislinn. Je crois qu'il attend ta venue. La porte est murée de magie, une sorte de paroi infranchissable.

— Nous serons prudents, répondit Aislinn en souriant. Je te pardonne, Carina.

L'âme exhala un long soupir et sembla s'alléger, presque comme si son poids physique diminuait. C'était une drôle d'impression, considérant que l'esprit n'avait rien de physique.

— Merci.

— Retourne d'où tu viens pour aller faire ce que tu peux bien avoir à y faire. J'aimerais tant que tu puisses me dire ce que c'est.

— Moi aussi. Au revoir.

Et elle était partie. Cette fois pour toujours.

Lorsqu'Aislinn se retourna, les chevaux et les chiens étaient aussi partis, et la bande et Niall la dévisageaient, attendant qu'elle donne ses directives.

— Je sais où nous devons aller et nous devons nous dépêcher. Les gobelins tenteront de nous y trouver.

Elle fit une pause et les regarda tour à tour.

— Merci d'être ici, de risquer tout ce que vous avez pour vous joindre à moi dans cette mission. Je veux que vous sachiez que je n'ai jamais voulu que les choses tournent ainsi. Mais maintenant que c'est le cas, je suis heureuse d'avoir votre soutien.

Aeric fit un pas en avant.

— Nous ne pouvions rester à l'écart en sachant ce que le roi des Ténèbres a fait à sa mère, à toi, à l'ancien seigneur de la Chasse sauvage et sans aucun doute à plusieurs autres personnes. Nous sommes peut-être Unseelie, mais ça ne veut pas dire que nous appuyons le vice et la cruauté. En ce qui nous concerne, tu es la détentrice légitime du trône des Ténèbres.

Aislinn frémit, comme elle le faisait chaque fois qu'on lui rappelait en quoi consistaient les conséquences des événements du jour, si elle survivait.

— Allez, tout le monde, dit Gabriel, nous devons bouger.

VINGT-DEUX

Les sluagh avaient déjà afflué jusqu'aux portes de l'appartement du roi des Ténèbres. Des gobelins morts gisaient à leurs pieds.

— Carina a dit qu'il y a un genre de mur de garde, rappela Aislinn, en observant les sluagh grouiller impatiemment dans le couloir, incapables d'entrer et d'exécuter ses ordres.

— Oui, dit Aelfdane en tendant le bras pour toucher le mur externe de l'appartement.

Il ferma les yeux un moment.

— Il a installé un genre de barrière contre les sluagh. Ils ne peuvent entrer.

Niall passa la main le long du mur.

— Si vous arrivez à me faire entrer, je peux probablement la briser. N'importe quel mage digne de ce nom pourrait le faire. C'est probablement la raison pour laquelle il a mis Ronan dans les vapes.

— Je peux te faire entrer, dit Gabriel.

Il défonça la porte d'un coup de pied, après quoi une épaisse volée de magie éclata en l'air et les assaillit de ses vagues tentaculaires. Ils tombèrent tous au sol. Les sluagh tentèrent de s'engouffrer dans l'ouverture, mais ne purent dépasser le seuil de la porte.

À côté d'Aislinn, Niall murmura quelque chose en vieux maejian.

Les vagues de magie se brisèrent, mais les sluagh ne pouvaient toujours pas passer. Il avait désamorcé l'assaut d'Aodh, sans toutefois avoir démoli la barrière.

— Niall, tu gâches toujours mon plaisir, annonça le roi des Ténèbres.

Sa voix calme et posée fit frissonner Aislinn.

Elle leva la tête de derrière le bras protecteur de Gabriel et jeta un coup d'œil sur le roi des Ténèbres. Ce dernier était debout au centre du vestibule et tenait Bella d'une main ferme. Elle avait les poignets liés par des menottes de fer enchanté sur le devant du corps, tel que l'avait décrit Carina. Elle était également bâillonnée et avait les yeux bandés. Du sang s'écoulait de la peau pâle de sa gorge, là où le roi des Ténèbres pressait la lame courbée de son couteau. Bella n'avait ni le dos voûté ni la posture recroquevillée, et elle ne pleurnichait pas. Si Aislinn avait dû associer une émotion au langage corporel de Bella, elle aurait dit que c'était la colère.

La nécromancienne bondit sur ses pieds.

— Libérez-la !

Les autres se levèrent aussi.

Barthe rôdait dans le coin, à demi masqué par l'ombre de son seigneur. Ronan n'était nulle part en vue, et le cœur d'Aislinn arrêta de battre un instant. Carina avait affirmé qu'il était sauf. Elle devait espérer que c'était vrai.

Le roi des Ténèbres lui lança un regard méprisant.

— Je ne suis pas un sluagh ; je ne suis pas obligé de répondre à tes volontés, ma fille.

Un frisson parcouru Aislinn.

— Ne m'appelez pas par ce nom.

Prudemment, elle se faufila entre les sluagh et entra dans la pièce pour se tenir à quelques pas du roi des Ténèbres, dans le vaste vestibule de son appartement. Gabriel et les autres étaient juste derrière elle.

Le roi enfonça la pointe du couteau dans la peau de la gorge de Bella, et celle-ci éloigna vivement sa tête de l'arme.

— Tu n'es pas en position de m'imposer tes exigences. Je vais t'appeler comme je veux.

— Il y a cinq cents sluagh qui attendent d'entrer ici pour vous prendre avec eux, *père*. Je crois que vous êtes celui qui n'est pas en position d'imposer ses exigences.

— Pour que les sluagh puissent entrer, Niall doit détruire les barrières, et étant donné que c'est Ronan qui les a construites, je trouve cette solution peu probable. Quoi ? Tu as l'air perplexe. C'est incroyable ce qu'un homme peut accepter de faire si vous menacez adéquatement la femme qu'il aime.

Il appuya le bout de la lame contre la gorge de Bella et le sang gicla. Bella inhala vivement par le nez. Sa gorge était un gâchis ensanglanté de plaies profondes.

— Arrêtez !

Le souverain sourit, montrant les dents.

— Non.

Il poussa la pointe de la lame plus loin et le corps de Bella se tendit.

— Voici ce que je te propose, ma fille : je veux faire un échange, toi contre Bella. Tu mourras par cette lame dès maintenant, mais ton âme survivra. Tu pourras me hanter jusqu'à la fin de mes jours. Bella et Ronan resteront ici pour vivre le reste de leurs très longues vies. Les sluagh se dissiperont avec ta mort et toute cette histoire sera résolue.

Il marqua une pause.

— Si tu refuses, tu verras Bella mourir dans un instant. Il n'y a aucun moyen pour Niall de briser les barrières à temps pour la sauver. Compris ? Quelle est ta réponse ?

Elle ne croyait pas un mot de ce qu'il disait.

Pour garder son trône, le roi des Ténèbres devait s'assurer que tous les protagonistes de cette histoire sordide périssent. Il ne pourrait jamais plus leur faire confiance et avoir la certitude qu'ils ne se rebelleraient pas tôt ou tard. Non, ce n'était pas aussi simple que de sacrifier sa vie pour sauver celle de Bella. Elle n'était pas assez naïve pour le croire. Elle avait plutôt l'impression qu'une fois qu'il l'aurait tuée et que les sluagh seraient repartis, il ordonnerait aux gobelins de déchirer le reste de la bande en morceaux.

À côté d'elle, Niall marmonnait un flot interminable de vieux maejian, entrecoupé de jurons qu'il laissait échapper lorsqu'il échouait à briser la barrière érigée par son frère.

— Où est Ronan ? demanda Aislinn.

— Quelque part en sécurité, aboya Aodh. Cesse d'essayer de gagner du temps.

— Je n'ai jamais voulu votre trône, Aodh, lui grondat-elle. Si vous m'aviez laissée tranquille, puisque j'ignorais ma triste hérédité, j'aurais continué à vivre ma vie simplement, et rien de tout ceci ne serait arrivé.

— Je ne pouvais prendre ce risque. Maintenant, jette ce poignard de côté et viens vers moi.

Elle agrippa le manche en cuir de son arme encore plus fermement.

— Prends ta décision.

Il enfouit la lame dans le cou de Bella et entreprit de lui taillader la gorge. Le cri de Bella, étouffé par le bâillon qu'elle portait, fendit le cœur d'Aislinn.

Elle laissa tomber le poignard avec fracas sur le plancher du vestibule et leva les mains en l'air.

— D'accord !

Gabriel la tira contre son lui.

— Non.

— Je n'ai pas le choix.

Elle se dégagea de son étreinte et fit un pas vers Aodh, tournant la tête pour croiser le regard de Niall. Le mage marmonnait toujours comme un fou. Il secoua la tête, signalant qu'il n'était pas plus près de briser les barrières. Ils avaient désespérément besoin des sluagh.

— À une condition, dit Gabriel, faisant un pas vers l'avant. Je veux l'accompagner et aider pendant l'échange.

Le souverain aboya un rire.

— Vous croyez que je suis un imbécile ? Je n'ai pas gardé le titre de roi des Ténèbres pendant plus de cinq cents ans sans considérer tous les angles. Restez où vous êtes et ne bougez pas. Désobéissez, et Bella mourra.

Aislinn avança vers Aodh à pas lents et mesurés, espérant que Niall arrive à réaliser un miracle quelconque à la dernière minute. Elle avançait, centimètre par centimètre. D'un mouvement brusque, le roi des Ténèbres poussa Bella de côté, qui trébucha et s'effondra au sol, et saisit Aislinn, pressant le couteau contre sa gorge.

Bella arracha le bâillon de sa gorge et le bandeau de ses yeux.

— Aislinn, ne fais pas ça.

— Trop tard, ricana le roi des Ténèbres. C'est déjà fait.

La malice submergea le visage harmonieux de Bella.

— Je vous ai maudit et maudit encore, Aodh. J'ai rassemblé toute la magie noire que je possède pour vous noyer dedans. Vous rêvez en couleurs si vous croyez sortir de cette pièce en vie.

Le roi éclata de rire.

— Je crois que vous avez surestimé vos pouvoirs, ma jolie.

— Non, elle a raison. Vous êtes mort, affirma Gabriel.

Sa voix était lourde de menaces et ses poings étaient fermés de chaque côté de son corps, vidés de leur sang.

— Faites du mal à Aislinn, et je vous arracherai le cœur pour le réduire en bouillie. Nous le ferons ensemble. Peu importe ce que vous faites, vous ne quitterez pas cette pièce vivant.

— Vous avez tort. Elle meurt, les sluagh disparaissent et je vous sers tous comme encas aux gobelins. *Finito*.

La lame s'enfonça dans la peau d'Aislinn et le visage de celle-ci se tordit, même si elle avait tenté de s'y préparer en son for intérieur. La douleur élança en elle et le sang chaud jaillit avant de ruisseler sur sa peau.

— *Aislinn*, prononça Gabriel.

Tant d'émotion imprégnait sa voix qu'elle pouvait presque imaginer qu'il l'aimait. Elle croisa son regard et le soutint, voulant que son visage soit le dernier à se fixer dans son esprit.

— Aeric le forgeron, ne trouvez-vous pas ironique que je m'apprête à la tuer avec une arme enchantée que vous avez vous-même forgée? s'amusa Aodh, une note de joie pure dans la voix.

Il croyait avoir gagné… et peut-être avait-il raison de le croire.

— Presque aussi ironique que le fait que Gabriel vous taillera en morceaux avec celle-ci, répondit-il, en lançant une hache souillée de sang à Gabriel.

En tenant une arme tachée de rouge dans chaque main, une expression brutale sur le visage, Gabriel donnait l'impression d'être prêt à se battre seul contre le roi des Ténèbres et toute l'armée de gobelins.

— Je vais couper profondément, chuchota Aodh à l'oreille d'Aislinn, à travers les tendons et les muscles. Je vais le faire lentement pour que ton petit ami puisse regarder. Je vais même fendre ta trachée de part en part, jusqu'à l'os de ton cou si j'en suis capable. Ça me rendrait heureux d'arriver à te décapiter.

Le couteau la mordit plus profondément.

Ah, Danu, elle ne voulait pas mourir. Pas encore. Aislinn osa le tout pour le tout et lança un vœu vers le Monde des Ténèbres.

— Papa!

Le roi des Ténèbres immobilisa le couteau contre la gorge d'Aislinn, peut-être désorienté par la supplication empreinte d'émotion qu'elle avait hurlée assez fort pour atteindre le monde des âmes.

Le père d'Aislinn apparut, scintillant devant eux.

La confusion sur son visage se métamorphosa brusquement en rage absolue lorsqu'il absorba la scène. En temps normal, aucun esprit, hormis les sluagh, ne pouvait affecter l'environnement physique. *En temps normal*. Un esprit qui accumulait assez d'émotion pouvait lancer des objets, donner des coups de pieds, détruire des choses, et même tuer.

Aislinn comptait sur la force de l'amour de son papa.

Puis, tous les événements s'emboîtèrent si rapidement que ce fut comme s'ils survinrent tous en même temps.

— Corporel! cria-t-elle.

Son père prit sa forme corporelle, tira violemment sur le bras du roi des Ténèbres pour libérer la gorge de sa fille, puis disparut en un clin d'œil. Aislinn balança un grand coup de coude dans le plexus solaire d'Aodh. Le couteau s'envola de la main du roi et glissa le long du plancher pour aller s'immobiliser sous une armoire.

En un instant, Gabriel fut sur lui. Ils se battirent, et Aodh projeta en l'air les deux armes de Gabriel en enchaînant deux coups de pied. Ce dernier réagit en flanquant à Aodh un coup du revers de la main, le faisant tituber. Gabriel profita de cette perte d'équilibre pour se jeter dessus et le poussa par terre pour lui assener coup de poing après coup de poing. Il avait l'air de croire qu'il pourrait le tuer de ses mains nues. De son côté, à la vue de la rage dévorante de Gabriel, Aislinn recula à quatre pattes, à la manière d'un crabe, puis s'affala en posant la main sur les plaies de sa gorge.

Bella se retourna sur le côté en gigotant, les poignets toujours menottés par devant.

— Ça va ?

Aislinn hocha la tête en se palpant la gorge.

— Allez ! Va voir Ronan.

Bella posa un baiser sur le front de son amie et se releva maladroitement, puis courut vers l'une des chambres au fond de l'appartement.

— Gobelins, venez vers moi ! cria le roi des Ténèbres juste avant que Gabriel lui envoie un autre coup.

Oh, ça s'annonçait mal.

Presque immédiatement, les gobelins dépassèrent la horde de sluagh et entrèrent dans la pièce. Niall et la bande se retournèrent et soulevèrent leurs armes, réduisant le flux de monstres qui se déversait par l'ouverture.

Barthe marcha lentement vers Gabriel, un grondement sourd sortant de sa gorge.

Aislinn aperçut le bâton de combat du roi des Ténèbres dans le coin, le long manche froid de bois poli surmonté d'un pommeau en cristal lisse, brillant de possibilités. Elle bondit sur ses pieds et le saisit pour frapper Barthe de toutes ses forces.

Le bâton atteignit l'estomac de la créature et lui fit perdre haleine, sans toutefois l'arrêter. Barthe lui arracha simplement le bâton des mains et le jeta par terre, puis souleva Gabriel en grognant de sa voix grave et le balança de côté de la même manière.

Gabriel tomba lourdement sur le sol, glissa, attrapa le bâton de combat et se redressa d'un bond, au même moment où le roi des Ténèbres se relevait, le nez et la bouche empourprés du sang dont les poings de Gabriel les avaient colorés.

Barthe tenta de déambuler jusqu'à Gabriel, mais le roi des Ténèbres posa la main sur l'épaule de sa bête au moment où elle le devançait.

— Non. Je veux Gabriel.

Il souleva vivement le menton en direction d'Aislinn.

— Occupe-toi d'elle, conclut-il, comme si elle n'était qu'une arrière-pensée et non la raison de toute cette bagarre.

Et une arrière-pensée elle serait dans quelques instants à peine.

Barthe avança vers elle tandis que le roi des Ténèbres se ruait vers Gabriel. Elle recula à petits pas dans le salon, balayant furtivement la pièce du regard pour repérer n'importe quoi qui pourrait lui servir d'arme contre la créature unseelie. Si elle ne trouvait rien, elle était fichue.

— Aislinn ! appela Gabriel, juste avant de recevoir le pied du roi des Ténèbres sur le côté de la tête, ce qui lui fit perdre le souffle et tanguer de côté.

Avant qu'Aodh l'attaque de nouveau, il lui lança le poignard. Il avait dû le recueillir à l'endroit où elle l'avait échappé.

Elle attrapa l'arme et se tourna vers Barthe, brandissant la lame couverte de sang vers lui. Son geste eut pour seul effet de faire émettre à Barthe un son grave et râpeux qui n'était peut-être que le rire de la bête. La créature s'approcha lentement en souriant pour révéler des dents tranchantes. Il savait qu'elle était coincée et qu'elle ne faisait pas le poids.

Derrière Barthe, Aislinn vit Gabriel se ressaisir et engager le combat à nouveau avec le roi des Ténèbres. Ils étaient comme une rafale de bras, de poings, de jambes et de pieds. Ils se battaient comme s'ils l'avaient fait auparavant, peut-être dans l'arène d'entraînement. C'était maintenant un jeu aussi sérieux que la mort. Coup pour coup, le roi des Ténèbres essayait de pousser Gabriel vers la lutte se déroulant près de l'entrée, à la portée des gobelins, alors que Gabriel tentait de repousser son adversaire. Ils étaient du même calibre, chacun anticipant et bloquant les mouvements de l'autre. Une amitié devenue violente.

Barthe poussa un autre grondement rieur qui fit dresser les poils de la nuque d'Aislinn. Elle contourna une chaise pour lui échapper. Il la pourchassait et le jeu l'amusait follement.

Près de l'embrasure des portes, Niall cria un flot de paroles en vieux maejian, tandis que la bande et lui se battaient contre les vagues de gobelins qui déferlaient dans la pièce. Quelque chose dans l'air parut trembler autour d'eux. Emballé, Niall cria un autre flot de paroles.

Tremblement. Pulsations.

Puis rien.

Niall poussa alors un mugissement de colère et attaqua les gobelins dans un élan de vengeance décuplée. Au même moment, Gabriel administra un bon coup de pied à la tête du roi des Ténèbres, lequel se retrouva étalé sur le plancher.

C'est à ce moment que Barthe se rua sur Aislinn.

Elle s'était efforcée de gagner du temps en contournant le canapé, centimètre par centimètre. Avec une agilité et une rapidité qu'elle n'aurait jamais soupçonnées chez lui, Barthe bondit par-dessus l'obstacle les séparant, la saisit à la gorge d'une énorme main poilue et la plaqua sur la table à café.

Sans perdre une seconde, elle plongea le poignard jusqu'au manche dans le flanc de la bête. Barthe rugit de douleur, arquant le dos et renversant violemment la tête vers l'arrière, sans toutefois lâcher la gorge de sa victime. Aislinn essaya de retirer la lame pour le poignarder encore, mais le flanc de la créature était trop épais. L'arme semblait cimentée dans la chair.

Lâchant le manche du poignard souillé de sang, Aislinn agrippa les larges doigts qui lui enserraient la gorge. La terreur se déversa en elle, la glaçant et la figeant. L'air ne passait plus dans ses voies respiratoires, elle cherchait désespérément une bouffée d'air et se débattait sous l'énorme force de la bête qui la gardait clouée sur place.

Elle allait mourir.

La pensée trancha la panique délirante qui la consumait. Si elle ne trouvait pas le moyen de se libérer de la prise de Barthe maintenant, elle allait mourir.

Elle chercha à tâtons quelque chose — n'importe quoi — sur la table à café, quelque chose qu'elle pourrait utiliser en guise d'arme. Ses doigts se refermèrent sur un objet qui avait l'aspect d'une roche, peut-être un presse-papiers, et elle l'écrasa contre la tête de Barthe en utilisant chaque once de force qui lui restait.

La bête grogna et s'écroula par terre en roulant sur le côté. En aspirant goulûment de précieuses bouffées d'air et en toussant, Aislinn se releva péniblement, les mains sur sa gorge ravagée. Barthe lui adressa un grognement et retroussa ses lèvres pour montrer les dents. Tout à coup, Bella fut derrière Barthe. Ses menottes avaient disparu et elle tenait un tisonnier à deux mains. Elle souleva le tisonnier et le fit descendre comme une hache sur le crâne de Barthe, encore et encore, jusqu'à ce que la créature ne bouge plus, étalée sur le tapis.

— Bella! souffla Aislinn, la gorge saccagée, se redressant en tremblant.

Bella lâcha le tisonnier, enjamba Barthe et enveloppa Aislinn de ses bras.

— Aislinn, chuchota-t-elle à travers ses larmes. Danu, tu m'as fait peur.

Quelque chose sauta dans l'air autour d'elles, claqua, puis explosa, faisant bourdonner les oreilles d'Aislinn. Le bruit de la bataille derrière l'entrée s'intensifia et les sluagh se jetèrent à l'intérieur. Niall s'affala contre un mur, le corps et le visage striés de sang de gobelins, enfin content d'avoir brisé la barrière.

Aislinn se dégagea à demi de l'étreinte de Bella et posa les yeux sur ceux du roi des Ténèbres de l'autre côté de la pièce. Elle plissa les yeux, le regardant aussi froidement que possible. Quant au monarque, ses yeux étaient grands ouverts, plaqués sur un visage furieux, révélant l'effroi qu'il ressentait à l'approche des sluagh.

— Au revoir, père, chuchota-t-elle un instant avant que les monstres s'abattent sur lui, le couvrant de la tête au pied, le forçant à se recroqueviller avant de disparaître, comme une meute de chiens sauvages dévorant leur proie.

Puis les sluagh disparurent également.

Le roi des Ténèbres était aplati sur le plancher de marbre du vestibule, pâle et immobile, son âme ayant été arrachée de son corps.

— Un peu d'aide! lança Aeric à la porte.

Le reste de la bande combattait toujours les gobelins avec toute la détermination du monde, mais il leur manquait maintenant l'aide des sluagh.

L'amulette des Ténèbres, qui, quelques instants plus tôt, n'était qu'un tatouage sur la peau du roi, était maintenant un objet physique entourant son cou. Gabriel se pencha vers le cadavre, tira vigoureusement sur l'amulette et la lança à Aislinn à l'autre bout de la pièce.

Au moment où elle l'attrapa, il s'inclina très bas.

— Ma reine.

Un frisson d'effroi la traversa, mais elle examinerait ce sentiment un tout petit peu plus tard. Elle passa la lourde chaîne par-dessus sa tête et sentit le poids froid de l'amulette contre sa peau. L'objet adhéra à sa chair et s'y enfonça, lentement, le poids du métal se dissolvant dans sa peau et s'intégrant à son être. Le bijou ne l'avait pas rejetée, bien au contraire.

Sa gorge se souleva sous l'effet du goût amer qui se répandait tout au fond. Bella lui prit la main pour la rassurer pendant que le tatouage de l'amulette lui imprégnait la peau, dans des teintes d'argent et de noir.

Un instant plus tard, la magie coula en elle, lui donnant des picotements dans les jambes et lui procurant une sensation momentanée de légèreté. Elle eut le souffle coupé, surprise par le pouvoir étranger qui tournoyait en elle, mais ravala sa réaction à la sensation bizarre. Ce n'était pas exactement le moment d'y penser.

— Gobelins, cessez de vous battre immédiatement.

Les mots étaient sortis aussi fort que sa voix le permettait. Elle ne savait pas trop comment commander les gobelins. Elle ne pouvait qu'espérer avoir une habileté innée pour le faire, conférée par le pouvoir de l'amulette des Ténèbres, comme lorsqu'il s'agissait de commander les sluagh.

Grands dieux, elle pouvait maintenant diriger les sluagh et les gobelins. Le poids de cette réalité la frappa comme un coup de poing dans le plexus solaire.

Les gobelins arrêtèrent de se battre. Les bruits de bataille cessèrent, ne laissant dans l'air que les plaintes des blessés et des mourants.

Tous les membres de la bande lâchèrent leurs armes, soupirèrent et s'affaissèrent de soulagement. Ils étaient tous couverts de sang et de restes de gobelins, mais aucun d'eux ne semblait avoir subi de blessures graves. Comme ils s'étaient défendus à partir d'une petite ouverture, ils avaient eu l'avantage sur les gobelins. De nombreux monstres gisaient, morts, sur le plancher du vestibule. Ils avaient été incapables d'attaquer efficacement les sluagh tout en se frayant un chemin pour accéder au vestibule.

Aislinn baissa les yeux sur les cadavres et les gobelins agonisants, et la tristesse emplit son cœur.

Les sluagh étaient rendus esclaves par les forces obscures dominant le Monde des Ténèbres. C'était leur châtiment. Ils avaient commis des crimes terribles au cours de leur vie et devaient payer le prix de leurs actions. Le roi des Ténèbres avait maintenant rejoint leurs rangs. Mais les gobelins, bien que hideux et naturellement vicieux, étaient innocents. Forcés à se battre par le pouvoir du roi des Ténèbres — ou de la reine des Ténèbres —, ils n'avaient d'autre choix que de risquer leur vie et, quelquefois, de la perdre. Aodh n'avait jamais même songé aux droits des gobelins. Ils n'avaient été qu'un outil pour lui, une façon de protéger son trône de quiconque s'en approcherait.

ANYA BAST

Et c'est en y pensant qu'Aislinn réalisa qu'elle avait fait erreur en devenant la nouvelle souveraine de la Cour Unseelie.

Elle passa la main sur le tatouage de l'amulette, souhaitant l'avoir jetée dans le feu au lieu l'avoir passée à son cou. Elle ne voulait pas de ce pouvoir, elle ne voulait pas de cette responsabilité.

— Gobelins, ramassez vos morts et vos blessés. Ramenez-les à la maison. Votre lutte ici est terminée.

Sa voix était lourde de tristesse. Les gobelins se murent d'emblée pour exécuter ses ordres.

— Tu es la meilleure personne pour faire ce boulot parce que tu n'en veux pas.

C'était la voix de Gabriel. Il était venu à ses côtés. Son regard cherchait le sien. Le sang et la sueur le marquaient de la tête aux pieds. Ses vêtements étaient déchirés et sa poitrine se soulevait encore à la suite des efforts du combat.

— Tu ne le crois pas, Aislinn?

Comment pouvait-il savoir ce qui lui passait par la tête? Son expression était-elle si transparente?

— Il a raison, appuya Bella, tu dirigeras cette cour comme elle doit être dirigée.

Aislinn secoua la tête.

— Non. Je ne suis pas impitoyable. Je ne suis pas assez dure pour occuper ce trône. Je devrais choisir quelqu'un d'autre pour régner et lui remettre l'amulette.

Elle n'était pas certaine de savoir comment le faire en évitant la mort, mais il devait bien y avoir un moyen.

— Non! rugit Aeric, qui se tenait près de la porte, son torse massif se soulevant dans un mouvement de passion.

Il traversa la pièce à vive allure vers Aislinn.

— Tu es l'héritière légitime de ce trône. Tu as le sang, sans mentionner l'amulette. Si tu ne fais qu'insinuer aux Unseelie que tu n'es pas certaine de vouloir les diriger ou que tu désires transmettre ton pouvoir à quelqu'un d'autre, nous aurons une guerre sanglante, que tu ne seras pas capable d'arrêter au moyen de quelques ordres bien choisis. Il y aura beaucoup de morts. Je me souviens des guerres de fae du XVIIe siècle. Personne ne veut revivre ces horreurs.

Il avait raison. Elle savait qu'il avait raison. Il était important qu'elle prenne les rênes de la Cour Unseelie, puisque c'était son droit en tant que descendante biologique de l'ancien roi. Pendant un moment, elle avait été une princesse unseelie bâtarde.

Mais maintenant, elle était reine.

Aislinn aspira soudainement une bouffée d'air, le souvenir de Ronan lui traversant l'esprit.

— Ronan !

Son regard se jeta sur Bella.

Celle-ci tourna brièvement les yeux vers la porte de la chambre où elle avait accouru un peu plus tôt.

— Il va bien, il est juste un peu vaseux. Il passe du sommeil à l'éveil en ce moment, l'effet de la drogue prendra un certain temps à se dissiper.

Ses lèvres se crispèrent en un petit sourire.

— Il sera furieux d'avoir manqué la bataille.

Aislinn tendit la main vers la gorge de Bella et traça le bord de l'une de ses blessures.

— Je ne crois pas que c'est ce qui le rendra furieux.

Bella prit la main de son amie et la serra.

— Nous serons là pour t'aider. Nous tous qui sommes dans cette pièce.

Son regard se posa sur tous les membres de la Chasse sauvage, tour à tour.

— Tu peux compter sur nous pour t'aider.

— Je ne veux pas de cette situation, répondit doucement Aislinn en baissant la main, mais ce que je veux n'a plus d'importance.

— Tu commences déjà à penser comme une reine, l'encouragea Gabriel.

Elle leva les yeux et trouva son regard. Il lui sourit tristement et elle eut de nouveau l'étrange impression qu'il se souciait sincèrement d'elle. Ou était-ce plutôt son tout récent statut de reine qui lui importait?

Les mots que Kendal lui avait criés le jour où il l'avait plaquée devant la Cour Seelie assaillirent son esprit. «Je ne t'ai jamais aimée. Je t'ai seulement utilisée.»

Non. Elle secoua la tête et cligna des yeux. Ces pensées devaient céder la place à des problèmes plus urgents. Elle était maintenant reine et les soucis personnels devaient s'effacer.

Aislinn cligna des yeux de nouveau et posa les doigts sur le tatouage de l'amulette. Le bijou faisait maintenant partie d'elle, et il semblait s'alourdir au rythme de sa respiration.

VINGT-TROIS

Gabriel tendit la main et passa les doigts sur la couverture de cuir rouge ouvragé du Livre de l'union. Il l'avait trouvé dans le cachot, toujours rangé dans la valise d'Aislinn, camouflée sur une étagère mouchetée de moisissure. Apparemment, Aodh n'avait jamais même su qu'il l'avait en sa possession.

Gabriel l'avait remis à Aislinn, qui était maintenant confortablement installée dans ses appartements de reine des Ténèbres.

Après la bataille qui avait eu lieu dans le logement du roi des Ténèbres, Gabriel et sa bande avaient transporté le corps du défunt pour que tout le monde le voie. Aislinn s'était donné un peu d'assurance, s'était tenue droite comme une poutre et avait chassé toute trace d'incertitude et de peur de son langage corporel pour marcher à leurs côtés sur la Place Piefferburg. Elle portait fièrement l'amulette tatouée sur sa peau, révélée à tous par l'encolure déchirée et maculée de sang de son pull.

L'action avait clairement proclamé au peuple que le pouvoir était passé d'un chef à un autre. Le message s'était répandu comme un feu de forêt aux quatre coins de la Tour Noire. Ils avaient une nouvelle reine ; elle portait l'amulette et elle possédait le sang O'Dubhuir.

Ils s'étaient tous mis à genoux devant elle, jusqu'au dernier unseelie au fond de la Place Piefferburg, et Aislinn avait à peine bronché.

Une semaine s'était écoulée et elle apprivoisait encore son nouveau rôle. Devant tout le monde, hormis ceux qui lui étaient proches, elle faisait preuve d'une contenance infaillible, comme si elle maîtrisait parfaitement son pouvoir. Seuls ses amis voyaient parfois son masque craquer ou ses mains trembler. Elle paraissait malheureuse sous le fardeau de son nouveau statut.

Gabriel souffrait pour elle. Il souffrait du poids qui était si lourd à porter pour ses épaules. Il aurait voulu pouvoir le lui prendre et le poser sur les épaules d'une autre personne.

Mais il se contenterait d'un sourire.

Ou d'un soupir de plaisir.

Il lui avait donné de l'espace pour respirer. Il ne lui mettait pas la pression, et s'était seulement offert pour assumer un rôle de soutien, n'importe lequel ; celui qu'elle voudrait lui assigner. Mais il la désirait. L'odeur de sa peau et sa douceur soyeuse lui manquaient. Il voulait lui écarter les jambes et s'enfouir profondément en elle, pour retrouver une partie de l'intimité qu'ils avaient vécue lorsqu'ils étaient en fuite.

À présent, elle était assise sur le canapé et examinait le livre posé sur la table devant elle. Elle avait rejeté l'appartement du roi des Ténèbres et avait pris un logement légèrement plus modeste, situé de l'autre côté de la tour. Elle portait une tenue royale, car c'était ainsi que la reine devait s'habiller. Ce jour-là, elle était couverte de rouge : une robe cramoisie parfaitement coupée, à la jupe ample et au décolleté plongeant. À chacune de ses respirations, ses seins se soulevaient doucement contre les confins étroits du corsage, et Gabriel en devenait fou de désir. Il repliait les doigts tellement il avait envie de la toucher, de les glisser sous l'étoffe et de caresser ses mamelons jusqu'à ce qu'elle gémisse son nom.

Mais il n'allait pas la pousser.

Il s'adossa aux coussins et se concentra pour se détendre. Tout ce qu'il voulait faire, c'était la sauter, mais ce n'était pas ce dont elle avait besoin en ce moment. Et si son attitude froide envers lui signifiait quoi que ce soit, ce n'était pas ce qu'elle voulait, de toute façon. Elle viendrait vers lui lorsqu'elle serait prête, lorsqu'elle aurait besoin de lui autant qu'il avait besoin d'elle.

Aislinn tira le livre vers elle et le posa sur ses genoux.

— Merci de me l'avoir apporté.

Il pencha la tête.

— Tu as le livre et la reine Été possède l'un des morceaux de la *bosca fadbh*. Si nous arrivons à localiser les deux autres morceaux, nous avons peut-être une chance de briser l'emprise du Phaendir sur Piefferburg. Nous sommes plus proches de la liberté que les fae ne l'ont jamais été dans toute l'histoire de Piefferburg.

— J'en suis consciente.

Gabriel haussa les sourcils en entendant le ton glacé d'Aislinn.

— Et?

— Et je considère nos options. J'aurai bientôt ma première rencontre avec la reine Été. Je prendrai le pouls de son opinion sur le sujet à ce moment. Je ne sais pas ce qui existait entre elle et le roi des Ténèbres, mais c'est terminé à présent. Il a peut-être même emporté avec lui une partie de l'hostilité entre nos cours.

— Elle et toi avez vos propres différends.

— Bien sûr. Ce n'est pas un secret que j'ai abandonné la Tour Rose pour venir à la Noire. Elle en a certainement été dépitée, mais je ne sais pas à quel point. J'ai besoin de m'entretenir avec elle pour voir où nous en sommes.

Aislinn serra les poings sur ses genoux. Gabriel jeta un regard sur ses poings avant de lever les yeux sur son visage.

— Es-tu nerveuse à l'idée de rencontrer la reine Été ?

Elle haussa le menton et serra les mâchoires un moment avant de répondre.

— Je ne l'admettrais pas si c'était le cas.

— Tu n'as pas à me jouer la comédie, Aislinn. Tu peux juste être toi-même.

Elle se leva en serrant le livre contre sa poitrine.

— Ce sera tout ?

Il inclina la tête de côté, cherchant à croiser son regard.

— Aislinn, qu'est-ce qui ne va pas ?

— Rien. J'ai simplement beaucoup à faire. Je dois me préparer pour ma rencontre avec la reine Été.

— Bien.

Il se leva et marcha jusqu'au vestibule. Elle le suivit pour le raccompagner. Lorsqu'ils atteignirent la porte, il se retourna et franchit la distance qui les séparait. L'inspiration abrupte d'Aislinn retentit dans l'air comme une cloche de panique et elle recula d'un pas pour s'éloigner de lui.

— Si tu as besoin de moi pour quoi que ce soit, appelle-moi. Je suis à toi, Aislinn, corps et âme. Ne l'oublie pas, je t'en prie. *Ne m'oublie pas.*

— Tu dis ça à titre de sujet ou d'amant ?

— Les deux.

Elle cligna lentement des yeux et serra le livre contre elle comme pour se protéger.

— Nous ne sommes plus amants, Gabriel. Nous avons été jetés ensemble dans des circonstances extrêmes. Je suis reconnaissante de l'aide que tu m'as offerte et des sacrifices que tu as faits pour moi, mais le cauchemar est terminé.

— Aislinn ?

Elle marqua une pause, prit une grande respiration et le regarda dans les yeux.

— Et notre aventure aussi.

Aislinn rencontra la reine Été en terrain neutre. La chef seelie refusait de mettre le pied dans la Tour Noire. Par conséquent, la reine des Ténèbres ne pouvait pas entrer dans la Tour Rose par simple principe de fierté. Aislinn ne comprenait pas vraiment le but du jeu, mais c'était la danse qu'elle était forcée d'exécuter. Heureusement, elle avait Hinkley, qui lui portait conseil sur les protocoles d'usage.

Elle avait toujours tenu pour acquis que les souverains communiquaient seulement par l'intermédiaire de fae messagers, mais elle apprenait maintenant qu'ils utilisaient parfois une salle dans l'un des immeubles qui bordaient la Place Piefferburg. Le Bureau financier de Piefferburg négociait la vente et l'achat d'actions au sein des marchés mondiaux des valeurs mobilières. Les fae constituaient une race à part, mais égale, à bien des égards, et Piefferburg pouvait s'enorgueillir de posséder certaines des entreprises les plus rentables des États-Unis. Beaucoup d'humains convoitaient les produits faits à la main par les fae, y compris le vin de sureau et les tapis tissés.

L'immeuble abritant le Bureau financier de Piefferburg était parmi les mieux équipés de la ville. La salle de conférence, choisie pour la rencontre des deux reines, était munie d'un plancher en marbre lustré et de plafonds hauts encastrés, arborant des feuilles or gravées. La salle, vaste et longue, rappelait étrangement la salle du trône de la Tour Rose, pensa Aislinn. La reine Été devait s'y trouver plutôt à l'aise.

Un point de gagné pour Caoilainn Elspeth Muirgheal. Aislinn avait décliné l'invitation à la Tour Rose et en retour, la reine Été avait réussi à trouver une salle qui ressemblait en tout point à son foyer.

La chef seelie était assise au bout de la longue table, une série de fenêtres surplombant la place publique à sa gauche. La Garde Impériale, ornée de son agencement unique de rose et de doré, était alignée derrière elle.

Les atours de Caoilainn étaient confectionnés en brocart épais aux couleurs doré et lavande. Ses jupes à l'ancienne déferlaient en vagues dans une traîne chutant depuis l'accoudoir du fauteuil et tombant dans un drapé d'étoffe riche savamment disposé sur le plancher. Sa pâle chevelure était remontée sur le sommet de sa tête et retenue dans un nœud complexe. Des bijoux d'or lourds scintillaient à ses oreilles et dans le creux de sa fine gorge blanche.

Conformément à sa condition de reine des Ténèbres, Aislinn avait aussi choisi une parure élaborée. C'était attendu d'elle. Elle avait revêtu une tenue de soie et de velours rouge sang. Sa robe victorienne était cintrée à la taille, et l'étroit corset enserrait ses petits seins, qui avaient l'air de déborder de leur décolleté. Le col de la robe était évasé et plissé sur la nuque, et rejoignait un corsage en soie d'une teinte rouge plus claire. Ses jupes tombaient au-dessus du genou sur le devant, révélant des bottes boutonnées à hauteur des cuisses, dont le style rappelait aussi l'époque victorienne. À l'arrière, elles se déployaient en une traîne tout aussi longue que celle de la reine Été, mais moins volumineuse. Des rubis chatoyaient à ses oreilles. Étant donné que le tatouage vibrant de l'amulette décorait sa gorge, elle avait omis de porter un collier.

Sa chevelure tombait naturellement sur ses épaules, bien que les pointes argentées aient été plongées dans une teinture rouge, comme le voulait la tradition pour le souverain de la Cour Unseelie. Elle avait laissé tomber le dégradé multicolore qu'avait arboré l'ancien roi, simplement pour éviter de penser à lui chaque fois qu'elle se regarderait dans la glace. Elle avait détruit le bâton de combat qu'Aodh avait traîné partout où il allait.

En repoussant ses cheveux derrière ses oreilles, elle s'approcha de la reine Été, suivie d'un rang de sa propre Garde des Ténèbres, habillée du traditionnel agencement de noir et d'argent. Elle utiliserait l'armée de gobelins beaucoup plus parcimonieusement que son prédécesseur ne l'avait fait. L'un des hommes tira une chaise et elle s'y installa, le garde soulevant sa traîne pour la laisser retomber sur le côté du siège et la plaçant élégamment sur le plancher dans un geste théâtral, avant d'aller se poster derrière elle.

Un deuxième point de gagné pour Caoilainn Elspeth Muirgheal. Elle était assise à la tête de la table et Aislinn avait été forcée de s'asseoir à sa gauche. La reine des Ténèbres savait pertinemment qu'aux yeux de tous les occupants de la salle, elle faisait une parfaite novice. Elle aurait dû imposer l'endroit de leur rencontre et s'y rendre beaucoup plus tôt pour s'approprier la place de choix.

La reine Été sourit légèrement.

— Aislinn. Vous êtes la dernière personne que je me serais jamais attendu à accueillir à titre de reine des Ténèbres de la Cour Unseelie.

— Semble-t-il que je sois du type à surprendre les autres… et même moi-même. Pourtant, je *suis* la descendante biologique d'Aodh Críostóir Ruadhán O'Dubhuir et j'ai donc hérité du trône.

— Et par la force de votre pouvoir.

— Je n'ai pas eu le choix. Soit je faisais venir les sluagh, soit je souffrais la mort de neuf personnes innocentes, moi y compris.

— En effet. Vous avez du cran, Aislinn, c'est le moins qu'on puisse dire.

Le demi-sourire de la reine s'estompa.

— Et pourquoi désiriez-vous un entretien avec moi ?

Un garde arriva à droite d'Aislinn avec le livre.

— Je suis en possession du Livre de l'union et vous détenez l'un des morceaux de la *bosca fadbh*. Nous devons discuter des possibilités qui s'offrent à nous.

Le visage de la reine Été pâlit à la vue du livre que le garde venait de placer entre les mains d'Aislinn. Elle arracha son regard de l'objet et s'efforça de le concentrer sur le visage d'Aislinn.

Se remettant aisément du choc qu'elle n'avait su camoufler tout à fait, son visage se moula de nouveau dans un
masque implacable.

— Comment avez-vous obtenu ce volume ?

— Je l'ai hérité de mon père.

Un air stupéfait traversa brièvement le visage de la reine
Été, comme une tempête déchaînée, avant de disparaître
aussitôt.

— Le roi des Ténèbres avait ce livre en sa possession ?

Aislinn secoua la tête.

— Non, pas lui.

La reine Été se repositionna discrètement dans son
fauteuil.

— Vous ne disposez pas seulement du livre, vous avez
aussi Ronan et Niall Quinn. Ce sont les meilleurs mages de
tout Piefferburg. S'il y a bien quelqu'un qui peut nous aider
à obtenir les deux derniers morceaux de la *bosca fadbh,* c'est
eux.

En son for intérieur, Aislinn libéra un grand soupir.
Caoilainn avait utilisé le mot « nous ». Elle était donc prête à
collaborer.

— Vous croyez donc que c'est possible.

La reine Été fit non de la tête.

— Non, pas vraiment.

Elle haussa un sourcil et ajouta :

— Mais l'espoir donne une raison de vivre. Le rêve de
la liberté des fae est-il le seul motif pour lequel vous m'avez
convoquée ici ?

Aislinn leva le menton.

— Je souhaitais aussi jauger votre opinion de la Cour Unseelie.

Malgré son air détendu, le regard de la reine Été demeurait vif.

— Les cours seront toujours en guerre froide, Aislinn. Comme pour le jour et la nuit, elles n'ont qu'un petit quelque chose en commun, un bout de crépuscule composé de lumières emmêlées. La liberté des habitants de Piefferburg est le rêve que nous partageons, c'est notre crépuscule. La vengeance contre le Phaendir, c'est bien la seule chose sur laquelle les cours sont d'accord, n'est-ce pas ? Il va sans dire que je ne vous inviterai pas à prendre le thé très souvent, mais vous pouvez compter sur mon aide en ce qui concerne le Livre de l'union et les morceaux de la *bosca fadbh*.

— Auriez-vous fait la même offre au roi des Ténèbres ?

— Lorsque j'ai banni Ronan Quinn de la Tour Rose, c'est exactement ce que je lui ai offert.

Elle se leva et l'un des gardes rassembla sa traîne.

— Ce sera tout ?

Aislinn se leva à son tour.

— Oui, ce sera tout.

La reine Été inclina la tête.

— Je vous souhaite la bienvenue sur le trône jumeau des fae. Que votre règne soit long et paisible.

Aislinn baissa aussi la tête en tenant le livre contre sa poitrine.

— Merci.

Dans un bruissement de jupes de brocart, la reine Été s'en alla. Après son départ, Aislinn se rendit à la fenêtre et observa les habitants sur la place. Il était midi en ce jour de semaine et les fae marchaient d'un pas pressé sur la zone pavée, sortis pour aller déjeuner ou faire des courses.

La reine Été s'était montrée plus amicale et coopérante qu'Aislinn ne l'aurait imaginé et elle n'avait pas mentionné, pas une seule fois, le fait qu'Aislinn ait rejeté la Rose en faveur de la Noire avant même de découvrir sa parenté biologique douteuse.

Mais il y avait eu un air sur son visage et une note dans sa voix qui n'inspiraient pas confiance. La reine Été avait dit tout ce qu'il fallait, mais Aislinn était restée avec l'impression tenace que Caoilainn était mécontente d'apprendre que le chef des Ténèbres, qui soit-il, avait en sa possession le Livre de l'union.

À moins d'être paranoïaque, ce dont elle doutait fort, peut-être devait-elle se méfier non seulement du Phaendir, mais aussi de la reine Été.

Aislinn errait le long du couloir, tard dans la nuit, incapable de trouver le sommeil. Dormir était un problème depuis sa rencontre avec la reine Été, mais Aislinn ne pouvait mettre le doigt sur la raison exacte de son insomnie. Ce devait être le stress que son nouveau poste lui apportait. Devenir reine du jour au lendemain n'était pas une transition facile à faire.

Ou peut-être que Gabriel lui manquait.

Elle l'aimait. Elle n'avait aucun doute sur ses sentiments. Quelle femme stupide et ridicule elle faisait. Elle était encore une fois tombée éperdument amoureuse d'un homme en qui elle ne pouvait pas avoir confiance. Seulement cette fois, l'homme en question n'avait pas seulement la capacité de blesser son cœur comme Kendal l'avait fait, mais il pouvait aussi l'annihiler. Il valait mieux pour elle de se distancer dès maintenant, peu importe la douleur qu'elle s'infligeait ce faisant. Au bout du compte, elle s'épargnerait une perte plus importante.

Malgré tout, son odeur lui manquait, de même que la caresse rugueuse de son menton barbu. Le son de sa voix lui manquait, tout autant que la force de sa présence et l'impression constante d'être protégée lorsqu'il était près d'elle.

Mais c'était dans la nature de Gabriel de séduire les femmes et de les accrocher à lui, puis de les abandonner sans se soucier de leurs sentiments. Tout le monde s'attendait à ce qu'il retrouve ses vieilles habitudes, comme l'avait dit Melia. Personne ne s'attendait, *jamais au grand jamais*, à ce qu'un homme comme Gabriel s'engage envers une seule femme par amour. Sa volonté de poursuivre sa relation avec elle était suspecte.

Était-il comme Kendal? Désirait-il seulement être avec elle pour ce que sa condition pouvait lui apporter? Aux dires de tous, Gabriel avait toujours été très proche du roi des Ténèbres et avait joui d'un statut des plus haut placé dans la Tour Noire. Peut-être ne voulait-il pas perdre ce privilège.

Bien sûr, Gabriel avait largement contribué à la chute du roi des Ténèbres. Il avait risqué sa vie pour elle et avait fait la bonne chose en se battant contre son seigneur. Il aurait pu se retourner contre elle, il aurait pu la trahir. Il aurait pu se contenter de ne rien faire pendant que le roi des Ténèbres la dépossédait de son âme... mais non.

À quel point était-il intervenu par culpabilité?

Non, elle avait bien fait.

Même si son choix lui brisait le cœur.

Elle leva la main et fit glisser ses doigts le long du mur de marbre noir, froid et lisse. Le gras du bout de ses doigts laissait des traces sur le mur ; ses empreintes marquaient l'endroit. Quelques semaines plus tôt, elle n'aurait jamais imaginé marcher dans ces couloirs comme si elle les possédait, elle n'aurait jamais cru pouvoir ressentir une satisfaction du fait que d'une certaine façon, ils lui appartenaient.

Maintenant que le roi des Ténèbres était parti, elle se sentait chez elle entre ces murs. Il y régnait une plus grande acception d'autrui, comme une ouverture de l'édifice et des êtres qui y vivaient. Ah, oui, il fallait regarder où l'on mettait les pieds. C'était aussi le foyer de toutes sortes de monstres. Les calottes rouges, les mangeurs de moelle, les phoukas, les alpes, et d'autres encore. La magie noire abondait. Pourtant, étrangement, elle s'y sentait plus à l'aise que dans les couloirs à la fois superficiels et empesés de la Tour Rose.

Elle sentait enfin qu'elle avait trouvé sa place.

Le Livre de l'union était savamment caché, camouflé par la magie de Ronan et Niall, qui faisaient tous deux partie de ses conseillers. Gabriel et sa bande en faisaient aussi partie. Aislinn ne faisait peut-être pas confiance à Gabriel pour ce qui était de son cœur, mais elle lui faisait confiance en matière de politique et, au bout du compte, pour protéger sa vie.

Gabriel était un homme bon. Il n'était tout simplement pas fait pour l'amour. Ce n'était pas un homme pour elle.

Elle s'arrêta net à la vue de l'homme en question, qui sortit des ombres au bout de la galerie. Quelque part au loin, des rires éclatèrent, des voix s'élevèrent, puis retombèrent dans le silence. La Tour Noire ne dormait jamais. Il y avait toujours des fae qui flânaient aux alentours, même à cette heure tardive, quoique les heures sombres de la nuit aient été plus calmes que les heures claires du jour.

Aislinn fut momentanément paralysée par la silhouette longue et mince de l'homme qu'elle reconnaissait, son corps voilé par la pénombre. Ils ne s'étaient pas parlé depuis qu'elle lui avait annoncé qu'elle ne voulait plus d'une relation romantique avec lui. Depuis ce jour, chaque fois qu'ils se voyaient, ils n'étaient pas seuls. Autrement, elle l'évitait.

Elle évitait précisément cette situation.

Soudain, elle regretta d'avoir quitté son appartement pour faire cette balade nocturne.

Il marchait lentement vers elle et elle luttait contre l'envie pressante de s'enfuir. Elle n'était pas certaine de pouvoir rester calme s'il était en colère d'avoir été rejeté, et elle ne voulait pas entendre ce qu'il pouvait avoir à lui dire.

Elle avala difficilement sa salive pendant qu'il s'approchait, ses traits harmonieux paraissant figés, aussi rigides que la pierre ciselée, ses sourcils tirés vers le haut. Ses yeux bleus n'étaient pas froids et foudroyants comme elle l'avait imaginé. Ils brûlaient plutôt de douleur et de confusion. Ses longs cheveux tombaient librement, ondulant sur ses épaules. Il ne s'était pas rasé au matin et sa barbe trop longue ombrageait son visage.

Aislinn s'éclaircit la voix et posa la main à plat contre le mur du couloir, comme si elle essayait de puiser une force à même l'immeuble.

— Gabriel…

— Aislinn, je t'aime.

Les mots avaient retenti sur un ton furieux, accusateur.

L'air se bloqua dans la gorge d'Aislinn et le choc se faufila en elle à la vitesse de l'éclair.

— Qu'est-ce que tu as dit ? parvint-elle à prononcer dans un souffle.

— Tu m'as entendu. Je t'aime. Je t'aime depuis la Tour Rose. Je ne pouvais te laisser entre les mains du roi des Ténèbres, car déjà à ce moment, tu étais à moi. À moi, pour que je puisse te protéger. À moi, pour que je puisse t'aimer. J'aurais dû te le dire plus tôt.

Aislinn détourna le regard, clignant des yeux pour refouler des larmes soudaines. C'était les derniers mots qu'elle s'attendait à entendre de sa bouche. Était-ce seulement un jeu ou était-il sincère ? Elle secoua la tête.

— Gabriel, je ne sais pas quoi te dire.

Il franchit la distance qui les séparait, la saisit par le poignet et l'attira contre son torse.

— Dis-moi ce que tu ressens, Aislinn. Regarde-moi droit dans les yeux et dis-moi ce que tu ressens. Je te mets au défi de me regarder et de me dire que tu ne m'aimes pas. Vas-y.

Elle leva les yeux vers lui et il soutint fermement son regard, la défiant.

— *Vas-y.*

Aislinn ouvrit la bouche dans l'intention de mentir, puis la referma en baissant les yeux.

— C'est ce que je pensais. Alors, dis-le, dis-moi que tu m'aimes aussi. Je sais que tu m'aimes. Je le sens. Dis-le-moi.

Aislinn ne dit rien, ne fit rien. Elle ne pouvait pas parler. Tout ce dont elle était capable, c'était tenir bon tandis que son monde tanguait de côté, prêt à s'effondrer.

Gabriel poussa un grognement de frustration et la retourna face au mur. Ses seins, remontés par un corset et débordant de son décolleté, étaient comprimés contre le marbre froid. Elle aspira une bouffée d'air et ferma les yeux, troublée par l'émotion tumultueuse qui l'envahissait, les larmes coulant sur ses joues.

Gabriel se pressa contre elle.

— Aislinn, ne crois pas une seconde pouvoir me quitter. Tu es à moi. Je le sais et tu le sais autant que moi. Je t'aime et tu m'aimes aussi.

Ses mots frémirent à travers elle, vibrant si près de son oreille. Elle était impuissante face à lui, brûlant d'envie qu'il la touche et s'abreuvant des mots qu'il prononçait de manière si possessive.

— *J'ai besoin de toi.*

VINGT-QUATRE

Gabriel souleva les lourdes jupes d'Aislinn, jusqu'au haut de ses bas-jarretelles. Il écarta le panneau de sa petite culotte et fouilla entre ses jambes pour trouver la preuve de son désir. Il émit un grognement satisfait du fond de la gorge, et Aislinn su qu'il l'avait trouvée.

— Dis-moi d'arrêter, lui gronda-t-il à l'oreille.

Il enfonça un doigt profondément en elle, puis un deuxième, dans un mouvement de va-et-vient.

— Si tu ne veux pas que je te baise ici, tout de suite, dis-moi d'arrêter.

Sa voix tremblait, comme s'il cherchait désespérément à retrouver la maîtrise de lui-même.

Le souffle d'Aislinn sortit de sa bouche dans une secousse tandis que son corps réagissait au toucher de Gabriel et au son de sa voix, à la sensation des doigts qui s'enfonçaient lentement en elle, puis se retiraient, pour s'enfoncer de plus belle encore et encore.

— N'arrête pas, murmura-t-elle, oh Danu, s'il te plaît, n'arrête pas.

ANYA BAST

Il poussa un violent soupir, qui caressa l'épaule d'Aislinn et la fit frémir. Puis il saisit sa petite culotte et la tira brusquement jusqu'à ses genoux.

Il baissa sa fermeture éclair, força Aislinn à écarter les cuisses et inséra sa queue profondément en elle, la soulevant contre le mur. Et la main de Gabriel se faufila entre ses cuisses par devant pour relever ses jupes. Il trouva son clitoris et le caressa assidûment, sans relâche, tout en bougeant les hanches d'avant en arrière, poussant en elle. Il la prenait comme un animal contre le mur, lui arrachant un orgasme de force.

En jouissant, elle dut se mordre les jointures pour ne pas crier, afin d'éviter d'attirer l'attention. Gabriel se déversa tout au creux de son sexe, le nom d'Aislinn coulant de ses lèvres dans un grognement.

Il replaça sa petite culotte, baissa ses jupes, et la tourna face à lui. Il la força durement à relever le visage pour le regarder.

— Tu es à moi, Aislinn. Ne l'oublie jamais. Je t'attendrai, mais ne crois pas que je serai patient ou que je me comporterai poliment pendant ce temps.

Puis, il tourna les talons et s'éloigna.

Aislinn, tu dois nous donner le Livre de l'union.

Aislinn se réveillant dans un frisson, avec la sensation qu'un doigt glacé lui traçait la colonne vertébrale. La voix sinistre et haletante résonnait encore dans sa tête, empreinte d'une malice qui se cramponnait à elle. La voix l'incitait à se défaire du livre.

Pendant une fraction de seconde, ce fut son désir le plus fort.

Un désir *irrationnel*. Ses lèvres se retroussèrent.

La lueur de l'âtre illuminait la pièce, et le bois grésillait et craquait. À l'exception de ce bruit, l'appartement était silencieux et Aislinn ne sentait aucune présence, vivante ou non. Aucune âme qu'elle pouvait percevoir.

Elle avait fait un rêve et n'en avait attrapé que la fin. Elle savait pourtant qu'il ne s'agissait pas d'un rêve ordinaire. Ce songe était rempli de malice et était peut-être même tissé de… magie.

Elle fronça les sourcils. Était-ce possible ?

Évidemment, c'était une question stupide, puisqu'elle avait fait descendre une armée de morts maudits pour se battre contre le roi des Ténèbres. Si l'on se fiait à cet événement, tout était possible.

Elle frissonna et se glissa hors des draps de soie rouge et de la couette bleu saphir. Tout ce qui composait sa nouvelle chambre à coucher portait une teinte de pierre précieuse, tandis que l'élégant salon arborait des nuances de gris : du gris sombre au gris colombe, jusqu'au blanc grisé.

Sa robe de nuit collait à son corps, qui était encore moite du rêve. Aislinn se rendit devant l'âtre en face de son lit pour se réchauffer et chasser le reste de son cauchemar. Il ne faisait pas très froid dehors, mais elle préférait de loin la lueur d'un feu la nuit, dans la mesure du possible. Elle avait donc demandé à Hinkley de lui faire préparer un feu chaque soir. Elle s'agenouilla sur le tas de coussins posés devant le foyer et leva les bras vers les flammes.

Ces flammes lui rappelèrent Gabriel. Tendre les bras vers lui pour qu'il la réchauffe était son désir le plus sincère. Elle le voulait et il viendrait à elle si elle le lui demandait.

Parce qu'*il l'aimait*.

Les mots qu'il avait prononcés la faisaient encore frémir lorsqu'elle se remémorait la manière dont il les avait dits, la façon dont il avait anéanti tout doute traînant encore dans son esprit quant à l'amour qu'il lui portait. Kendal lui avait aussi dit qu'il l'aimait, *mais pas de cette manière*, pas avec une émotion imprégnant chaque syllabe, pas avec ce regard. Et les mots de Kendal n'avait jamais eu sur elle un effet comme ceux de Gabriel : elle se sentait molle, chaude, vulnérable et en mal de lui… et pourtant si remplie, si complète.

Comme si n'importe quoi pouvait lui arriver et que tout finirait toujours bien. Comme si l'amour de Gabriel lui fournissait une armure, la rendant invincible.

Il lui avait dit qu'il avait besoin d'elle. Et elle avait besoin de lui. Surtout en ce moment.

Tous ses réflexes lui criaient qu'elle ne devrait pas rester seule cette nuit. Chaque fibre de son corps réclamait haut et fort la présence de Gabriel. Elle avait perdu assez de temps à écouter ses craintes ; il était temps d'ouvrir les bras à l'homme qui lui avait avoué son amour si passionnément et sincèrement.

Si elle devait avoir mal à la fin, il n'y avait rien à faire. Ce proverbe humain était vrai : *Mieux vaut avoir aimé et perdu ce qu'on aime que de n'avoir jamais connu l'amour*. Même si laisser Gabriel lui briser le cœur reviendrait à se laisser fendre émotivement du menton aux entrailles. Le jeu en valait la chandelle.

Ce qu'elle ressentait pour lui valait la peine de prendre ce risque.

Le téléphone attendait patiemment sur la petite table près du foyer. Elle souleva le combiné et composa le numéro de Gabriel.

— Gabriel ? dit-elle, lorsqu'il répondit d'un « allo » ensommeillé.

Soudain, les mots la quittèrent et elle fut incapable de dire quoi que ce soit sans fondre en larmes.

Le doux frémissement du souffle de Gabriel remplit l'espace silencieux qui les séparait.

— J'arrive tout de suite.

Quelques moments plus tard, il était à sa porte. Elle lui ouvrit et lui dit d'emblée :

— Je t'aime aussi.

Les mots avaient été prononcés nettement et clairement et elle ne pouvait plus les effacer ; Gabriel les avait entendus.

Pour le meilleur ou pour le pire, ils étaient vrais.

Il traversa le seuil de la porte et la prit dans ses bras, la soulevant contre lui et enfouissant le nez dans ses cheveux, puis il referma la porte d'un coup de pied.

— Je ne vais pas te faire de mal, Aislinn. Tout ce que je veux, c'est t'aimer, murmura-t-il dans le creux de son épaule.

Elle frémit contre lui et laissa échapper un long soupir tremblant de soulagement.

Elle se retira dans l'appartement sombre, jusqu'à la chambre à coucher illuminée par le feu de foyer. Il la suivit jusqu'à son lit. Le reflet des flammes léchait seulement la moitié de son visage.

— C'est pour ça que tu m'as appelé ? Pour me dire ça ? demanda-t-il.

Elle se blottit contre son grand corps et huma son odeur délicieuse, cette quintessence d'eau de Cologne et de savon combinés à son parfum d'homme bien à lui.

— Je me suis réveillée et je te voulais à mes côtés. Le besoin de te voir et de te toucher était presque insupportable, comme un vide à l'intérieur de moi que je devais remplir.

Il prit sa main et lui baisa la paume doucement et lentement. Le geste la réchauffa davantage que ses feux nocturnes ne pourraient jamais le faire et chassa les derniers vestiges du cauchemar qui s'agrippait à son esprit.

— C'est ce que je ressens nuit après nuit depuis que tu m'as repoussé.

Aislinn baissa lourdement la tête.

— Tu m'as trahie une fois. Et Kendal…

— Je comprends, mais je ne suis pas Kendal.

Il y avait une note de colère dans la voix de Gabriel.

— Je suis beaucoup de choses, et j'étais encore plus de choses avant de tomber amoureux de toi. Tu avais raison de te méfier de moi au début, mais je ne suis pas Kendal.

— Je sais bien.

Il la prit par les épaules pour l'allonger sur le matelas et couvrir son corps en entier du sien, insérant un genou entre ses cuisses.

— Je sais que je n'ai pas la meilleure réputation possible auprès des femmes, mais *tu m'as*, Aislinn, corps et âme. Je n'ai jamais ressenti rien de tel pour qui que ce soit avant toi. Ça n'a rien à voir avec ton statut de reine. Au contraire, j'aimerais pouvoir retirer ce poids de tes épaules. Je t'aime, c'est tout. Chaque partie de toi, tout ce que je peux sentir.

Il posa un baiser sur le front d'Aislinn, qu'il laissa traîner jusque sur ses paupières, avant de lui embrasser le bout du nez et de poser les lèvres sur sa bouche, tout en murmurant :

— Chaque espoir que tu as, chaque peur, chaque centimètre de ta peau, de ta tête à tes orteils, et chaque centimètre de ton âme aussi.

Aislinn se cala dans les couvertures et le matelas, se sentant maintenant soutenue par la force de Gabriel. Une partie de la tension venant avec son nouveau rôle se relâchait.

— Je t'ai donné mon cœur il y a déjà un bon moment, alors que je croyais que c'était la chose la plus stupide que je pouvais faire.

— On ne choisit pas avec de qui on s'éprend. C'est quelque chose qui s'impose tout simplement. Je promets de prendre soin de ton cœur.

— Et je prendrai soin du tien.

— Tu l'as déjà fait. Tu lui as redonné vie.

Gabriel se tut un instant, tournant la tête vers le feu dans l'âtre.

— Il y a des choses que tu devrais savoir sur moi, Aislinn. Des choses que j'aurais dû te dire il y a longtemps, mais les circonstances ne m'ont jamais permis de le faire.

Elle se redressa à demi.

— Quoi ?

— Dans les années qui ont suivi la création de Piefferburg, les temps étaient durs. Plusieurs fae, la majorité en fait, souffraient du syndrome de Watt et des autres conséquences du Grand Balayage. J'étais jeune à cette époque et ma mère était morte, j'étais seul. Je n'avais pas d'argent, aucune façon de me nourrir.

Il avala sa salive et attendit un petit moment avant de poursuivre.

— Mais j'étais attirant et à moitié incube.

La gorge d'Aislinn s'assécha au moment où elle fit le rapprochement logique. *Danu, non.* Les horreurs qu'il avait dû endurer, enfant, et les humiliations. Son cœur saignait pour lui, pour le garçon qu'il avait été et tout ce qu'il avait dû subir pour survivre.

— Je...

Elle se pencha vers lui et l'enveloppa de ses bras, puis lui donna un baiser.

— Je comprends, murmura-t-elle contre ses lèvres. Tu as fait ce que tu avais à faire. Je t'aime, Gabriel. Je t'aime, peu importe ton passé. Je voudrais seulement pouvoir retourner dans le temps et changer le cours des choses pour toi.

Il l'embrassa à son tour.

— C'était il y a longtemps. J'ai guéri mes blessures les plus graves il y a plusieurs années, mais tu viens de mettre un baume sur celles qui restaient.

Elle enfouit sa tête dans le creux de l'épaule de Gabriel et sourit secrètement, ces mots lui réchauffant l'âme.

— Pourquoi t'es-tu réveillée? À cette heure de la nuit?

Le rêve lui revint soudainement à l'esprit, lui dérobant sa chaleur et effaçant son sourire.

— J'ai fait un rêve, Gabriel, un rêve comme je n'en ai jamais fait auparavant. On me contraignait à rendre le Livre de l'union, mais je ne sais trop à qui. C'était un rêve menaçant et il semblait presque imprégné d'une sorte de magie malveillante.

Elle lui jeta un bref regard.

— C'est impossible, non? Je n'ai jamais entendu parler de quelque chose du genre.

Le silence régna dans la chambre pendant un long moment, le corps de Gabriel raide aux côtés d'Aislinn.

— Nous demanderons à Ronan et à Niall au matin. Si quelqu'un connaît la réponse à cette question, c'est eux.

Elle posa les lèvres sur la clavicule de Gabriel, tâchant de se détendre et de dénouer la raideur alerte de son corps, voulant se perdre en lui et tout oublier du rêve.

Il baissa la tête, le feu crépitant et craquant au fond de la pièce. Ses lèvres effleurèrent celles d'Aislinn et elle tendit le cou pour mieux les sentir. La bouche de Gabriel recouvrit la sienne, puis il l'embrassa profondément, sa langue s'introduisant à l'intérieur pour caresser la sienne.

Elle gémit contre ses lèvres et se souleva légèrement, en bougeant les cuisses pour l'enrober à la taille. Gabriel laissa glisser une main de la taille à la hanche d'Aislinn, puis la referma sur la rondeur de sa fesse pour s'y agripper et l'attirer contre lui.

Ils se déshabillèrent l'un et l'autre sans se presser, révélant la peau soyeuse dans l'air douillet de la pièce. Des soupirs voletèrent dans la chaleur qui les enveloppait, soupirs qui se transformèrent bientôt en gémissements de plaisir, puis en plaintes réclamant plus l'un de l'autre. Puis il s'introduisit enfin entre ses cuisses, profondément, ne devenant qu'un avec elle. Par la danse enflammée de leurs corps, ils se montrèrent que les mots qu'ils avaient prononcés étaient vrais.

Gabriel se réveilla nu dans le lit d'Aislinn, les draps soyeux entortillés autour de lui. C'était le seul endroit au monde où il voulait se trouver. Les braises ne réchauffaient plus la pièce et le soleil du petit matin pointait le bout du nez, entre les bords des épais rideaux saphir de la fenêtre surplombant la Place Piefferburg.

Il se sentait inondé de bonheur et se retourna dans le lit, l'odeur marquant l'oreiller d'Aislinn lui remplissant les narines. Enfin, elle était à lui.

Toutes les étoiles semblaient soudain parfaitement alignées. Le monde était parfait comme il était.

Il tendit le bras pour la toucher, le souvenir de son corps pendant la nuit toujours frais à sa mémoire ; sa peau douce et la prise onctueuse de son sexe pendant qu'il s'enfonçait en elle, sa bouche chaude et l'enchevêtrement de leurs langues. Son nom était tombé des lèvres d'Aislinn, fusionné aux sons délicieux des orgasmes qu'il lui avait donnés.

Sa main chercha à tâtons de l'autre côté du lit, frottant les draps froids. Aislinn était déjà levée.

Gabriel leva la tête et jeta un coup d'œil au feu maintenant éteint dans l'âtre et aux meubles de couleurs vives et variées dans la pièce. Aislinn n'était nulle part en vue. Dans la cuisine ou la salle de bain, peut-être ? Il s'assit, laissant les draps lisses tomber à sa taille, et passa la main dans ses longs cheveux emmêlés.

Il avait l'intuition que l'appartement était complètement vide.

— Aislinn ? appela-t-il, sans recevoir de réponse.

Maintenant alarmé, il poussa les couvertures devant lui et se leva du lit. Il inspecta l'appartement, mais ne trouva toujours pas sa belle. C'est lorsqu'il retourna dans la chambre qu'il aperçut le bout de papier gris collé sur le manteau de la cheminée.

Il l'arracha de la pierre et le lut.

Donne-nous le livre et tu retrouveras ta reine.
Avertis les masses et elle mourra.
Le Grand Temple de la Ville des Gobelins. Dix-sept heures.

Il était là et ils l'avaient emmenée. Il était juste à ses côtés et c'était tout de même arrivé. Elle était maintenant en danger — une fois de plus — et il n'avait rien fait pour la protéger.

Gabriel écrasa la note dans son poing, son cœur battant la chamade, puis il enfila ses vêtements.

VINGT-CINQ

Ronan pianotait sur la table à café du salon d'Aislinn. Gabriel savait qu'il était inquiet. Il connaissait Ronan Quinn depuis très longtemps, depuis bien avant sa défection de la Tour Noire, lorsqu'il avait poursuivi le cœur de Bella à la Rose. L'expression sur le visage du mage et le tambourinement de ses doigts signifiaient que les choses n'allaient pas bien du tout.

Gabriel serra les mâchoires. La rage avait commencé à fumer au creux de son ventre lorsqu'il avait trouvé la note et elle ne s'éteindrait pas avant qu'il ait Aislinn dans les bras.

— Allez, parle, Ronan, grogna-t-il.

Bella se rapprocha de Melia. Les deux femmes avaient levé les yeux sur lui au son de sa voix.

Ronan soupira.

— Ça ne peut être qu'une chose si une magie dans ce rêve a dérangé Aislinn.

— Le Phaendir.

La réponse avait été fournie par Melia, sur un ton des plus pragmatiques.

Ronan confirma d'un abrupt hochement de tête.

Gabriel se mit à faire les cent pas devant le canapé.

— Ils veulent le livre, évidemment, et ils savent qu'Aislinn l'a caché quelque part. Je me demande s'ils font subir la même merde à la reine Été pour obtenir le morceau de la *bosca fadbh*.

— Ils recherchent le livre depuis très longtemps, Gabriel. Ils ne sont pas contents du fait que nous l'ayons à l'intérieur de Piefferburg, répondit Melia. Le morceau a une grande valeur aussi, mais il ne vaut rien sans le Livre de l'union. Ce livre détient la clé inestimable. S'ils mettent le grappin dessus et le détruisent, bien, les fae sont foutus.

— Ils ont peur, car nous possédons deux des quatre objets essentiels, murmura Bella. Ils craignent que nous arrivions un jour à briser le mur de garde.

Melia parla avec passion :

— Ils ont peut-être raison de s'inquiéter.

Elle pinça les lèvres en une fine ligne.

— Ils ne peuvent obtenir le livre, Gabriel, sous aucun prétexte. C'est plus important que la vie d'Aislinn. Tu sais qu'elle serait d'accord.

Gabriel tourna la tête vers Melia, un grondement vibrant au fond de sa gorge. Rien n'était plus important que la vie d'Aislinn, *rien*. Pourtant, une fois sa réaction primale passée, il savait que Melia avait raison. La majeure partie des habitants de Piefferburg vivaient dans l'espoir de retrouver un jour la liberté et ils la méritaient. Aislinn serait d'accord et elle n'hésiterait pas à mourir pour la leur accorder.

Mais il ne la laisserait pas mourir pour obtenir la liberté. Il ne le ferait pour rien au monde.

Il fixa Melia du regard pendant que ces pensées emplissaient son esprit et qu'il ébauchait une réponse à son dilemme. Elle s'enfonça dans les coussins du canapé à la vue de son expression.

— Nous ne leur donnerons pas le Livre de l'union, annonça finalement Gabriel, mais nous ne laisserons pas ces fils de putes avoir Aislinn non plus.

— Nous pouvons tous être d'accord sur ce point, appuya Bella. Je n'ai pas l'intention de sacrifier la vie d'Aislinn moi non plus, Gabriel.

— Nous devrons choisir soigneusement ceux qui nous aideront à élaborer notre plan, même en ce qui a trait aux autres membres de la bande. Même pour mon frère, dit Ronan. Il est difficile pour le Phaendir de recruter des appuis de ce côté des frontières, mais ce n'est pas impossible. Lorsqu'ils tordent le bras des fae pour obtenir ce qu'ils veulent, ils le font au moyen de menaces de mort qu'ils agitent au-dessus de leur tête ou de celles de leurs proches.

— Oui, corrobora Gabriel, en se remémorant Carina.

Elle avait fait ce qu'elle avait fait dans le but de protéger son mari, Drem, puis elle avait trouvé la mort lorsqu'elle avait échoué. Elle aurait probablement été tuée même si elle avait réussi sa mission.

— Personne, à l'extérieur de notre cercle, ne peut être au courant de notre plan.

Ronan acquiesça d'un hochement de tête.

— D'accord.

— Melia et Bella, pouvez-vous remplacer la reine, aujourd'hui ?

Elles assumaient le rôle d'assistantes de la reine et avaient été formées pour se charger des différentes activités de la cour lorsque la reine était indisposée.

Bella fit oui de la tête.

— Tout ce que la cour saura, c'est qu'Aislinn est malade.

— Alors, je vais rassembler tout le monde et nous commencerons à mettre au point notre plan. Nous ramenons Aislinn à la maison ce soir.

Ils ne s'étaient pas embêtés de lui enfouir un bâillon dans la bouche.

Ils n'en avaient pas eu besoin. Tout ce qu'ils avaient eu à faire, c'était lui passer les menottes de fer enchanté aux poignets et sa bouche ne pouvait pas se remplir des mots ou de la magie qui auraient fait descendre l'armée de gobelins à sa défense. Ses bras avaient été brusquement tournés derrière son dos, vicieusement tordus. Elle avait eu mal au début, mais la douleur s'était ensuite atténuée pour laisser place à l'engourdissement, et, à présent, elle ne sentait plus du tout ses bras.

Pourquoi l'avaient-ils emmenée en plein au cœur de la Ville des Gobelins ? C'était un mystère pour Aislinn. Tout ce qu'elle aurait à faire serait de se libérer les poignets, ce qui actionnerait ensuite sa langue et sa magie, d'appeler de l'aide, et les Phaendir qui l'avaient enlevée ne seraient plus que des hors-d'œuvre. Il devait bien y avoir une raison pour laquelle ils avaient choisi ce lieu, mais elle avait beau réfléchir, elle était incapable de résoudre le mystère.

Ils étaient peut-être simplement arrogants à ce point. Elle supposait qu'ils avaient peut-être le droit de se sentir supérieurs. Après tout, ils avaient réussi à garder prisonnières toutes les races de fae depuis plus de 350 ans.

Et un miracle devrait lui tomber dessus pour qu'elle puisse retirer ses menottes.

Toujours pieds nus et vêtue de sa fine robe de nuit, elle était assise sur la chaire du Grand Temple, au pied d'une énorme statue de jade gravé personnifiant la première déesse des gobelins, Orna.

Elle observait les silhouettes des robes noires des Phaendir pénétrer les lieux. Ils ne s'étaient pas présentés, mais elle savait qu'il s'agissait des druides. Ils s'étaient emparés du temple et l'avaient fermé. Qui sait ce qu'ils avaient fait des prêtres gobelins et de leurs dévots ?

Toutes les fenêtres du temple étaient fermées, les volets étaient clos, et toutes les portes étaient verrouillées. Ils avaient même mouché les chandelles sur les tables longeant les côtés du temple, que les gobelins venaient allumer lorsqu'ils priaient leurs dieux ; des divinités fort différentes de celles que le reste des fae vénérait.

Les divinités les moins importantes étaient honorées au moyen de statues qui se tortillaient et se déplaçaient sur les piédestaux bordant le temple, ensorcelées pour se modifier et se transformer continuellement. Le son graveleux de la pierre bougeant sans arrêt était la seule chose qui brisait le silence. La seule lumière qui pénétrait l'obscurité du temple provenait des panneaux de verre rouge pâle situés près du sommet des plafonds voûtés.

La lumière du jour se déplaçait paresseusement au fur et à mesure que le soleil traversait le ciel. Aislinn passait la majeure partie du temps à observer les particules de poussière danser dans l'atmosphère, lorsqu'elle n'incendiait pas les Phaendir du regard ou qu'elle ne mijotait pas des moyens de les battre ou de s'échapper sans sa magie.

Deux fois déjà, ils l'avaient attrapée en train d'essayer de s'enfuir par le fond du temple. Elle s'était donc vu assigner un druide solitaire pour la garder, pendant qu'ils en postaient d'autres aux portes qui donnaient sur les ruelles de Ville des Gobelins.

Ils ne l'avaient pas frappée, ne lui avaient fait aucun mal, sauf lorsqu'ils lui avaient tordu les bras derrière le dos pour lui passer les menottes. À aucun moment ils ne lui avaient adressé la parole. C'était des spectres puissants et silencieux, unis et inébranlables dans leur mission.

Bien sûr, elle n'avait aucune illusion sur le sort qui l'attendait.

S'ils obtenaient ce qu'ils voulaient, ils la laisseraient probablement partir. Ils n'avaient pas besoin de semer la discorde entre les fae, qui étaient, à tous les égards, sous leur domination totale, si bien que ces derniers étaient réellement impuissants. Une petite reine unseelie ne signifiait rien aux yeux du Phaendir. Pourvu qu'ils obtiennent le Livre de l'union, ils laisseraient aux fae leur reine unseelie et leurs traditions aussi ridicules qu'inoffensives. La haine fit remonter la bile au fond de la gorge d'Aislinn.

Mais ils n'obtiendraient jamais le livre.

Gabriel ne le leur donnerait pas. *Il ne pouvait pas.* Il savait que ce que le livre représentait transcendait son amour pour elle, transcendait même sa vie. S'il remettait le livre aux Phaendir, ils le détruiraient. S'ils le détruisaient, tout l'espoir qu'entretenaient les fae de sortir de Piefferburg s'évanouirait pour de bon. Elle ne pardonnerait jamais à Gabriel de détruire ce rêve et il le savait.

Son peuple voulait être libéré de Piefferburg.

En regardant les tyrans arrogants aux capuchons noirs, la furie s'enflamma dans son ventre, rageant, fusant dans ses veines, la gardant au chaud dans la salle sinistre. À cet instant, plus que jamais dans toute sa vie, elle voulait les voir perdre.

Elle voulait une vengeance.

La liberté pour les fae.

Elle voulait ses mains pleines d'armes ou sa bouche remplie de magie et son environnement immédiat débordant de légions de gobelins et de morts non pardonnés. Elle voulait vaincre ces hommes qui les opprimaient et qui les faisaient sentir tellement plus faibles qu'ils l'étaient. Mais tout ce dont elle disposait, c'était de ses pieds nus et d'une robe de nuit vaporeuse couvrant à peine sa peau glacée, de fer enchanté sur ses poignets et d'une magie bloquée à l'intérieur par un bouchon surnaturel. Même le tatouage brûlé dans sa chair lui semblait terne et estompé sur sa poitrine.

Les seules armes dont elle disposait maintenant étaient sa bouche, son esprit, et sa ruse.

— Pourquoi nous détestez-vous à ce point ? demanda-t-elle à l'homme qui la gardait.

La tête recouverte d'un capuchon se tourna vers elle et tout ce qu'elle vit fut la noirceur.

— Je ne suis pas ici pour converser avec vous. Je suis ici pour vous garder, et le cas échéant, vous exécuter.

Sa voix était monocorde. Bien qu'elle ait ressemblé à celle d'un humain, elle était dépourvue d'émotions. C'était de mauvais augure. Elle devait l'emmerder.

— Ils ne vous rendront jamais le Livre de l'union, qui est, j'en suis certaine, ce que vous leur avez demandé. Par conséquent, je suis une femme morte. Ne pouvez-vous pas honorer la dernière demande d'une reine condamnée et lui parler ?

Le garde se contenta de regarder par-dessus l'étendue des bancs qui remplissaient le temple.

— Vous devez avoir vraiment peur que les fae brisent le mur, pas vrai ? aiguillonna-t-elle tout bas, ses cheveux aux pointes rouges glissant par-dessus ses épaules tandis qu'elle levait le visage vers le druide.

» Ce que je veux dire, c'est que vous prenez des mesures extrêmes pour obtenir le Livre de l'union. Ce doit être la première fois que vous osez entrer dans la ville. Après tout, vous devez savoir que si l'on vous trouve, vous serez déchiquetés membre par membre, du moins dans ce quartier, avant d'être dévorés. C'est curieux que vous ayez choisi Ville des Gobelins pour vous installer.

— Ne présumez pas que vous connaissez nos intentions ou nos objectifs.

Ah, il y avait une note de colère dans sa réponse. Les choses allaient un peu mieux.

— Eh bien, je ne peux que présumer, puisque les Phaendir ne sont pas exactement communicatifs. Je connais mon histoire, bien sûr. Je connais la rancune que vous portez aux fae.

Elle pencha la tête de côté et emprunta un ton léger et innocent.

— Est-ce parce que nous avons levé le nez sur vous ? Nous vous avons donné une bonne fessée et vous avons humiliés, pas vrai ? Nous vous avons considérés comme inférieurs à nous ? Surtout les Tuatha Dé Danann Seelie. Évidemment, ces fae maîtrisent le snobisme comme un art à part entière.

Intéressante, sa manière de dire « ces fae » comme si elle n'en faisait pas partie.

— Les Unseelie ou la troupe vous auraient acceptés, mais vous étiez trop bons pour eux. Je suis Unseelie, mais en ce qui vous concerne, je crois que je suis d'accord avec les Seelie, continua-t-elle.

— Vous ne comprenez rien à rien, siffla l'homme.

— Ah, vraiment ? Bien, si ce n'est pas une vengeance pour avoir été rejetés, alors c'est la peur, à l'état pur. Faites-vous ceci parce que vous avez peur de nous ?

Elle marqua une pause.

— Mais j'imagine que vous avez raison d'avoir peur, *maintenant*, enchaîna-t-elle sur un ton insouciant.

Le druide lui tomba dessus.

— Peur ? Vengeance d'un affront social sans importance ? Un événement datant de l'histoire ancienne dont aucun de nous ne se souvient ? C'est ce que vous croyez ? Vous croyez que le Phaendir vous craint, chère enfant ? Nous vous avons emprisonnés ici. C'est nous qui vous avons jetés ici. Et nous pouvons vous faire tout ce que nous voulons. Nous pourrions convaincre le gouvernement humain que vous représentez une menace et vous faire exterminer, tous. Nettoyer la face de la terre de vos races crasseuses. À votre place, je ferais attention à ce que je dis, petite reine, et je serais heureuse d'être encore en vie.

— Mensonges. Vous n'êtes pas aussi puissants. Vous avez eu de la chance lorsque vous nous avez piégés, mais vous savez bien que les fae sont plus puissants que vous. Après tout, le Phaendir a eu recours à une panoplie d'astuces ridicules pour nous amener ici, n'est-ce pas ?

— Astuces ridicules ?

Il avança de quelques pas vers elle et le mouvement fit tomber son capuchon. C'était un homme, juste un homme. Il n'y avait aucun monstre sous la noirceur. Pas de créature hideuse. Un homme fait de chair et de sang avec un tour de taille épaissi. Un homme d'âge mûr au crâne légèrement dégarni, aux yeux bruns et aux lèvres minces. L'euphorie la submergea. Ils n'étaient pas invincibles.

— Vous avez bien entendu.

— Foi. Droiture. Vertu. Devoir. Songez à ces mots pendant un moment et vous vous approcherez peut-être de la vérité.

La tête de l'homme descendit si près d'Aislinn que ses paroles soulevèrent les cheveux bordant son visage.

Elle pouvait sentir son déjeuner dans son haleine. Il montra les dents.

— Vous avez devant vous les membres du Phaendir qui balaieraient les fae de la surface de la Terre pour en finir avec cette prison puante une fois pour toutes. Pensez au nom Gideon et craignez-le.

La bouche d'Aislinn se referma d'un coup.

— Conlon !

L'homme recula et rabattit son capuchon par-dessus sa tête au son de la réprimande qui avait survolé les rangées de bancs.

VINGT-SIX

La puanteur de la place du marché envahit le nez de Gabriel, et il essaya d'ignorer l'image de la source de l'odeur qui assaillait son esprit. Ville des Gobelins était rarement visitée par les autres fae et l'alimentation des gobelins en était la raison.

Les habitants de la ville nauséabonde venaient tout juste de terminer la célébration de l'un des trois festivals importants qu'ils organisaient chaque année. Ils ne célébraient pas Yule, Imbolc, Beltane, Samhain et les autres fêtes folkloriques comme le reste des fae. Ils perpétuaient plutôt la tradition des festivals de Yarlog, Lugoc et Warmok, qui soulignaient le changement des saisons. Ils venaient tout juste de célébrer Lugoc, qui marquait l'arrivée du printemps. Une banderole que le vent avait déchirée en lambeaux était tombée dans la rue et les gobelins s'amusaient à la réduire en loques sales sur leur passage.

Gabriel traversa l'embouchure de la rue qui menait au marché gobelin, duquel émanait la puanteur. On n'y vendait pas de fruits confits comme dans le poème de Christina Rossetti[1]. Les étalages présentaient plutôt de la chair, le plus souvent morte, mais parfois sous forme vivante, à être dégustée dans des circonstances douteuses. De petits commerces longeaient les rues infectes et bourrées de fêtards.

La population des gobelins avait explosé depuis le Grand Balayage, mais Ville des Gobelins n'avait pu se développer; elle s'était donc surpeuplée. Même si la région urbaine ne représentait qu'une petite partie de l'enceinte de détention de Piefferburg, les gobelins ne manifestaient aucun intérêt pour la campagne. Leur ville était ourlée sur deux côtés par le *ceantar dubh* et le *ceantar láir*, dont les frontières marquaient clairement les limites.

Dans l'ensemble, les gobelins choisissaient de ne pas se mêler aux autres fae.

Derrière Gabriel marchait sa bande : Melia, Aelfdane, Aeric et Bran, et il était flanqué de Ronan et Niall.

Ils étaient tous en tenue de combat et munis de leur magie la plus puissante. Dominant la rue pavée en entier, ils immobilisaient le trafic et faisaient tourner les têtes.

Gabriel ne voyait pratiquement que la rue se déployant devant lui, celle qui les mènerait au Grand Temple et à Aislinn. Il remarquait tout de même les gobelins interrompre leur course sur les trottoirs pour les observer. Les femmes, habillées de couleurs vives et ramenant à la maison des sacs de nourriture pour leur progéniture abondante, les regardaient défiler, bouches bées, leurs bras maigres pendus de chaque côté de leur corps. Certaines se rassemblaient en grappes, chuchotaient entre elles et pointaient le doigt vers

---

1. N.d.T. Référence au poème *Goblin Market* de Christina Rossetti.

la bande. Derrière eux s'était attroupée une poignée de gobelins, qui les suivait maintenant vers le temple. C'était exactement ce que la bande voulait.

Les Tuatha Dé Sídhe Unseelie n'étaient pratiquement jamais vus à Ville des Gobelins ; les Sídhe Seelie, jamais. Les fae de la troupe ne s'aventuraient pas dans cette région, tout comme les fae de la nature. Ils devaient bien se demander ce que leur valait la visite de ces étrangers.

Dans la note, le Phaendir avait averti Gabriel de ne rien dire aux masses. S'il parlait, le Phaendir le saurait indubitablement par ses moyens magiques. Gabriel avait trouvé une façon de contourner la règle. Il n'a pas soufflé un mot aux masses sur la présence des Phaendir. Par contre, les druides n'avaient rien dit sur la curiosité spontanée des gobelins. Les guider sans rien dire vers les Phaendir ne violerait pas l'ordre reçu.

De tous les lieux pour orchestrer une rencontre, Ville des Gobelins n'était pas le meilleur choix qui s'offrait au Phaendir. Cependant, Gabriel aurait pu essayer la même ruse dans n'importe quelle partie de Piefferburg et obtenir le même résultat. Même les gentils fae des Terres frontalières auraient été heureux de pouvoir écorcher quelques druides.

Il se demanda comment les Phaendir étaient entrés. Les portes principales de Piefferburg étaient surveillées de près par les fae, et chaque visiteur était annoncé aux deux tours. Il était possible que les Phaendir se soient dissimulés dans un envoi de fournitures, mais chaque véhicule était soigneusement inspecté deux fois : par le Phaendir à l'extérieur des barrières et par les fae à l'intérieur.

Peu importe le moyen qui lui avait permis d'entrer, il était clair que le Phaendir voulait désespérément mettre la main sur le Livre de l'union. Sans aucun doute, ces druides qu'il avait envoyés étaient facilement remplaçables. Ils devaient savoir qu'ils ne sortiraient jamais de la ville vivants. Gabriel était au moins convaincu de ce détail.

Pour ce qui était d'Aislinn, il n'était malheureusement pas convaincu qu'elle en sortirait vivante.

Ainsi, en martelant de ses lourdes bottes noires le pavé jonché de déchets, ses longs cheveux foncés battant la mesure sur ses épaules, Gabriel rassembla l'armée qu'Aislinn ne pouvait appeler et les emmena en promenade… pour les déposer directement sur les genoux des Phaendir.

Gabriel ne doutait pas une seule seconde que les gobelins le remercieraient du repas savoureux qu'il leur offrirait.

Le Livre de l'union demeurait caché dans son endroit secret. La décision de le laisser derrière retournait l'estomac de Gabriel; il craignait de perdre Aislinn, il craignait qu'elle soit déjà perdue. Mais cette peur alimentait sa rage. Le feu se répandait dans ses veines, lui chauffant leur cœur petit à petit, au rythme de ses pas vers la cathédrale qui se dressait au loin.

Lorsqu'ils se trouvèrent à environ deux coins de rue de leur destination, la bande se divisa et disparut dans les petites rues du quartier, laissant Gabriel en compagnie des mages et de la légion de gobelins curieux qui croissait derrière eux.

Ils firent halte à un coin de rue de la cathédrale, puis attendirent.

Un battement de cœur. Deux. Trois. Les doigts de Gabriel se crispaient, impatients de passer à l'action.

Quatre. Cinq...

Sans dire un mot, il regarda Ronan et Niall à tour de rôle, hochant la tête. Ils marchèrent en direction des portes de l'église, la magie s'agglutinant autour d'eux.

Gabriel appela Abastor. L'étalon effectua un piqué du haut du Monde des Ténèbres et son maître l'enfourcha sans tarder et galopa dans l'atmosphère sous le regard des gobelins ébahis, juste au moment où Ronan et Niall firent sauter les portes du temple. Si la bande avait fait son travail comme prévu, les druides seraient bientôt piégés par-derrière, grâce à une porte secrète qui leur avait été révélée par le contact gobelin de la Tour Noire.

Les Phaendir étaient stupides de les provoquer sur leur propre territoire.

Les sabots d'Abastor heurtèrent le verre teinté de rouge au sommet de l'église et le fracassèrent. L'objectif de Gabriel se résumait à une chose : trouver Aislinn et la protéger. À l'intérieur éclatait le chaos. Les Phaendir se battaient contre la bande et les mages, les giclées de magie fusant dans l'anarchie.

Aislinn était appuyée contre le mur aux pieds de la déesse et attendait. En se fiant à la lumière pénétrant par les vitres rouge pâle en haut du temple, elle devina qu'il était environ dix-sept heures. Conlon restait debout à côté d'elle, silencieux et immobile. Comme elle, il attendait. Elle n'avait pas réussi à le faire parler après la réprimande qu'il avait reçue de ses pairs.

Quelques moments s'écoulèrent, puis les portes du temple volèrent en éclats dans une explosion de magie qu'elle connaissait bien. Une fois la fumée dissipée, Ronan et Niall apparurent dans l'encadrement des décombres.

La bataille éclata aux quatre coins de l'église.

C'est donc ainsi que ça se passerait.

En s'appuyant sur le côté, Aislinn frappa l'arrière des genoux de Conlon d'un violent coup de pied, ce qui le projeta au sol. Avant qu'il n'ait la chance de réagir, elle lui administra un autre coup, cette fois dans la noirceur de son capuchon. Le cartilage mou craqua contre la voûte de son pied nu. L'homme grogna et se prit le visage entre les mains au moment où son capuchon glissa vers l'arrière. Lorsqu'il baissa les mains, Aislinn s'aperçut qu'elle lui avait cassé le nez. Le sang ruisselait sur sa bouche, jusque sous la courbe de son menton.

— Salope, gronda-t-il.

Il leva une main, psalmodiant dans une langue qu'elle ignorait, et la magie la frappa de plein fouet.

La douleur irradia d'un bout à l'autre de son corps, qui sombrait rapidement dans l'engourdissement. Son dos s'arqua et elle poussa un cri.

Il fallait tenir bon. Il fallait attendre Gabriel. Elle puisa chaque once de sa volonté pour lutter contre la magie suintant à l'intérieur de son être, qui lui volait la vie petit à petit. La dernière chose qu'elle vit avant que le monde disparaisse dans la noirceur fut Gabriel sur le dos d'Abastor, descendant du ciel comme un ange vengeur.

Mais il était trop tard.

La prochaine fois qu'il la verrait, ce serait pour récolter son âme.

Aislinn était là, sur le plancher, au pied de la déesse Orna, le teint blafard, les bras cruellement tordus derrière le dos, muette, trop immobile. Ses cheveux masquaient son visage dans un fouillis de pointes rouges.

Les gobelins se précipitèrent à l'intérieur pour envahir l'église et trouver les Phaendir encapuchonnés. La magie explosa autour de Gabriel au moment où son cheval atterrit parmi les rangées de bancs, lui inondant le nez du parfum du soufre, l'odeur du pouvoir des druides.

Mais la magie et le combat ne l'affectèrent pas alors qu'il glissait du dos d'Abastor et qu'il éliminait la distance le séparant de la forme molle et trop figée d'Aislinn. Tout semblait soudain défiler au ralenti autour de lui.

Un Phaendir bedonnant au capuchon sauvagement tiré vers l'arrière bondit devant lui pour lui bloquer le passage. Du sang lui tachait le nez, la bouche et le menton.

— Nous vous avions bien dit que nous allions la tuer, cracha-t-il.

Gabriel lui flanqua un coup de poing.

Le craquement des os du visage de l'homme fut satisfaisant, mais il n'avait pas le temps d'y prendre plaisir. Il poussa de son pied le corps du druide, courut trouver Aislinn et s'agenouilla. Le chagrin froid et vide lui remplit le cœur tandis qu'il soulevait le corps mou de sa douce pour le poser sur ses cuisses. En examinant ses yeux, il la palpa, cherchant le haussement de sa poitrine, mais ne trouva rien.

Pas de respiration. Pas de battement de cœur. Elle était trop froide et trop pâle pour être toujours en vie.

Gabriel la serra contre lui et plongea le nez dans ses cheveux.

— Non, lui ordonna-t-il. Ne me quitte pas, Aislinn. Pas maintenant. Pas comme je viens juste de te trouver.

Ils avaient vécu tant d'épreuves ensemble : l'attaque du roi des Ténèbres et le renversement de la Tour Noire. Elle ne pouvait pas mourir maintenant, pas après avoir survécu à tout le reste.

Son monde ne pouvait pas exister sans elle.

Il ferma les yeux et enfouit son visage dans le creux de l'épaule d'Aislinn, craignant de regarder autour de lui et de trouver son âme debout à ses côtés. Il n'était pas prêt à y faire face. Il ne serait jamais prêt.

VINGT-SEPT

— Des Phaendir ont été largués devant les portes de Piefferburg, Gideon. Tous les hommes connus pour vous suivre, vous et vos idées peu orthodoxes sur l'évolution future des politiques de l'organisation. Ils ont été rongés... par des gobelins.

Gideon avait emprunté une position démontrant le repentir le plus sincère, le nez au sol sous les yeux frère Maddoc. On lui avait brutalement déchiré sa chemise, exposant l'enchevêtrement de lacérations et de cicatrices marquant pieusement son dos.

Il ne pouvait rien nier. On l'avait attrapé.

— Je demande votre clémence et votre indulgence, frère.

Les bottes de Maddoc tournèrent autour de lui, déplaçant doucement la terre et l'herbe. Tous les membres du Phaendir et tous leurs employés humains s'étaient rassemblés sur la pelouse pour assister à sa réprimande publique. Même Emily. Les joues de Gideon brûlaient d'humiliation.

— Je me suis montré clément envers vous, frère Gideon, entonna très fort Maddoc pour que les spectateurs puissent l'entendre.

» J'ai été plus qu'indulgent envers vos idées qui vont tout à fait à l'encontre des miennes. Je vous ai laissé votre poste, car beaucoup vous soutiennent et je voulais respecter leurs croyances. Des hommes comme ceux que vous avez utilisés aujourd'hui, comme s'ils étaient interchangeables. Les bottes s'arrêtèrent devant lui.

» Dans le cadre d'une mission secrète que vous avez menée seul, en sacrifiant la vie de bons druides. Dites-moi Gideon, quel prix devriez-vous payer pour ces crimes odieux ?

— Ce que j'ai fait, je l'ai fait au nom de Labrai.

— *Et que croyez-vous que Labrai pense du sacrifice inutile de la vie de plusieurs Phaendir ?*

Maddoc avait rugi ces mots avec une puissance que Gideon avait oublié qu'il possédait.

— Que croyez-vous qu'il pense des missions et des programmes secrets ? Que croyez-vous qu'il pense des Phaendir sournois et malhonnêtes grimpant les échelons de l'organisation ? Et que croyez-vous qu'il pense de la perte des artefacts des Phaendir qui pourraient mettre en danger tout ce que nous avons de précieux ?

Gideon leva le nez. Son regard effleura le visage inquiet d'Emily, avant de se concentrer instantanément sur frère Maddoc.

— Je regrette si amèrement ce que j'ai fait, psalmodia-t-il, faisant de son mieux pour avoir l'air misérable et contrit. Je sais que ce que j'ai fait est mal. Je vous en prie, laissez-moi vivre pour que je puisse vous servir et servir Labrai un autre jour.

Un silence passa. Le dos de Gideon se crispa. Un spasme de douleur lui traversa le cou.

— Vous êtes déclassé, frère Gideon, vous descendez au bas des quatre échelons de la structure du pouvoir, annonça finalement frère Maddoc. Et vous recevrez publiquement des coups de fouet pour vos péchés.

Gideon rebaissa la tête contre le sol et ferma les yeux, soulagé. Il n'était pas surpris que le faible frère Maddoc lui ait permis de vivre, mais il se sentait délivré par le verdict prononcé à haute voix. Il avait peut-être été rétrogradé et humilié, mais il resterait en vie. Et aussi longtemps que l'air emplirait ses poumons, il continuerait sa quête pour prendre la place de frère Maddoc.

Maddoc devrait le tuer. S'il n'était pas si bête, il le ferait.

Même si Gideon avait failli dans sa quête du Livre de l'union, il finirait par voir ses idées diriger les politiques du Phaendir.

Il verrait ensuite à l'extermination de chaque chose portant le sang fae dans Piefferburg.

Malheureusement, il fallait commencer par ses frères. C'était assez clair. Il était temps de se retrousser les manches et de se salir les mains. Quatre échelons en dessous, au plus bas de la structure organisationnelle ? Pitié aux hommes au-dessus de lui.

Pitié à frère Maddoc.

Des hommes empoignèrent ses vêtements, déchirant le tissu et le laissant nu par terre. Le craquement du fouet en cuir se déroulant derrière lui retentit dans l'air et le fit frémir d'excitation. Le premier coup s'écrasa contre sa chair et son corps se cambra vers l'arrière sous le choc et la douleur. Le sang chaud jaillit, puis la douleur cuisante suivit, douce et délicieuse.

La foule émit un halètement d'horreur collectif, mais personne ne devina que la grimace de Gideon était en fait un sourire.

Sa volonté serait faite.

— Je suis désolé, Gabriel.

— Je ne veux pas entendre ça.

Sa voix était dure et pleine de chagrin.

— Je veux entendre que tu peux la faire revenir.

Ronan sourit tristement.

— Je suis un mage puissant, mais je ne suis pas tout-puissant. Les questions de vie ou de mort relèvent du domaine de Danu.

Aislinn était étendue sur le lit de ses appartements, la pâleur de sa peau contrastant avec les draps rubis dans lesquels ils avaient récemment fait l'amour. Le tatouage de l'amulette, quoique terne, était toujours visible. La marque signifiait qu'elle était toujours vivante, mais à peine. Dans l'engourdissement qui s'était emparé de Gabriel au temple, il n'avait pas saisi ce fait comme étant un signe de vie.

Les médecins n'avaient pu détecter qu'une respiration très faible, et elle avait le teint terreux et les yeux fermés. La maladie qui l'affligeait était de nature magique, ce qui signifiait que même les traitements médicaux ne pouvaient l'aider. Seuls des moyens de lutte magiques lui seraient utiles, et il n'y en avait pas. Aislinn était laissée à elle-même.

— Une personne plus faible serait déjà morte, murmura Niall, s'approchant pour la regarder. Elle combat. Tant qu'elle continue à combattre, il y a de l'espoir.

La bataille au temple était terminée et tous les Phaendir qui avaient osé traverser la frontière de Piefferburg étaient morts et avaient été livrés par camion de l'autre côté des portes, puis jetés par terre sans cérémonie. *Faelébrités* avait adoré. Le Livre de l'union était toujours en sécurité. Les rumeurs racontant ce qui s'était produit au Grand Temple s'étaient vite répandues : le deuxième remue-ménage de la ville en moins d'une semaine.

Toutes les races de fae étaient énervées. Fulminantes. On pouvait sentir leur énergie vibrant dans les rues.

Peut-être maintenant plus que jamais, sans considérer les années ayant suivi le Grand Balayage, les fae voulaient faire couler le sang pour ce qu'on leur avait fait subir.

La nouvelle sur le sort de la reine Unseelie s'était également diffusée dans la ville.

Plusieurs étaient passés pour présenter leurs respects. Son appartement et le couloir au-delà étaient jonchés de fleurs, de chandelles et d'autres babioles de bons souhaits. Même la reine Été avait fait envoyer un bouquet.

Aislinn traînait dans une sphère quelconque où Gabriel ne pouvait la rejoindre. Ni ici, sur la terre des vivants, ni dans le Monde des Ténèbres. Elle existait quelque part entre les deux, suspendue par la magie des druides qui avaient tout fait pour la tuer. Il ne pouvait aller la chercher et la sauver. Cette fois, il ne servait à rien de faire venir Abastor, ou de descendre vers l'inconnu pour la libérer. Cette fois, il n'y pouvait rien. Elle était complètement seule.

Et ça le rendait fou.

S'il pouvait se laisser tomber dans la magie qui la gardait captive, il la laisserait l'avaler tout rond. S'il pouvait nager dans le brouillard qui la tenait si près de la mort et la libérer, il plongerait dedans. Il se laisserait emporter par la magie et la laisserait vivre, respirer et rire. Libre d'aimer.

— Puisqu'elle n'avait pas d'enfants, nous devrons considérer une série de candidats pour l'amulette des Ténèbres, suggéra Hinkley, se tenant près de la porte.

Gabriel se tourna vers lui pour le fusiller d'un regard si noir et venimeux que le serviteur trébucha dans son empressement à quitter la pièce.

Se retournant vers Aislinn, Gabriel la regarda attentivement, ses yeux traçant le dessus de son corps pour la millionième fois depuis qu'ils l'avaient transportée de Ville des Gobelins à sa demeure. Il ne s'était pas encore changé et les effluves résiduels de soufre provenant du pouvoir des druides s'accrochaient toujours à lui, narguant le parfum des fleurs dans la pièce.

— Laissez-moi seul avec elle.

La voix de Gabriel semblait rauque et brisée, même à ses propres oreilles.

Ronan hocha la tête et conduisit les autres à l'extérieur de la pièce.

Gabriel rampa sur le lit et tira le corps lâche d'Aislinn contre lui. Sa peau était froide et ses lèvres étaient bleues. Il la moula contre son corps et lui baisa la joue, le cou, chaque bout de chair sur lequel il pouvait poser les lèvres.

— Je t'aime, Aislinn, murmura-t-il. Je n'ai aimé personne depuis mon enfance. Je croyais avoir oublié comment aimer ou peut-être même en être incapable. Puis je t'ai rencontrée.

Sa voix se brisait sur les mots et il luttait pour se maîtriser.

— Je ne peux pas te perdre.

Les cierges laissèrent couler leur cire goutte à goutte dans leur bougeoir, leurs flammes lançant des ombres sur les murs, jusqu'à ce qu'ils s'épuisent complètement.

Finalement, le matin se leva, ses reflets rosés s'étirant jusque sur les meubles et le plancher, donnant à la pièce une gaieté légère qui laissa de glace le cœur de Gabriel. Il ferma les yeux tout en tenant Aislinn, incitant son esprit à pénétrer en elle d'une façon ou d'une autre pour la libérer du piège dans lequel elle était prise. Il tenta de se projeter en elle, de tomber dans son âme. S'immerger dans ses eaux troubles, se joindre à la portion blessée de son esprit et de son corps pour la sortir des obscures forces magiques qui avaient enfoncé leurs griffes si profondément en elle.

Mais sa magie ne touchait qu'à deux choses : le sexe et la mort.

Pas la vie.

— Bats-toi. Reviens-moi.

Il se souleva et la fixa des yeux.

— M'entends-tu, Aislinn ? *Bats-toi !* Tu es à moi, tu te souviens ? Tu n'appartiens pas à la mort, pas encore. Tu n'appartiendras pas au Monde des Ténèbres avant de nombreuses années, pas avant très longtemps, longtemps après que nous aurons eu des enfants et que nous les aurons vus grandir. Longtemps après que nous serons devenus vieux ensemble.

Mais elle ne bougea pas, ne lui donna aucun signe indiquant qu'elle entendait son appel.

Gabriel fondit sur elle et combattit la tristesse se soulevant des profondeurs de son cœur, qui menaçait de l'étouffer.

— Ne me quitte pas.

Aislinn tira sur les mains qui la gardaient prisonnière : les mains tendues des âmes du Monde des Ténèbres qui voulaient l'attirer vers les profondeurs insondables.

— Tu es à nous, soufflaient certaines.

— Cesse de lutter, grondaient d'autres.

— Laisse-toi aller et ce sera terminé, chantonnaient-elles toutes, ce sera si facile…

Son corps et son esprit étaient épuisés. Chaque fois qu'elle réussissait à se défaire de la prise d'une grappe de mains, un nouvel amas s'accrochait à une autre partie de son corps et la lutte recommençait.

Tout ce qu'elle voulait, c'était dormir, abandonner et lâcher prise… ce que les voix l'encourageaient à faire. Mais au fond de sa conscience, elle comprenait ce sommeil qui lui faisait tant envie, c'était le sommeil de la mort.

Quelqu'un au loin appela son nom, lui dit de se battre, lui dit qu'elle était à lui, et non à la mort. La mort. Était-ce les mains de la mort qui tiraient ? « Bats-toi. Reviens-moi. » La voix lui était familière. C'était quelqu'un qu'elle aimait.

Gabriel.

Elle se souvint de son visage, se remémora ses caresses, ses mains lui réchauffant la chair et la douceur de ses lèvres lui baisant la nuque. Son odeur lui chatouilla le nez, un souvenir lointain dont elle voulait s'envelopper, comme une couverture douce et douillette. Le regard qu'il lui portait lorsqu'il la désirait, le son de sa voix, son rire.

Elle tâcha de se concentrer sur le souvenir de Gabriel et se dégagea peu à peu des mains envahissantes. Elle appela une image de l'homme qu'elle aimait et tendit vers elle, s'y ancra.

« Ne me quitte pas. »

Non, elle ne voulait pas le quitter. Elle devait se battre. Elle n'appartenait pas à ces mains qui s'accrochaient à son corps et le tiraient. Elle était l'amour de Gabriel. Il le lui avait dit. Elle voulait être à lui.

Et c'est ce qu'elle était, de cœur, de corps et d'esprit.

Avec une force renouvelée, Aislinn se battit.

Elle tira et frappa et lutta et se tordit, répondant en hurlant aux mains qui n'arrivaient pas à l'avoir. Elle était déjà réclamée. Réclamée par la vie et par l'amour.

Une image s'éleva. Gabriel était debout derrière un voile d'argent scintillant, comme un miroir lisse ou la surface d'un lac.

Il tendit le bras à travers la barrière qui les séparait, lui offrant sa main. Aislinn saisit cette bouée de sauvetage et s'y accrocha, l'utilisa comme force d'appui contre l'aimant noir tenace qui l'attirait de l'autre côté.

Une faible lueur miroita. Les mains faiblirent, puis disparurent dans la noirceur.

La lumière s'intensifia.

Ses paupières se soulevèrent.

La lumière du matin.

Une chaleur à ses côtés.

Malgré la douleur et la fatigue imprégnant chaque partie de son corps, elle tourna la tête pour trouver le visage de Gabriel. Ses yeux étaient fermés et son beau visage était marqué par l'angoisse.

— Gabriel, croassa-t-elle.

Les yeux de Gabriel s'ouvrirent, s'écarquillant. Il prit doucement le visage d'Aislinn entre ses mains, comme s'il craignait qu'elle se brise ou qu'elle disparaisse. Son visage se remplit d'une émotion inexprimable. Il plongea la tête vers elle, pressa ses lèvres contre les siennes, s'y attardant longuement.

— Je croyais t'avoir perdue, chuchota-t-il contre sa bouche.

Aislinn sourit, baignant dans la chaleur exquise du foyer que ses bras lui procuraient et sachant qu'elle était exactement là où elle devait se trouver.

— Jamais. Je suis à toi.

VINGT-HUIT

Aislinn était debout sur le toit de la Tour Noire, à la tombée du jour, et portait toujours sa robe de mariée, une création écarlate et crème assortie à des chutes de bijoux, qui rivalisait avec n'importe quelle tenue de la reine Été. Ses cheveux étaient retenus en torsade derrière sa tête et les pointes rouges se déployaient sur le dessus, fixées par une couronne noire et argenté.

Son nouveau mari se tenait à ses côtés, maintenant roi. La Cour Unseelie n'avait jamais eu à la foi un roi des Ténèbres et une reine des Ténèbres, et les résidents célébraient cet événement depuis la cérémonie qui avait eu lieu dans la matinée.

À une certaine époque, des centaines d'années auparavant, le mariage était un fait inconnu de la culture fae. Toutefois, la tradition humaine s'était infiltrée dans la leur et le mariage était devenu chose commune. Mais pas pour les souverains.

Les reines avaient parfois un prince consort, mais elles ne leur faisaient jamais confiance au point de partager le pouvoir avec eux.

Dès qu'Aislinn s'était remise sur pied, elle avait su sans même se poser la question qu'elle épouserait Gabriel. Ils appartenaient l'un à l'autre, étaient faits pour être ensemble, et ils régneraient côte à côte.

La cérémonie avait été ravissante, mais la beauté de la célébration n'avait pas reposé sur le décor de la grande salle de réception, sur le repas et le vin somptueux qui avaient suivi, ou même sur la joie et l'humeur festive du peuple unseelie. Honnêtement, Aislinn avait à peine remarqué toute cette fanfare. Ses yeux étaient restés accrochés au visage de Gabriel.

Les vœux qu'il avait prononcés avaient fait écho dans son esprit toute la journée.

Il avait d'abord énoncé les mots en vieux maejian, tissant le sort qui les avait unis, la magie entrelaçant leurs âmes pour n'en faire qu'une. Dorénavant, peu importe où Aislinn irait, Gabriel la suivrait. Il avait ensuite répété ses vœux en français.

Je te donne mon sang, ma chair et mon souffle.
Je te donne mon âme et l'esprit qui l'habite.
Si les autres te rejettent, je te chérirai.
Si le danger surgit, je donnerai ma vie pour te protéger.
Si ton honneur est perdu, je te couvrirai du mien.
Si la maladie te frappe, je te guérirai.
Si tu es perdue, je te trouverai.
Demande-moi de ne jamais te quitter. Ne me demande jamais
*   d'arrêter de te suivre.*

Peu importe où tu iras, j'irai aussi. Pas même la mort ne nous séparera.
Je suis à toi.

Aislinn avait été surprise qu'il utilise les Vœux d'alliance, les vœux traditionnels d'union des Tuatha Dé. Plus personne ne les utilisait en raison de leur magie irrévocable. Ils liaient les âmes l'une à l'autre, les fusionnant en une seule. Lorsque l'une d'elles mourait, l'autre la suivait. Inversement, puisque l'amulette des Ténèbres rendait Aislinn immortelle, Gabriel l'était maintenant aussi. À l'instant où il s'était engagé envers elle, les vœux empreints de magie l'avaient enveloppée, puis étreinte, lui faisant savoir que l'amour de Gabriel était pur, sincère, et puissant.

Non qu'elle en avait douté jusqu'alors.

Aislinn avait prononcé les vœux aussitôt, des larmes de joie ruisselant sur ses joues.

Gabriel lui avait ensuite pris la main et ils étaient restés là, dans un silence heureux et complet, observant la foule à leurs pieds. Ils avaient réussi à s'éloigner discrètement à la fin de la journée, laissant les autres continuer la fête, qui, Aislinn en était certaine, se prolongerait très tard dans la nuit.

Le crépuscule s'élevait à l'horizon. Les étendues d'orange et de jaune s'estompaient derrière les teintes sombres du bleu, du violet et du gris. Tranquillement, le jour se dissipait, redonnant son règne à la noirceur.

La ville semblait toujours bouillonner et vibrer de colère après avoir découvert que le Phaendir avait osé fouler le sol de Piefferburg. Les vieilles douleurs de l'emprisonnement des fae, calmées et soulagées depuis longtemps, s'étaient ravivées.

Peut-être que le voyage d'Aislinn aux portes de la mort avait été une bonne chose, après tout. C'était une rage qu'ils pourraient utiliser à leur avantage.

Le livre était sagement caché et la reine Été détenait l'un des morceaux de la *bosca fadbh*. Ils avaient besoin des deux autres morceaux. Il semblait impossible de les obtenir, mais il était déjà impossible de posséder la moitié des objets nécessaires pour retrouver leur liberté.

Manifestement, tout pouvait arriver. Dans les jours à venir, Aislinn était assez certaine que beaucoup de choses arriveraient.

Elle posa la tête sur l'épaule de son mari et observa le jour rendre son dernier souffle de lumière et céder le pas à la noirceur, mystérieuse et puissante.

Chers lecteurs,
Vous êtes curieux de voir où se trouve Piefferburg ?
Visitez mon site Web pour y découvrir
une carte interactive :
www.anyabast.com

GLOSSAIRE

Abastor L'étalon noir mystique qui mène la Chasse sauvage.

Amulette des Ténèbres Celui ou celle qui porte l'amulette détient le trône Ténèbres, bien que l'amulette puisse rejeter quelqu'un qui n'appartient pas à la bonne lignée. Elle s'enfonce dans le corps du roi ou de la reine, l'imprégnant ainsi de son pouvoir et de son immortalité, ne laissant qu'un tatouage sur la peau pour marquer sa présence physique.

Bande furieuse Ceux et celles qui suivent le seigneur de la Chasse sauvage chaque nuit pour recueillir les âmes des fae ayant péri et les transporter jusqu'au Monde des Ténèbres.

Bosca fadbh Boîte casse-tête formée de trois morceaux qui s'emboîtent. C'était jadis un objet appartenant à la fois aux Phaendir et aux fae, à l'époque où ils n'étaient pas ennemis. Lorsque les trois morceaux sont unis, ils forment une clé qui ouvre une partie du Livre de l'union.

Ceantar dubh District noir. Quartier des contreforts de la Tour Noire.

Ceantar láir Disctrict du Centre. «Banlieue» des fae, qui borde également une zone largement commerciale du centre-ville de Piefferburg, où la troupe réside et travaille.

Chasse sauvage Réalisée à l'aide de chevaux et de chiens de chasse mystiques et menée par un petit groupe de fae connu sous le nom de Bande furieuse, cette quête que dirige le seigneur de la Chasse sauvage récolte chaque nuit les âmes de tous les fae ayant péri depuis la veille et les transporte jusqu'au seuil du Monde des Ténèbres. L'identité des fae unseelie qui participent à la Chasse sauvage est gardée secrète.

Danu Première déesse des Tuatha Dé Danann, Seelie et Unseelie. Elle est aussi louée par d'autres races de fae et est accompagnée par un petit panthéon de dieux inférieurs.

Fae de la nature Comme les fae de l'eau, ils restent à l'écart de la zone urbaine de Piefferburg, et choisissent plutôt de vivre dans les Terres frontalières.

Fae de troupe Également appelés «la troupe», ces fae n'appartiennent à aucune cour et ne sont ni des fae de la nature, ni des fae de l'eau.

Fae de l'eau Les fae qui vivent dans les grandes régions des lacs et des cours d'eau de Piefferburg. Ils restent à l'écart de la ville de Piefferburg et ne se mêlent pas aux activités ou à la vie politique des cours.

Fer enchanté Fer empreint d'un sortilège destiné à extirper la magie d'un fae lorsqu'il lui touche la peau. On s'en sert pour fabriquer des menottes qui sont utilisées dans les prisons et par les gardes Impériaux et des Ténèbres, mais il est interdit à la population fae générale d'en posséder. Les armes en fer enchanté constituent l'une des principales causes de la défaite des fae à l'issue de la guerre contre les Milesiens et les Phaendir, guerre qui a eu lieu dans l'Irlande ancienne.

Grand Balayage Opération au cours de laquelle les Phaendir, alliés aux humains, ont traqué, piégé et emprisonné tous les types de fae connus pour les enfermer dans Piefferburg.

Humains pour la liberté des fae (HLF) Organisation d'humains qui milite pour l'égalité des droits des fae et la destruction de Piefferburg.

Jonc Été Comme pour l'amulette des Ténèbres du roi ou de la reine Unseelie, ce bijou confère un grand pouvoir et un gage d'immortalité à celui ou celle qui le porte. Il s'enfonce aussi sous la peau, ne laissant qu'un tatouage à la surface, et il peut rejeter son détenteur à son gré. Ce jonc détermine qui détient le trône Seelie.

Jules Piefferburg Architecte humain qui a conçu Piefferburg. La statue érigée en son honneur sur la Place Piefferburg est faite de fer enchanté, ce qui signifie qu'elle ne peut être démolie. Les fae ont donc recours à d'autres moyens pour la déshonorer, comme la vêtir d'accoutrements irrespectueux ou lui lancer de la nourriture.

Labrai Le dieu en lequel croient les Phaendir.

Livre de l'union Livre créé au temps où les Phaendir et les fae étaient alliés. C'est le volume de sortilèges le plus complet qui soit connu. Il contient la formule magique capable de briser le mur de garde invisible autour de Piefferburg.

Mal des fers Maladie contractée lorsque du fer enchanté est pressé contre la peau d'un fae pendant une période prolongée et, ultimement, fatale.

Monde des Ténèbres Là où vont les fae après la mort.

Observateurs dévoués Partisans humains inconditionnels du travail qu'effectuent les Phaendir dans le but de garder les races de fae séparées du reste du monde.

Orna Première déesse des gobelins, accompagnée de nombreux dieux inférieurs.

Phaendir (fã-diʀ) Race de druides dont les origines demeurent obscures. Chez les fae, la croyance populaire veut que leur propre lignée génétique remonte à la lignée originelle des Phaendir. Quant à ces derniers, ils croient qu'ils ont toujours été une race distincte et surtout, supérieure. Autrefois alliés des fae, les Phaendir sont maintenant leurs ennemis mortels.

Place Piefferburg (fi-fœʀ-bœ̃ʀg) Grande place pavée où se trouvent la statue de Jules Piefferburg au centre et les tours Rose et Noire de chaque côté.

Roi ou reine des Ténèbres Détenteur ou détentrice du trône Unseelie.

Roi ou reine Été Détenteur ou détentrice du trône Seelie.

Seelie (si-li) Classe dirigeante de fae hautement sélective, les Seelie n'admettent dans leurs rangs que les Tuatha Dé Danann Sídhe. Les membres doivent faire partie des descendants de la lignée originale des Seelie ayant dominé l'Irlande ancienne et leur magie doit être légère et jolie.

Sídhe (ʃi) Autre nom pour les fae (irlandais) Tuatha Dé Danann, les Seelie comme les Unseelie.

Syndrome de Watt Maladie ayant touché toutes les races de fae au paroxysme des guerres de races. Elle a décimé la population fae, a révélé sa présence aux humains et a finalement causé son déclin, les affaiblissant au point où les Phaendir ont pu les rassembler et les enfermer dans Piefferburg. Certains croient que ce syndrome était en fait une arme biologique utilisée par les Phaendir.

Terres frontalières La région où vivent les fae de la nature.

Tour Noire Grand édifice situé sur l'un des côtés de la Place Piefferburg, construit en quartz noir. C'est la demeure de la Cour Unseelie.

Tour Rose Construit en quartz rose, cet édifice sied sur l'un des côtés de la Place Piefferburg et héberge la Cour Seelie.

Tuatha Dé Danann (tua-ha de da-nan) La plus vieille race d'êtres animés sur terre : les fae. Ils étaient déjà évolués et raffinés à l'époque où les humains vivaient encore dans des grottes. Ils sont venus en Irlande dans les temps anciens et ont renversé le peuple autochtone. Les Tuatha Dé Seelie dirigeaient les autres races de fae. Lorsque les Milesiens

ANYA BAST

(une peuplade d'humains de l'Irlande ancienne) se sont alliés avec les Phaendir pour détrôner les fae, ces derniers ont dû accepter de partir sous terre. Ils ont disparu de toute la connaissance humaine pour n'y laisser qu'un mythe.

Twyleth Teg (tel-ɛg te) Fae gallois. Ils sont rares et vivent dans toutes les couches du spectre social.

Unseelie (œ̃n-si-li) Une classe dirigeante de fae, les Unseelie acceptent tout être doté de magie noire qui désire s'intégrer à leur cour, mais la vraie définition d'un fae unseelie est celui ou celle dont la magie peut faire couler le sang ou tuer.

Vieux maejian Langue originale des fae. C'est une langue morte pour la plupart des fae, sauf pour ceux et celles qui prennent la pratique de la magie au sérieux.

Ville des Gobelins Zone de la ville de Piefferburg où habitent les gobelins, une race de fae aux traditions différant grandement de celles des autres types de fae.

Vœux d'alliance Anciens vœux empreints de magie qui unissent deux âmes. Peu utilisés dans la société fae moderne en raison de l'engagement qu'ils représentent.

À PROPOS DE L'AUTEURE

Anya Bast est l'auteure de nombreuses œuvres de fiction romantique, pour la plupart paranormales et brûlantes de sensualité. Elle habite à la campagne dans le Kentucky avec son mari, sa fille, huit chats, un chien et un drôle d'assortiment d'animaux rescapés. De nature quelque peu solitaire, elle peut se laisser convaincre par une bonne bouteille de vin rouge, des films classiques ou de la bonne musique. Lorsqu'elle n'est pas en train d'écrire, on peut la trouver dans son jardin à essayer de faire pousser des légumes biologiques, dans les boutiques d'occasion à la recherche du vêtement parfait, ou perdue dans ses rêves de voyage dans un pays lointain. Anya adore lire les commentaires de ses lecteurs. Vous pouvez lui écrire en visitant son site Web : anyabast.com.

NE MANQUEZ PAS
LE LIVRE 2

UN

Emmaline Siobhan Keara Gallagher.

Tin ! Tin ! Tin ! L'impact du marteau sur le fer chaud résonnait le long de ses bras et dans ses épaules.

Tandis qu'Aeric forgeait le morceau de fer pour en faire une lame enchantée, le nom d'Emmaline battait la mesure en staccato dans son esprit.

Il leva furtivement les yeux vers le portrait d'Aileen, qu'il gardait dans sa forge comme souvenir, et son marteau redoubla d'ardeur. Ce n'était pas tous les soirs que le feu de la vengeance brûlait si furieusement dans son cœur. Plus de trois cent soixante années étaient passées depuis que l'assassin de la reine Été avait tué son amour, Aileen.

Emmaline Siobhan Keara Gallagher.

Il avait eu amplement le temps de se remettre de sa perte. Pourtant, sa rage flambait vivement ce soir, comme si l'événement avait eu lieu trois jours plus tôt et non trois cents ans auparavant. C'était presque comme si la source de sa vengeance se trouvait tout près, ou qu'elle pensait à lui. Peut-être que, comme il l'avait imaginé pendant tant d'années, il partageait un lien psychique avec elle.

Un lien né d'intentions cruelles et violentes.

Il était certain que si le pouvoir de ses pensées pénétrait réellement l'esprit de la meurtrière, elle faisait des cauchemars à son sujet. Si jamais elle songeait à son nom, c'était avec un frisson qui lui glaçait le sang.

Si Aeric savait ce à quoi elle ressemblait vraiment, il visualiserait son visage à chaque coup de marteau. À la place, il ne faisait qu'appeler l'essence de la fae à son esprit, en forgeant des armes que d'autres brandiraient pour tuer, mutiler et infliger la souffrance. S'il pouvait leur donner un nom, il les nommerait toutes *Emmaline*.

C'était le moins qu'il puisse faire, mais il voulait faire tellement plus. Peut-être qu'un jour, il en aurait l'occasion, quoique les chances soient minces. Il était coincé à l'intérieur de Piefferburg, alors qu'elle circulait librement de l'autre côté des barrières. Aileen se trouvait loin de lui, elle aussi, perdue dans l'obscurité du Monde des Ténèbres.

Il jeta le marteau de côté. Puis, la sueur dégoulinant le long de son torse nu jusque dans son nombril, il se tourna, tenant à l'aide d'une pince la longue lame de fer enchanté chauffée au rouge, et il la plongea dans un bassin d'eau froide. Le fer cracha et souffla de la vapeur. Lorsqu'il travaillait le métal, sa magie sortait de lui en un long fil mince, imprégnant l'arme de l'habileté d'extirper le pouvoir d'un fae et de le rendre malade.

Aeric O'Malley était le Forgeron, le seul fae au monde pouvant créer des armes de fer enchanté. Son père avait jadis possédé le même pouvoir magique, mais il avait été gravement atteint du syndrome de Watt pendant le Grand Balayage. Depuis, il n'avait plus la force de pratiquer son métier, et avait laissé la tradition familiale entre les mains d'Aeric.

Fabriquer ces armes chaque nuit était un rituel pour Aeric, un rituel dont il n'avait jamais parlé à tous ceux qui le connaissaient. Sa forge était cachée à l'arrière de son appartement, tout au fond du sous-sol de la Tour Noire. L'ancien roi des Ténèbres, Aodh Críostóir Ruadhán O'Dubhuir, avait été le seul à être au courant de son travail illicite, étant celui qui l'avait installé dans cet appartement.

À présent, le peuple unseelie était dirigé par une reine des Ténèbres au lieu d'un roi des Ténèbres. Elle était une bonne reine, mais elle se familiarisait encore avec la Tour Noire. Reine Aislinn ne verrait peut-être pas d'un bon œil le fait que le Forgeron produise toujours des armes pouvant être utilisées contre son propre peuple. Reine Aislinn n'était pas aussi... *pratique* que son odieux père biologique l'avait été.

Aeric retira ses épais gants et, en poussant un grogne-ment de fatigue, il essuya du dos de son avant-bras son front trempé de sueur. Le fer l'interpellait à toute heure du jour et de la nuit. Chaque nuit, même après avoir effectué son devoir sacré avec la Chasse sauvage, la forge l'appelait avant la levée du jour. Il passait la plupart de ses nuits à remplir des commandes d'armes illégales ou il les créait parfois simplement parce qu'il devait le faire ; parce que son sang de fae le poussait à le faire. Aussi longtemps que sa magie tenait le coup, il créait.

Les murs de son monde de fer étincelaient des fruits de son labeur, aussi scintillants que mortels, et parmi eux était suspendu le portrait d'Aileen, qu'il avait peint lui-même pour ne jamais oublier son visage.

Et il ne l'avait jamais oublié.

Malgré la chaleur et la crasse régnant dans la pièce, son portrait était toujours immaculé, même s'il était très vieux. Pâle comme un ange et éblouissante comme l'or, elle était accrochée au mur et le regardait de ses yeux verts, verts comme la pelouse du pays dans lequel elle avait péri.

Les doigts du Forgeron se replièrent, tandis qu'il se remémorait la peau douce et les cheveux soyeux qui glissaient autrefois sur ses lèvres et sur la paume de ses mains. Son regard croisa la forme de la bouche de sa belle et s'y attarda. Non qu'il ait eu besoin de mémoriser les traits de son visage. Il se souvenait parfaitement d'Aileen Arabella Edmé McIlvernock. Sa fiancée d'autrefois avait l'air d'un ange, marchait comme un ange, pensait comme un ange… et faisait l'amour comme un ange. Elle n'avait peut-être pas été un ange en toute circonstance — non, certainement pas —, mais la mémoire d'Aeric ne s'attardait jamais aux mauvais souvenirs. Il n'y avait pas lieu de se remémorer la noirceur, seulement la lumière. Et il n'y avait pas lieu de l'oublier. Jamais il ne l'oublierait.

Et jamais il n'oublierait son assassin.

Emmaline avait réussi à échapper au Grand Balayage et probablement au syndrome de Watt également. Il ne pouvait en être sûr ; il le soupçonnait seulement. Son instinct lui disait simplement qu'elle se trouvait quelque part dans le monde et il vivait pour voir le jour où il la trouverait. Elle avait déchiqueté son âme le jour où elle avait tué Aileen et il n'avait jamais été capable d'en recoller tous les morceaux.

Détruire l'âme d'Emmaline ne serait que justice bien rendue. Lentement. Morceau sanglant par morceau sanglant.

Les chances qu'elle franchisse les barrières de Piefferburg pour entrer dans la toile de souffrances qui l'attendait étaient infinitésimales, mais, ce soir, tandis qu'Aeric contemplait le portrait d'Aileen, il souhaita qu'un miracle se produise.

Que Danu vienne en aide à Emmaline si jamais elle traversait le seuil de la porte de Piefferburg.

Il l'attendrait.

Les fae inscrivaient leur nom à l'arrivée, mais ne signaient jamais leur sortie. C'était un motel de cafards. Désirait-elle vraiment traverser ce seuil et peut-être finir sa vie comme un insecte écrasé ? Non, bien sûr que non. Le problème, c'était qu'elle n'avait pas le choix.

Emmaline Siobhan Keara Gallagher fixait du regard les barrières de Piefferburg. Allait-elle vraiment prendre ce risque ? Après tout ce qu'elle avait fait, toutes les années et l'énergie qu'elle avait consacrées à la cause, elle frémissait toujours à l'idée d'entrer dans ce lieu, craignant de ne jamais en ressortir.

Ses yeux étaient rivés sur le mur de garde brumeux qui séparait les fae du monde humain, dressé à quelques centimètres d'une grande façade d'épaisses briques. Cette façade ne décrivait pas tout le tour de Piefferburg, puisque l'enceinte de détention — ou la *zone de repeuplement,* pour employer le terme politiquement correct —, était énorme et que les frontières comprenaient non seulement des marécages, dans lesquels un mur ne pouvait pas être érigé, mais aussi l'océan. C'était le mur de garde des Phaendir qui gardait les fae emprisonnés, et non cette épaisse façade. Cette cloison n'existait que pour les yeux des humains. Une chose presque organique, le mur de garde existait plutôt dans une portion collective de l'esprit des Phaendir, comme un essaim spirituel alimenté par leur souffle, leurs pensées, leur magie et, par-dessus tout, leur système de croyances très puissant.

Ce mur de garde était incassable.

Ou c'était ce que l'on croyait.

— Emily ?

Elle sursauta de surprise. Emmaline se retourna au son du nom par lequel l'interpellaient les Phaendir, un nom ressemblant assez au sien pour qu'elle réagisse naturellement. C'est-à-dire, aussi naturelle qu'elle pouvait l'être en travaillant sous une fausse identité au sein d'un nid d'ennemis mortels. Ses journées de travail n'étaient pas exactement une partie de plaisir.

Après avoir rectifié son expression et revérifié son charme (elle craignait constamment de dévoiler sa couverture), elle se retourna, un sourire forcé plaqué sur le visage.

— Frère Gideon, vous m'avez fait peur.

Les fines lèvres du Phaendir se plissèrent pour former une moue, et il lissa de la main ses cheveux clairsemés, affichant un regard qui serait qualifié de nerveux par quiconque ne le connaissait pas. Emmaline, contrairement aux autres, n'était pas dupe. Gideon était un homme confiant, dangereux. L'air qu'il présentait au monde était calculé et visait à se faire sous-estimer.

Frère Gideon était moyen sur toute la ligne : cheveux brun moyennement foncé, taille moyenne, menton fuyant, la naissance des cheveux en retrait. Une personne qui passerait à côté de lui dans la rue lui jetterait un regard et l'oublierait aussitôt, le percevant comme un être tout à fait inoffensif. En réalité, frère Gideon était le plus menaçant de tous les Phaendir, un mamba noir dans une cave remplie de serpents à sonnettes. Si vous étiez occupé à autre chose, l'ignorant et le sous-estimant, il s'occupait de vous tuer. C'était ce qui le rendait hyper-dangereux.

Ce n'était pas un secret ; Gideon avait le béguin pour Emily. Elle alimentait prudemment l'attention qu'il lui portait depuis un bon moment, l'utilisant comme un outil efficace. Ce n'était pas une chose facile ni plaisante, d'avoir un homme aussi vicieux que frère Gideon qui l'admirait. C'était, en revanche, une chose utile. Utile pour les HLF, les Humains pour la liberté des fae, une organisation à laquelle elle avait dédié sa vie.

Emily s'efforça de sourire.

— Et je suis si heureuse que vous le fassiez.

éditions

www.ada-inc.com
info@ada-inc.com

 www.facebook.com/EditionsAdA
 www.twitter.com/EditionsAdA